DE BENDE VAN
ANANSI

NEIL GAIMAN

DE BENDE VAN
ANANSI

UITGEVERIJ LUITINGH

ISBN 90 245 5385 7/9789024553853
NUR 330/336

JE WEET HOE dat gaat. Je pakt een boek op,
bladert naar de opdracht en ziet dat de schrijver het
boek alweer niet aan jou heeft opgedragen,
maar aan een ander.

Deze keer niet.

Omdat we elkaar nog niet hebben
ontmoet/oppervlakkig kennen/erg op elkaar zijn
gesteld/veel te lang niet hebben gezien/verre familie
zijn/nooit zullen ontmoeten, maar toch altijd vol
genegenheid aan elkaar zullen denken...
Daarom draag ik dit boek aan jou op.
Met je weet wel en waarschijnlijk ook waarom.

NOOT: de auteur wil graag van de gelegenheid gebruik maken
om zijn hoed af te nemen voor de geesten van Zora Neale
Hurston, Thorne Smith, P.G. Wodehouse en Frederick 'Tex'
Avery.

INHOUD

9

DAT VOORAL

OVER NAMEN EN

FAMILIEBANDEN

GAAT

Het begint, zoals de meeste dingen beginnen, met een lied.

Want in den beginne waren er woorden en bij de woorden hoorde een melodie. Zo werd de wereld geschapen, zo werd de leegte gescheiden, zo zijn de landen ontstaan en de sterren en de dromen en de kleine goden en de dieren, zo zijn ze allemaal ter wereld gekomen.

Ze werden gezongen.

Toen de Zanger klaar was met de planeten en de heuvels en de bomen en de oceanen en de mindere beesten, werden de grote beesten door een lied tot leven gewekt. De kliffen die het bestaan begrenzen, werden gezongen, en de jachtvelden en de duisternis.

Liederen blijven. Ze duren voort. Met het juiste lied verandert een keizer in een zielenpoot en worden koningshuizen ten val gebracht. Een lied kan naklinken, lang nadat de gebeurtenissen en de mensen erin tot dromen en as zijn vergaan. Dat is de kracht van het lied.

Er zijn andere dingen die je met liederen kunt doen, behalve werelden maken of het bestaan herscheppen. Fat Charlie Nancy's vader bijvoorbeeld gebruikte ze gewoon omdat hij hoopte en verwachtte dat ze hem een geweldig avondje uit zouden bezorgen.

Voordat Fat Charlies vader de bar binnenstapte, dacht de barman nog dat de hele karaokeavond een ontzettende sof zou worden. Maar toen was de kleine, oude baas het zaaltje in komen zwieren, langs het tafeltje van een paar hoogblonde vrouwen, die vlakbij het provisorische podium in de hoek zaten met hun verse zonnebrandtint en de glimlach van een toerist. Hij had zijn hoed voor hen aangetikt, want hij droeg een hoed, een smetteloze groene gleufhoed, en citroengele handschoenen, en daarna liep hij naar hun tafeltje. Ze giechelden.

'Amuseert u zich een beetje, dames?' vroeg hij.

Ze bleven giechelen en vertelden hem dat ze zich amuseerden, dank u, en dat ze op vakantie waren. Hij zei: 'Wacht maar, het wordt nog veel leuker.'

Hij was ouder dan zij waren, veel ouder, maar hij was een en al charme, als iemand uit een vervlogen tijdperk toen goede manieren en hoffelijkheid nog iets voorstelden. De barman ontspande zich. Met zo iemand in de bar zou het een geslaagde avond worden.

Er was karaoke. Er werd gedanst. De oude man stond op om te zingen op het provisorische podium, niet één keer, maar twee keer die avond. Hij had een mooie stem en een prachtige glimlach en voeten die over de dansvloer vlogen. De eerste keer dat hij opstond om te zingen, zong hij: 'What's New Pussycat?' De tweede keer dat hij opstond om te zingen, ruïneerde hij Fat Charlies leven.

Fat Charlie was maar een paar jaar dik geweest, van kort voor zijn tiende – toen zijn moeder rondbazuinde dat als ze het ergens finaal mee had gehad (en mocht de heer in kwestie daar iets tegen in willen brengen, dan kon hij het in zijn je-weet-wel steken) het haar huwelijk met die oude bok was met wie ze zo dom was geweest te trouwen en die ze de volgende morgen zou verlaten om zo ver mogelijk weg te gaan, en hij moest het niet wagen haar te volgen – tot aan zijn veertiende, toen Fat Charlie iets langer werd en iets meer begon te sporten. Hij was niet dik. In feite was hij niet eens mollig, alleen op sommige plaatsen goed gevuld, maar de naam Fat Charlie bleef aan hem kleven, als kauwgom aan de zool van een tennisschoen. Wat hij ook deed, zichzelf voorstellen als Charles, of toen hij begin twintig was als Chaz, of op papier als C. Nancy, het hielp niet. De naam sijpelde door, infiltreerde zijn nieuwe leven, zoals in een nieuwe keuken kakkerlakken de kieren en wereld achter de koelkast binnendringen, dus of hij het nu leuk vond of niet – en dat vond hij beslist niet – het werd toch weer Fat Charlie.

Dat kwam, hij wist dat het irrationeel was, doordat zijn vader hem die bijnaam had gegeven, en elke naam die zijn vader gaf, bleef hangen.

In de straat in Florida, waar Fat Charlie was opgegroeid, hadden de overburen een hond gehad. Het was een kastanjebruine boxer, hoog op zijn poten, met gecoupeerde oren en een snuit die eruitzag of het beest als pup frontaal tegen de muur was geknald. Hij droeg zijn kop fier rechtop en zijn staartstompje stak omhoog. Hij was ontegenzeggelijk een aristocraat onder de honden. Hij had meegedaan met hondenshows. Hij had rozetten gewonnen voor de beste boxer en voor de beste in zijn categorie en zelfs een rozet voor de beste van de show. De hond was gezegend met de naam Campbell's Macinrory Arbuthnot de Zevende, maar als ze onder elkaar waren noemden zijn eigenaars hem Kai. Zo stonden de zaken ervoor tot de dag dat Fat Charlies vader, die op een gammele schommelbank op de veranda van zijn bier nipte, de hond door de tuin van de buren op en neer zag kuieren aan een lijn die van een palmboom tot aan het hek reikte.

'Verrek, wat een sullige hond,' zei Fat Charlies vader. 'Net het vriendje van Donald Duck. Dag Goofy.'

En wat eens de beste hond van de show was geweest, veranderde plotseling van gedaante en begon af te takelen. Het leek of Fat Charlie de hond door zijn vaders ogen bekeek, en verdomd als het niet waar was, op de keper beschouwd wás het inderdaad een behoorlijk sullige hond. Alsof hij van elastiek was.

Het duurde niet lang of de naam had zich door de hele straat verspreid. De eigenaars van Campbell's Macinrory Arbuthnot de

Zevende verzetten zich ertegen, maar ze hadden evengoed een discussie kunnen aangaan met een orkaan. Volstrekt onbekenden aaiden de eens zo trotse boxer over zijn kop en zeiden: 'Hé, Goofy, hoe is het met je, knul?' Het duurde niet lang of de eigenaars namen hem niet meer mee naar hondenshows. Ze durfden niet. 'Een Goofy-achtige hond,' zeiden de juryleden.

De namen die Fat Charlies vader aan dingen gaf, bleven eraan kleven. Zo was het nu eenmaal.

Maar dat vond Fat Charlie nog lang niet het ergste van zijn vader.

In zijn kinderjaren waren er een aantal zaken die een redelijke kans maakten om door Fat Charlie als het ergste van zijn vader te worden beschouwd: zijn zoekende blik en zijn al even avontuurlijke handen, tenminste volgens de jongedames in de buurt, die hun beklag deden bij Fat Charlies moeder, waar dan weer ruzie van kwam; de kleine zwarte sigaartjes die hij rookte en die hij sprietjes noemde, waarvan de geur bleef hangen in alles wat hij aanraakte; zijn voorliefde voor een bepaald soort schuifelende tapdans die, naar Fat Charlie vermoedde, in de jaren twintig in Harlem hooguit een halfuur populair was geweest; zijn volstrekte en halsstarrige onwetendheid over de toestand in de wereld in combinatie met zijn uitgesproken overtuiging dat sitcoms je een halfuur lang een inkijkje gaven in het leven en de problemen van echte mensen. Wat Fat Charlie betreft waren die dingen elk op zich niet het ergste van zijn vader, hoewel ze wel bijdroegen tot wat hij het allerergste vond.

Wat Fat Charlie het allerergste van zijn vader vond, kwam er in het kort op neer: hij was gênant.

Natuurlijk vindt iedereen zijn ouders gênant. Dat zijn ze per definitie. Het ligt in de aard van ouders om gênant te zijn, zoals het in de aard van kinderen ligt om op een bepaalde leeftijd in elkaar te krimpen van verlegenheid, schaamte en gekwetste trots als hun ouders in het openbaar het woord tot hen richten.

Maar Fat Charlies vader had het tot een kunst verheven en hij genoot ervan, zoals hij ook genoot van practical jokes, die varieerden van eenvoudig – Fat Charlie zou nooit de eerste keer vergeten dat hij in een matrozenbedje was gestapt – tot onvoorstelbaar gecompliceerd.

'Zoals?' vroeg Rosie, Fat Charlies verloofde, op een avond dat Fat Charlie, die het normaal nooit over zijn vader had, onbeholpen probeerde uit te leggen waarom hij dacht dat het een onzalig idee zou zijn om zijn vader uit te nodigen voor hun aanstaande huwelijk. Ze zaten op dat moment in een klein wijnlokaal in Zuid-Londen. Fat Charlie vond al heel lang dat het een goede zaak was dat hij door zevenduizend kilometer en de Atlantische Oceaan van zijn vader was gescheiden.

'Nou...' zei Fat Charlie en er schoot hem een reeks vernederingen te binnen; onwillekeurig deden ze hem stuk voor stuk huiveren. Hij koos er eentje uit. 'Nou, toen ik als kind naar een andere school ging, vertelde mijn vader met veel bombarie dat hij zich als kind altijd op Presidents' Day verheugde, want de kinderen die verkleed als hun favoriete president op school kwamen, hadden volgens de wet recht op een grote zak snoep.'

'O, wat een leuke wet,' zei Rosie. 'Ik wou dat we zoiets in Engeland hadden.' Rosie was nooit buiten Groot-Brittannië geweest, met uitzondering van een jongerenvakantie naar een eiland dat, daar was ze vrij zeker van, ergens in de Middellandse Zee lag. Ze had warme bruine ogen en een goed hart, maar aardrijkskunde was niet haar sterkste punt.

'Het ís geen leuke wet,' zei Fat Charlie. 'Het is helemaal geen wet. Hij heeft het verzonnen. In de meeste staten is er op Presidents' Day niet eens school, en zelfs als er wel school is, bestaat er geen traditie dat je op Presidents' Day als je favoriete president verkleed gaat. Het Congres heeft helemaal geen wet uitgevaardigd dat kinderen die als president verkleed gaan, grote zakken snoep krijgen. Het is ook niet zo dat hun populariteit in de jaren daarna, in de bovenbouw en op de middelbare school, wordt bepaald door welke president ze hebben gekozen – de gewone kinderen verkleden zich namelijk als de meest voor de hand liggende presidenten, dat zijn de Lincolns en Washingtons en Jeffersons, maar de kinderen die populair worden, gaan gekleed als John Quincy Adams of Warren Gamaliel Harding of zo. En je mag er vóór de dag zelf niet over praten, want dat brengt ongeluk. Dat is niet zo, maar dat was wat hij me vertelde.'

'Jongens én meisjes die zich als president verkleden?'

'Ja zeker. Jongens en meisjes. Dus in de week voor Presidents' Day las ik alles wat er over presidenten te lezen viel in de *World Book Encyclopedia* om een goede keus te maken.'

'Kwam het niet bij je op dat hij je misschien in de maling nam?'

Fat Charlie schudde zijn hoofd. 'Daar denk je niet aan als mijn vader zo op je inpraat. Hij is de beste leugenaar die je ooit hebt ontmoet. Hij is erg overtuigend.'

Rosie nam een slokje van haar chardonnay. 'En als welke president ben je toen naar school gegaan?'

'Taft, de zevenentwintigste president. Ik droeg een bruin pak dat mijn vader ergens had opgeduikeld; de broekspijpen waren helemaal opgerold en de voorkant was opgevuld met een kussen. Op mijn bovenlip was een snorretje geschilderd. Mijn vader bracht me die dag zelf naar school. Ik kwam apetrots aan. De andere kinderen gilden en wezen naar me. Na een tijdje sloot ik mezelf op in een van de jongenstoiletten en huilde. Ik mocht niet eens naar huis om me te verkleden. Zo ben ik die dag doorgekomen. Het was afschuwelijk.'

'Je had iets moeten verzinnen,' zei Rosie. 'Dat je na schooltijd naar een gekostumeerd feestje ging of zoiets. Of je had ze gewoon kunnen vertellen hoe het zat.'

'Ja,' zei Fat Charlie veelbetekenend, en somber bij de herinnering.

'Hoe reageerde je vader toen je thuiskwam?'

'O, hij bulderde van het lachen. Grinnikte en gniffelde en gierde en kwam niet meer bij. Daarna vertelde hij me dat ze dat gedoe met Presidents' Day misschien hadden afgeschaft. Nou, dan moesten we maar samen naar het strand gaan om te zoeken naar zeemeerminnen.'

'Zoeken naar... zeemeerminnen?'

'Dus we gingen naar het strand en liepen langs de zee, en hij gedroeg zich weer als de grootste idioot op aarde – begon te zingen en een soort schuifeldans in het zand te doen en sprak onder het lopen mensen aan – mensen die hij niet eens kende, mensen die hij nooit eerder had ontmoet. Ik vond het verschrikkelijk, maar hij vertelde me wel dat daar in de Atlantische Oceaan zeemeerminnen waren. Als ik snel en kien genoeg was, zou ik er eentje zien.'

'"Daar!" zei hij. "Zag je dat? Een grote rooie met een groene staart." En ik keek en ik keek, maar ik zag ze nooit.'

Hoofdschuddend graaide hij een handvol gemengde noten uit een schaaltje op de tafel en mikte ze in zijn mond, waarna hij ze zo grondig vermaalde alsof elke noot een twintig jaar oud onrecht was, dat nooit meer ongedaan gemaakt kon worden.

'Nou,' zei Rosie opgewekt. 'Hij lijkt me een fantastische man, wat een type! We moeten hem over laten komen voor de bruiloft. Hij zal de gangmaker van het feest zijn.'

Dat was toch precies, legde Fat Charlie uit nadat hij zich korte tijd in een paranoot had verslikt, het allerlaatste wat je op je bruiloft wilde, dat je vader opdook en de gangmaker werd. Hij zei dat zijn vader ongetwijfeld nog steeds de meest gênante persoon op Gods groene aardbodem was. Daar kwam bij dat hij volmaakt gelukkig was dat hij de oude bok al een paar jaar niet meer had gezien; het beste wat zijn moeder ooit had gedaan, was zijn vader verlaten en in Engeland bij haar tante Alanna intrekken. Hij onderstreepte dit door glashard te beweren dat hij niet van plan was zijn vader uit te nodigen, al moest hij daarvoor één, twee of desnoods drie keer in de hel branden. Eigenlijk, zei Fat Charlie tot slot, vond hij het fijnste van trouwen nu juist dat hij zijn vader níét op hun bruiloft hoefde uit te nodigen.

En toen zag Fat Charlie de uitdrukking op Rosies gezicht en de koude glinstering in haar meestal vriendelijke ogen, en haastig verbeterde hij zichzelf door te zeggen dat hij natuurlijk het op één na fijnste bedoelde, maar het was al veel te laat.

'Wen maar vast aan het idee dat hij komt,' zei Rosie. 'Per slot van rekening is een bruiloft een uitstekende gelegenheid om breuken te repareren en bruggen te bouwen. Het is je kans om te laten zien dat je hem niets kwalijk neemt.'

'Maar ik neem hem wél wat kwalijk,' zei Fat Charlie. 'Een heleboel zelfs.'

'Heb je een adres van hem?' vroeg Rosie. 'Of een telefoonnummer? Je kunt hem waarschijnlijk beter bellen. Een brief is een beetje onpersoonlijk als je enige zoon gaat trouwen... Je bent toch zijn enige zoon? Heeft hij een e-mailadres?'

'Ja, ik ben zijn enige zoon. Ik weet niet of hij e-mail heeft. Ik denk het niet,' zei Fat Charlie. Brieven waren prima, dacht hij. Ze konden onderweg zoek raken, om maar iets te noemen.

'Nou, je hebt toch wel een adres of telefoonnummer?'

'Nee,' zei Fat Charlie oprecht. Misschien was zijn vader wel verhuisd. Misschien was hij weg uit Florida en ergens naartoe gegaan waar ze geen telefoons hadden. Of geen adressen.

'Kom,' zei Rosie bits, 'wie dan wel?'

Mevrouw Higgler,' zei Fat Charlie en al zijn strijdlust doofde uit.

Rosie glimlachte liefjes. 'En wie is mevrouw Higgler?' vroeg ze.

'Een vriendin van de familie,' zei Fat Charlie. 'Ze woonde vroeger naast ons.'

Hij had mevrouw Higgler een paar jaar geleden gesproken, toen zijn moeder op sterven lag. Op verzoek van zijn moeder had hij mevrouw Higgler gebeld om de boodschap door te geven dat zijn vader contact moest opnemen. Een paar dagen later had er op Fat Charlies antwoordapparaat een bericht gestaan, ingesproken toen hij op zijn werk was, met een stem die onmiskenbaar van zijn vader was, al klonk hij ouder en tamelijk dronken.

Zijn vader zei dat het hem niet goed uitkwam en dat zijn drukke werkzaamheden hem in Amerika hielden. Toen voegde hij eraan toe dat Fat Charlies moeder ondanks alles een fantastische vrouw was. Een paar dagen later werd er een vaas met een gemengd boeket op de ziekenzaal bezorgd. Fat Charlies moeder had gesnoven toen ze het kaartje las.

'Alsof hij zo gemakkelijk van me af komt,' zei ze. 'Hij bedenkt zich nog wel, let op mijn woorden.' Maar ze liet de verpleegkundige de bloemen op een prominente plaats naast haar bed zetten en vroeg Fat Charlie meermalen of hij al iets had gehoord, of hij wist wanneer zijn vader haar zou komen opzoeken voordat het allemaal afgelopen was.

Fat Charlie zei dat hij niets had gehoord. Hij begon een hekel te krijgen aan die vraag, aan zijn antwoord en de uitdrukking op haar gezicht als hij het haar vertelde: nee, zijn vader kwam niet.

De ergste dag vond Fat Charlie de dag dat de arts, een nors mannetje, hem apart nam en vertelde dat het niet lang meer zou duren, dat zijn moeder snel wegkwijnde en dat het alleen nog maar zaak was haar zo pijnloos mogelijk naar het einde te begeleiden.

Fat Charlie had alleen maar geknikt en was naar zijn moeder gegaan. Ze had zijn hand vastgehouden en net gevraagd of hij eraan dacht de gasrekening te betalen toen het lawaai in de gang losbarstte – een rinkelend, toeterend, stampend, ratelend koperen-en-bas-en-drumgeluid van het soort dat je normaliter niet in ziekenhuizen hoort, waar bordjes in het trapportaal om stilte verzoeken en het personeel die met ijzige blikken afdwingt.

Het lawaai werd steeds harder. Even dacht Fat Charlie dat het misschien terroristen waren. Bij zijn moeder wekte de kakofonie echter een flauwe glimlach op. 'Yellow Bird,' fluisterde ze.

'Wat?' vroeg Charlie, bang dat ze wartaal begon uit te slaan.

'Yellow Bird,' zei ze, deze keer hardop en zeker van haar zaak. 'Dat is wat ze spelen.'

Fat Charlie liep naar de deur en keek naar buiten.

Zonder aandacht te schenken aan de protesten van de verpleegkundigen of de verbijsterde blikken van patiënten in pyjama en hun verwanten, kwam door de gang van het ziekenhuis een klein jazzorkest in New Orleansstijl aanzetten. Er was een saxofoon en een sousafoon en een trompet. Er was een enorme man die iets aan zijn nek had hangen wat op een contrabas leek. Er was een man met een bassdrum, waar hij dreunend op sloeg. En aan het hoofd van de troep, in een vlot geruit pak met een gleufhoed op zijn hoofd en citroengele handschoenen aan, liep

Fat Charlies vader. Hij bespeelde geen instrument, maar deed een geluidloze tapdans over het gewreven linoleum van de ziekenhuisvloer, telkens zijn hoed afnemend voor het medisch personeel, handen schuddend met iedereen die dicht genoeg in zijn buurt kwam om iets te zeggen of zich te beklagen.

Fat Charlie beet op zijn lip en bad tot wie er maar wilde luisteren, dat de aarde zich zou openen om hem te verzwelgen of dat hij, als dat niet zou lukken, getroffen mocht worden door een kort, genadig en fataal hartinfarct. Dat geluk was hem niet gegund. Hij bleef onder de levenden, de brassband bleef komen en zijn vader bleef dansen, handen schudden en glimlachen.

Als er rechtvaardigheid bestaat, dacht Fat Charlie, *loopt mijn vader nu door, de hele gang uit, rechtstreeks naar de genito-urinaire afdeling.* Maar er was geen rechtvaardigheid en toen zijn vader bij de deur van de afdeling oncologie kwam, bleef hij staan.

'Fat Charlie,' riep hij, zo hard dat iedereen op de afdeling – op de hele verdieping, in het hele ziekenhuis – kon horen dat dit iemand was die Fat Charlie kende. 'Fat Charlie, ga opzij. Je vader is er.'

Fat Charlie ging opzij.

De band, met Fat Charlies vader voorop, slingerde zich als een slang door de zaal tot bij het bed van Fat Charlies moeder. Ze keek op en glimlachte toen ze hen zag naderen.

'Yellow Bird,' zei ze met broze stem. 'Dat is mijn lievelingsliedje.'

'Alsof ik dat ooit zou kunnen vergeten. Wat denk je wel?' vroeg Fat Charlies vader.

Langzaam schudde ze haar hoofd, ze legde haar hand in zijn citroengeel geschoeide hand en gaf er een kneepje in.

'Pardon,' zei een kleine blanke vrouw met een klembord, 'horen die mensen bij u?'

'Nee,' zei Fat Charlie met vuurrode wangen. 'Nee hoor, niet echt.'

'Maar dat ís toch uw moeder?' vroeg de vrouw met een drakerige blik. 'Ik verzoek u ervoor te zorgen dat deze mensen de zaal onverwijld verlaten, zonder nog meer overlast te veroorza-ken.'

Fat Charlie mompelde.

'Wat zei u?'

'Ik zei dat ik vrij zeker weet dat ik ze niets kan laten doen,' zei Fat Charlie. Hij troostte zichzelf net met de gedachte dat het niet veel erger kon worden, toen zijn vader een plastic bood-schappentas van de drummer overnam, er blikjes donker bier uit begon te halen en ze uitdeelde aan de leden van zijn band, de verpleegkundigen en de patiënten. Toen stak hij een sprietje op.

'Wacht eens even,' zei de vrouw met het klembord toen ze de rook zag en ze schoot door de zaal op hem af als een scudraket met een omgekeerd horloge.

Fat Charlie maakte van de gelegenheid gebruik om weg te glippen. Dat leek hem de meest verstandige handelwijze.

Die nacht zat hij thuis te wachten op het gerinkel van de te-lefoon of een klop op de deur, in ongeveer dezelfde stemming als een man die geknield onder de guillotine wacht op de dode-lijke aanraking van het mes, maar de deurbel zweeg.

Hij sliep nauwelijks en was op het ergste voorbereid toen hij de volgende middag heimelijk het ziekenhuis in sloop.

Zijn moeder oogde in haar bed gelukkiger en rustiger dan ze er in maanden uit had gezien. 'Hij is alweer weg,' vertelde ze Fat Charlie toen hij binnenkwam. 'Hij kon niet blijven. Ik moet zeg-gen dat ik het jammer vind, Charlie, dat je ertussenuit bent ge-piept. Het is hier uiteindelijk een heel feest geworden. We heb-ben het ouderwets gezellig gehad.'

Fat Charlie kon zich geen grotere kwelling voorstellen dan een feest op een oncologieafdeling, waarvan zijn vader met een jazzband de gangmaker was. Hij hield zijn mond.

'Hij is geen slecht mens,' zei Fat Charlies moeder met twin-kelende ogen. Toen fronste ze haar voorhoofd. 'Nou ja, dat is ook niet helemaal waar. Een goed mens is hij zeker niet. Maar zijn bezoek van gisteravond heeft me geweldig goed gedaan.' Ze glimlachte, een echte glimlach, en even zag ze er weer jong uit.

De vrouw met het klembord stond in de deuropening en

wenkte hem met haar vinger. Fat Charlie liep haastig door de zaal naar haar toe en begon zich al te verontschuldigen voordat hij zich op gehoorsafstand bevond. Toen hij dichterbij kwam, viel het hem op dat ze niet meer op een draak met maagkramp leek. Nu zag ze er bepaald koket uit. 'Uw vader,' zei ze.

'Het spijt me,' zei Fat Charlie. Dat was wat hij als kind altijd zei zodra iemand over zijn vader begon.

'Nee, nee, nee,' zei de voormalige draak. 'U hoeft zich niet te verontschuldigen. Ik vroeg me alleen iets af. Uw vader. Voor het geval we hem moeten verwittigen – we hebben geen telefoonnummer of adres in ons dossier. Ik had het hem gisteravond moeten vragen, maar het is me helemaal door het hoofd geschoten.'

'Hij heeft geloof ik geen telefoon,' zei Fat Charlie. 'En als u hem wilt vinden, kunt u het beste naar Florida gaan en daar de AIA nemen, de weg die langs bijna de hele oostkust van de staat loopt. 's Middags staat hij daar ergens op een brug te vissen. 's Avonds zit hij in de kroeg.'

'Wat een charmante man,' zei ze weemoedig. 'Wat voor werk doet hij?'

'Wat ik zei. Hij noemt het zijn wonderbaarlijke visvangst.'

Ze keek hem wezenloos aan en hij voelde zich voor gek staan. Als zijn vader het zei, begonnen de mensen juist te lachen. 'Ahum, zoals de wonderbaarlijke visvangst in de Bijbel. Mijn vader zei altijd dat hij zijn brood verdiende door een beetje te vissen en dat het een wonder was dat hij toch geld binnenkreeg. Dat was een grapje van hem.'

Een wazige blik. 'Ja, hij heeft ons de meest hilarische grappen verteld.' Ze klakte met haar tong en keerde terug naar haar vroegere zakelijkheid. 'Luister, ik wil dat u hier om halfzes terug bent.'

'Waarom?'

'Om uw moeder op te halen. En haar spullen. Heeft dokter Johnson u niet verteld dat ze wordt ontslagen?'

'Stuurt u haar naar huis?'

'Ja, meneer Nancy.'

'Maar hoe zit het dan met de... tumor?'

'Dat is kennelijk loos alarm geweest.'

Fat Charlie begreep niet hoe het loos alarm kon zijn geweest. Vorige week hadden ze nog besproken dat zijn moeder naar een hospice zou moeten. De arts had dingen gezegd als 'een kwestie van weken, geen maanden' en 'zorgen dat ze zo min mogelijk pijn heeft terwijl we het onvermijdelijke afwachten'.

Niettemin kwam Fat Charlie om halfzes zijn moeder afhalen, die nauwelijks verrast leek door het bericht dat ze niet langer stervende was. Op weg naar haar huis zei ze tegen Fat Charlie dat ze haar spaargeld wilde gebruiken om iets van de wereld te zien.

'De artsen zeiden dat ik drie maanden te leven had,' zei ze. 'En ik herinner me dat ik dacht: als ik ooit uit dit ziekenhuisbed opsta, dan ga ik naar Parijs en Rome en dergelijke steden. Ik ga terug naar Barbados en Saint Andrews. Misschien ga ik naar Afrika. En naar China, want ik hou van Chinees eten.'

Fat Charlie wist niet precies wat er aan de hand was, maar wat het ook was, het was zijn vaders schuld. Hij vergezelde zijn moeder en haar zware koffer naar Heathrow Airport, en in de internationale vertrekhal zwaaide hij haar uit bij de gate. Met een brede glimlach ging ze door de controle, haar paspoort en tickets in haar hand geklemd. Ze zag er jonger uit dan hij haar in jaren had gezien.

Ze stuurde hem ansichtkaarten uit Parijs en Rome en Athene en Lagos en Kaapstad. Op haar kaart uit Nanking stond dat ze beslist niet hield van wat in China voor Chinees eten doorging en dat ze popelde om terug te keren naar Londen, waar ze tenminste een fatsoenlijke Chinese maaltijd kon krijgen.

Ze overleed in haar slaap in een hotel in Williamstown op het Caribische eiland Saint Andrews.

Bij de uitvaart in een crematorium in Zuid-Londen verwachtte Fat Charlie zijn vader te zien. Misschien zou de oude baas zijn entree maken aan het hoofd van een jazzband, of door het gangpad wandelen met een clownsgroep of een zestal sigaren paffende chimpansees op driewielers achter zich aan. Zelfs tijdens de dienst bleef Fat Charlie over zijn schouder de deur van de kapel in de gaten houden. Maar Fat Charlies vader was er niet, alleen zijn moeders vriendinnen en verre familie, bijna allemaal gezette vrouwen met zwarte hoeden op, die hun neus snoten en hun ogen depten en hun hoofd schudden.

Tijdens de slotzang, toen er op de knop was gedrukt en Fat Charlies moeder over de transportband naar haar eindbestemming was gerold, ontdekte Fat Charlie achter in de kapel een man van ongeveer zijn eigen leeftijd. Het was duidelijk niet zijn vader. Het was iemand die hij niet kende, iemand die hem misschien niet eens was opgevallen, in het donker achterin, als hij niet naar zijn vader had uitgekeken... en toen stond daar die onbekende man in een elegant zwart pak, met neergeslagen ogen en gevouwen handen.

Fat Charlie liet zijn blik iets te lang op hem rusten en de onbekende keek Fat Charlie aan en schonk hem een vreugdeloze glimlach die suggereerde dat ze in hetzelfde schuitje zaten. Het was niet het soort uitdrukking dat je op het gezicht van een onbekende ziet, maar toch kon Fat Charlie de man niet thuisbrengen. Hij draaide zijn hoofd terug en keek voor zich uit. Ze zongen 'Swing Low, Sweet Chariot', een lied waarvan Fat Charlie vrijwel zeker wist dat zijn moeder er altijd een hekel aan had gehad, en de eerwaarde Wright nodigde iedereen uit nog iets te eten bij Fat Charlies oudtante Alanna.

Bij zijn oudtante Alanna had hij niemand gezien die hij nog niet kende. Zijn moeder was nu al jaren geleden overleden, maar nog steeds vroeg hij zich soms af wie die onbekende man was geweest en wat hij daar had gedaan. Soms dacht Fat Charlie dat hij het zich maar had verbeeld...

'Zo,' zei Rosie, terwijl ze haar chardonnay achteroversloeg, 'jij belt die mevrouw Higgler op en geeft haar mijn mobiele nummer. Vertel haar dat we gaan trouwen en wanneer... en trouwens, vind je dat we haar moeten uitnodigen?'

'Dat kunnen we doen,' zei Fat Charlie. 'Ik denk alleen niet dat ze komt. Ze is een oude vriendin van de familie. Ze kent mijn vader al sinds de oertijd.'

'Nou, pols haar eens. Kijk of we haar een uitnodiging moeten sturen.'

Rosie was een goed mens. Rosie had iets in zich van Franciscus van Assisi, van Robin Hood, van Boeddha en van Glinda de Goede Heks. De wetenschap dat ze op het punt stond haar geliefde te herenigen met zijn vader, die hij uit het oog was verloren, gaf haar aanstaande huwelijk een extra dimensie, besloot ze. Het was niet langer gewoon een bruiloft. Het was praktisch een humanitaire missie geworden, en Fat Charlie kende Rosie lang genoeg om te weten dat hij nooit tussenbeide moest komen als zijn verloofde de behoefte voelde om Goed te Doen.

'Morgen bel ik mevrouw Higgler,' zei hij.

'Weet je wat,' zei Rosie met een vertederend rimpeltje in haar neus, 'bel haar vanavond. In Amerika is het nog vroeg.'

Fat Charlie knikte. Ze liepen samen het wijnlokaal uit, Rosie met een huppelpasje, Fat Charlie als een man op weg naar het schavot. Hij zei tegen zichzelf dat hij zich niet moest aanstellen. Wie weet, misschien was mevrouw Higgler verhuisd, of was haar telefoon afgesloten. Dat kon best. Alles kon.

Ze liepen de trap op naar Fat Charlies woning, de bovenverdieping van een huisje in Maxwell Gardens, achter Brixton Road.

'Hoe laat is het in Florida?' vroeg Rosie.

'Eind van de middag,' zei Fat Charlie.

'Nou, bel dan.'

'Misschien is ze nog niet thuis en moeten we even wachten.'

'En misschien moeten we nu bellen, voordat ze aan het eten is.'

Fat Charlie vond in zijn oude papieren adresboekje onder de H een stukje papier dat uit een envelop was gescheurd met een telefoonnummer in zijn moeders handschrift en daaronder *Callyanne Higgler*.

De telefoon rinkelde en rinkelde.

'Ze is er niet,' zei hij tegen Rosie, maar op dat moment werd de telefoon aan de andere kant opgenomen en een vrouwenstem zei: 'Ja, met wie?'

'Ahum, spreek ik met mevrouw Higgler?'

'Met wie spreek ik?' vroeg mevrouw Higgler. 'Als je zo'n verdraaide verkoper bent, ga je me meteen van de lijst schrappen, anders dien ik een klacht in. Ik ken mijn rechten.'

'Nee, ik ben het, Charles Nancy. Uw buurjongen van vroeger.'

'Fat Charlie? Dat is sterk. Ik ben al de hele ochtend op zoek naar je telefoonnummer. Ik heb het hele huis ondersteboven gekeerd, en maar zoeken. En denk je dat ik het vind? Er staat me vaag bij dat ik het in mijn oude kasboek had geschreven. Het hele huis keer ik ondersteboven. En ik zeg tegen mezelf, Callyanne, het wordt tijd om te bidden en te hopen dat de Heer je hoort en alles in orde maakt, dus ik val op mijn knieën, nou, mijn knieën zijn niet meer zo best, dus ik vouw alleen mijn handen, maar goed, ik kan dat nummer nergens vinden, maar kijk eens aan, jij belt mij zomaar, en eigenlijk is dat beter, vooral omdat ik geen koffer met geld heb zodat ik me geen telefoontjes naar het buitenland kan permitteren, zelfs niet voor zoiets, al had ik je heus gebeld, maak je geen zorgen, gezien de omstandigheden...'

En plotseling zweeg ze, óf om adem te halen óf om een slok uit haar enorme mok met veel te hete koffie te nemen, die ze altijd in haar linkerhand droeg, en in die korte stilte zei Fat Charlie: 'Ik wil mijn vader op mijn bruiloft uitnodigen. Ik ga trouwen.' Er viel een stilte aan de andere kant van de lijn. 'Pas aan het eind van het jaar, hoor,' zei hij. Nog meer stilte. 'Ze heet Rosie,' voegde hij er behulpzaam aan toe. Hij begon zich af te vragen of de verbinding was verbroken. De gesprekken met mevrouw Higgler waren gewoonlijk nogal eenzijdig, omdat ze zowel de vraag als het antwoord voor haar rekening nam, maar nu liet ze hem zomaar drie mededelingen doen zonder hem in de rede te vallen. Hij besloot er nog een vierde aan te wagen: 'Als u wilt, mag u ook komen.'

'Here, Here, Here,' zei mevrouw Higgler, 'Heb je het dan nog niet gehoord?'

'Wat moet ik hebben gehoord?'

Dus vertelde ze het hem in geuren en kleuren, terwijl hij daar zwijgend stond, en toen ze klaar was, zei hij: 'Dank u wel, mevrouw Higgler.' Hij schreef iets op een kladje, en zei toen weer:

'Dank u wel. Nee echt, dank u wel,' en hij verbrak de verbinding.

'Nou?' vroeg Rosie. 'Heb je zijn nummer?'

Fat Charlie zei: 'Mijn vader komt niet op de bruiloft.' Toen zei hij: 'Ik moet naar Florida.' Zijn stem klonk vlak, zonder emotie. Hij had evengoed kunnen zeggen: 'Ik moet een nieuw chequeboekje bestellen.'

'Wanneer?'

'Morgen.'

'Waarom?'

'Begrafenis. Mijn vader. Hij is dood.'

'O, wat erg. Wat vind ik dat erg voor je.' Ze sloeg haar armen om hem heen en hield hem vast. Als een etalagepop stond hij in haar armen. 'Hoe is het, is hij... was hij ziek?'

Fat Charlie schudde zijn hoofd. 'Ik wil er niet over praten,' zei hij.

En Rosie drukte hem tegen zich aan, knikte toen meelevend en liet hem los. Ze dacht dat hij te zeer door smart was overmand om erover te kunnen praten.

Dat was niet zo. Dat was het helemaal niet. Hij schaamde zich te erg.

Er waren vast duizend respectabele manieren om te sterven. Van een brug in de rivier springen om een kind van de verdrinkingsdood te redden bijvoorbeeld, of neergemaaid worden door een regen van kogels terwijl je in je eentje een rovershol bestormt. Volstrekt respectabele manieren om te sterven.

In feite waren er zelfs een paar minder respectabele manieren om dood te gaan die toch lang niet zo erg waren geweest. Menselijke zelfontbranding bijvoorbeeld: medisch gezien dubieus en wetenschappelijk gezien onwaarschijnlijk, maar nog steeds gaan er mensen in rook op die alleen een verkoolde hand achterlaten met een half opgerookte sigaret erin. Fat Charlie had dat in een tijdschrift gelezen. Hij zou het niet erg hebben gevonden als zijn vader op die manier aan zijn eind was gekomen. Of zelfs niet als hij op straat aan een hartaanval was bezweken terwijl hij de boeven achtervolgde die zijn portemonnee hadden gepikt.

Maar het overlijden van Fat Charlies vader ging zo.

Hij was vroeg naar de bar gegaan en had de karaokeavond geopend met 'What's New Pussycat?' Dat lied had hij, volgens mevrouw Higgler die er niet bij was geweest, uitgeschald op een manier die Tom Jones een lawine van damesondergoed zou hebben bezorgd, en waarvoor Fat Charlies vader een extra biertje kreeg, een attentie van de paar blonde toeristes uit Michigan, die hem het einde vonden.

'Het was hun schuld,' zei mevrouw Higgler verbitterd door de telefoon. 'Ze hebben hem aangemoedigd!' Met 'ze' bedoelde mevrouw Higgler de vrouwen die zich in een strak topje hadden geperst, met een roodverbrande huid door te-veel-en-te-vroeg in de zon liggen en allemaal jong genoeg om zijn dochter te kunnen zijn.

Dus vrij snel schoof hij bij hun tafeltje aan, rookte zijn sprietjes en zinspeelde erop dat hij bij de inlichtingendienst had gezeten in de oorlog, hoewel hij in het midden liet in welke oorlog, en dat hij moeiteloos iemand op tien verschillende manieren met zijn blote handen kon doden.

Toen voerde hij de blondste, meest rondborstige toeriste mee in een snelle werveling over de dansvloer, of wat daarvoor door moet gaan, terwijl een van haar vriendinnen vanaf het podium 'Strangers in the Night' kweelde. Hij leek zich kostelijk te amuseren, hoewel de toeriste iets groter was dan hij en zijn grijns zich ter hoogte van haar boezem bevond.

En toen de dans voorbij was, kondigde hij aan dat het zijn beurt was en zong 'I Am What I Am' – want als je iets over Fat Charlies vader kon zeggen, dan was het wel dat hij nooit twijfelde aan zijn heteroseksualiteit – voor de hele zaal, maar speciaal voor de blondste toeriste aan het tafeltje vlak onder hem. Hij gaf zichzelf volledig. Hij was net bezig de toehoorders uit te leggen dat zijn leven, wat hem betrof, geen stuiver waard was als hij niet iedereen kon vertellen dat hij was wat hij was, toen hij een raar gezicht trok, zijn ene hand tegen zijn borst drukte, zijn andere hand uitstak en voorovoviel, zo langzaam en gracieus als onder die omstandigheden mogelijk was, van het provisorische podium op de blondste vakantiegangster en daarna op de grond.

'Zo zou hij het hebben gewild,' verzuchtte mevrouw Higgler.

Daarna vertelde ze Fat Charlie dat zijn vader tijdens zijn val als laatste gebaar zijn hand had uitgestoken en zich had vastgeklampt aan wat bij nader inzien het strapless topje van de blonde toeriste bleek te zijn. Sommige mensen dachten eerst dat hij een wellustige sprong van het podium had genomen om de boezem van de bewuste dame te onthullen, want ze stond me daar een partij te schreeuwen, terwijl haar borsten de zaal in staarden en de muziek 'I Am What I Am' bleef spelen, alleen zong nu niemand mee.

Toen het tot de toeschouwers doordrong wat er werkelijk was gebeurd, namen ze twee minuten stilte in acht, en Fat Charlies vader werd afgevoerd in een ambulance, terwijl de blonde toeriste een hysterische aanval kreeg in het damestoilet.

Het waren de borsten die Fat Charlie niet uit zijn hoofd kon zetten. Voor zijn geestesoog volgden ze hem verwijtend door de hele kamer, als de ogen van een schilderij. Hij bleef de behoefte voelen zich te verontschuldigen voor een zaal met mensen die hij nog nooit had ontmoet. En de wetenschap dat zijn vader het hoogst vermakelijk zou hebben gevonden, maakte Fat Charlies gêne alleen maar groter. Je schaamt je dieper voor iets waar je niet eens zelf bij bent geweest: je geest blijft op het voorval doorborduren, ernaar terugkeren, het telkens omkeren om het van alle kanten te bekijken. Die van jou misschien niet, maar die van Fat Charlie in elk geval wél.

Schaamte bezorgde Fat Charlie doorgaans kiespijn en pijn in zijn maag. Als het er ook maar even op leek dat er op zijn tv-scherm iets gênants ging gebeuren, sprong Fat Charlie op en zette de tv uit. Als dat onmogelijk was, bijvoorbeeld omdat er andere mensen in de kamer waren, liep hij met een smoes weg en wachtte tot hij zeker wist dat het gênante ogenblik voorbij was.

Fat Charlie woonde in Zuid-Londen. Op zijn tiende was hij er komen wonen met een Amerikaans accent, waarmee hij onophoudelijk werd geplaagd, en hij had erg zijn best gedaan om het kwijt te raken, om definitief de laatste zachte medeklinker en geprononceerde R uit te roeien en zich te bekwamen in de correcte toepassing en plaatsing van het als *innit* uitgesproken *isn't it*. Op zijn zestiende was hij er eindelijk in geslaagd zijn Amerikaanse accent voorgoed kwijt te raken, terwijl zijn schoolkameraden juist ontdekten dat het erg tof was om te klinken alsof ze uit een getto kwamen. Het duurde niet lang of iedereen, behalve Fat Charlie, praatte op dezelfde manier als Fat Charlie toen hij nog maar net in Engeland was; alleen zou zijn moeder hem een draai om zijn oren hebben gegeven als hij dat soort taal in het openbaar had uitgeslagen.

De toon bepaalde alles.

Toen de schaamte over zijn vaders manier van overlijden begon te wijken, voelde Fat Charlie zich alleen nog maar leeg.

'Ik heb geen familie meer,' zei hij tegen Rosie, een beetje bozig.

'Je hebt mij,' zei ze. Dat bracht een glimlach op Fat Charlies gezicht. 'En je hebt mijn moeder,' voegde ze eraan toe, wat zijn glimlach in de kiem smoorde. Ze kuste hem op zijn wang.

'Je zou kunnen blijven slapen,' opperde hij. 'Om me te troosten en zo.'

'Het zou kunnen,' gaf ze toe, 'maar ik doe het niet.'

Rosie was niet van plan met Fat Charlie naar bed te gaan voor hun huwelijk. Ze zei dat haar besluit vast stond en ze had het genomen toen ze vijftien was. Niet dat ze Fat Charlie toen al kende, maar ze had het nu eenmaal besloten. Dus ze gaf hem nog een knuffel, een hele lange. En ze zei: 'Je moet je verzoenen met je vader, weet je.' En toen ging ze naar huis.

Het werd een onrustige nacht, waarin hij soms sliep, dan weer wakker lag en zich dingen afvroeg, en opnieuw in slaap viel.

Bij het krieken van de dag was hij op. Als de mensen naar hun werk gingen, zou hij het reisbureau bellen om te informeren of hij met rouwkorting naar Florida kon vliegen, en hij zou de Grahame Coats Agency bellen om te vertellen dat hij vanwege een sterfgeval in de familie een paar dagen vrij moest nemen en ja, hij wist dat het van zijn ziekteverlof of vakantiedagen afging.

Maar voorlopig was hij blij dat de wereld rustig was.

Hij liep door de gang naar het piepkleine logeerkamertje aan de achterkant van het huis en keek omlaag de tuin in. Het ochtendkoor had zijn lied ingezet, en hij zag merels en kleine laagvliegende mussen, een enkele lijster met gevlekte borst op de takken van een naburige boom. Fat Charlie bedacht dat een wereld waarin 's morgens de vogels zongen een normale wereld was, een redelijke wereld, een wereld waar hij zonder bezwaar bij wilde horen.

Later, toen vogels iets werden om bang voor te zijn, dacht Fat Charlie aan die ochtend terug als iets goeds en iets moois, maar ook als het punt waar het allemaal begon; nog voor de waanzin en de angst.

TWEE

Fat Charlie baande zich puffend een weg over de begraafplaats, zijn ogen dichtknijpend tegen het Floridase zonlicht. In zijn pak verschenen overal zweetplekken, het eerst bij zijn oksels en zijn borst. Onder het rennen begon het zweet van zijn gezicht te druipen.

De begraafplaats leek in feite erg op een tuin, maar een rare tuin met alleen kunstbloemen in metalen vazen die uit metalen gedenkplaten in de grond staken. Fat Charlie rende langs een bord. 'GRATIS grafruimte voor alle eervol ontslagen veteranen!' stond erop. Hij rende door Babyland, waar de plastic bloemen op het Floridase grasveld gezelschap hadden gekregen van veelkleurige windmolentjes en verregende blauwe en roze teddyberen. Een halfvergane Winnie de Poe staarde lusteloos naar de blauwe lucht.

Fat Charlie kon nu het begrafenisgezelschap zien en hij sloeg af, een ander pad in, om erheen te rennen. Er stonden dertig mensen, misschien meer, rond het graf. De vrouwen droegen donkere jurken en grote zwarte hoeden, afgezet met zwarte kant, als surrealistische bloemen. De mannen droegen pakken zonder zweetplekken. De kinderen keken ernstig. Fat Charlie minderde vaart tot een fatsoenlijke looppas, probeerde zich te haasten zonder zo snel te rennen dat iemand kon zien dat hij zich feitelijk haastte, en toen hij de groep rouwenden had bereikt, poogde hij zich naar de voorste gelederen te wringen zonder al te veel aandacht te trekken. Doordat hij hijgde als een walrus die zojuist een trap had beklommen, baadde in het zweet en in het voorbijgaan op een paar tenen trapte, liep die poging op een mislukking uit.

Er werden nijdige blikken geworpen, die Fat Charlie probeerde te negeren. Iedereen zong een lied dat Fat Charlie niet kende. Hij knikte op het ritme van het lied en probeerde de schijn te wekken dat hij zo'n beetje zong, door zijn lippen te bewegen alsof hij daadwerkelijk meezong, sotto voce, en het leek of hij een gebed prevelde, maar het zouden ook onwillekeurige lipbewegingen kunnen zijn. Hij benutte de gelegenheid om naar de kist te kijken en was blij te zien dat die dicht was.

De kist was een magnifiek geval, vervaardigd van materiaal dat op extra dik kogelvrij staal leek, loodkleurig grijs. Als de dag van de wederopstanding aanbreekt, dacht Fat Charlie, als Gabriël op zijn krachtige hoorn blaast en de doden hun kisten verlaten, zou zijn vader opgesloten zitten in zijn graf. Hij zou tevergeefs op het deksel bonzen en wensen dat hij met een koevoet en, nog beter, een lasbrander was begraven.

Het laatste, intens welluidende halleluja stierf weg. In de daaropvolgende stilte kon Fat Charlie iemand horen roepen vanaf de andere kant van de begraafplaats, de kant waar hij binnen was gekomen.

De predikant zei: 'Is er iemand die nog iets wil zeggen ter nagedachtenis van de dierbare overledene?'

Op de gezichten van de mensen rond het graf stond duidelijk te lezen dat er een paar van plan waren iets te zeggen, maar Fat Charlie wist dat dit een nu-of-nooit-moment was. *Je moet je met je vader verzoenen.* Juist.

Hij haalde diep adem en stapte naar voren, zodat hij vlak voor de rand van het graf stond, en zei: 'Ahum. Pardon. Juist. Ik denk dat ík iets te zeggen heb.'

Het geroep in de verte werd luider. Een paar rouwenden wierpen blikken over hun schouder om te kijken waar het vandaan kwam. De rest stond Fat Charlie aan te staren.

'Ik heb nooit op, wat je noemt, intieme voet met mijn vader gestaan,' zei Fat Charlie. 'Ik vermoed dat we niet echt wisten hoe dat moest. Ik heb twintig jaar geen contact met hem gehad en hij niet met mij. Er zijn veel dingen die moeilijk te vergeven zijn, maar eens komt de dag dat je ontdekt dat je geen familie meer hebt.' Hij wiste het zweet van zijn voorhoofd. 'Ik geloof niet dat ik ooit in mijn leven heb gezegd: "Ik hou van je, pa." Ieder van jullie, jullie allemaal, kenden hem waarschijnlijk beter dan ik. Sommigen van jullie hebben misschien van hem gehouden. Jullie zagen hem regelmatig, ik niet. Daarom schaam ik me niet om het hardop uit te spreken. Het voor de eerste keer in minstens twintig jaar te zeggen.' Hij keek neer op het ondoordringbare stalen deksel. 'Ik hou van je,' zei hij. 'En ik zal je nooit vergeten.'

Het geroep werd nog luider, en nu was het zo luid en zo duidelijk dat iedereen, in de stilte die op Fat Charlies verklaring volgde, kon verstaan wat er werd precies werd geschreeuwd. 'Fat Charlie! Hou op met die mensen lastig te vallen en kom als de gesmeerde bliksem hier!'

Fat Charlie staarde naar de zee van onbekende gezichten, waarop een kolkende mengeling van schrik, verbijstering, woede en afgrijzen stond te lezen; met suizende oren drong de waarheid tot hem door.

'Eh. Sorry. Verkeerde begrafenis,' zei hij.

Een jongetje met zeiloren en een enorme glimlach zei trots: 'Ze was mijn oma.'

Fat Charlie trok zich terug, door het kleine gezelschap heen, onder het mompelen van onsamenhangende verontschuldigingen. Hij wou dat de wereld stilstond. Hij wist dat het niet zijn vaders schuld was, maar hij wist ook dat zijn vader het erg komisch zou hebben gevonden.

Op het pad stond een grote vrouw, de handen op haar heupen, met grijs haar en een gezicht als een donderwolk. Fat Charlie liep naar haar toe, alsof hij door een mijnenveld liep, weer negen jaar oud, en in de problemen.

'Hoorde je me niet?' vroeg ze. 'Loopt me rakelings voorbij.

Zet jezelf weer eens voor aap!' In haar tongval begon aap met de letter H. 'Kom, deze kant uit,' zei ze. 'Je hebt de dienst en alles gemist. Maar er ligt nog een schep aarde op je te wachten.'

Mevrouw Higgler was in de afgelopen twintig jaar nauwelijks veranderd. Ze was hooguit een beetje dikker, een beetje grijzer. Met haar lippen stevig op elkaar geperst ging ze hem voor over een van de vele paden door de begraafplaats. Fat Charlie vermoedde dat hij geen beste indruk had gemaakt. Ze liep voor hem uit en Fat Charlie, in ongenade, volgde.

Een hagedis zoefde omhoog langs het ijzeren hek aan de rand van de begraafplaats, ging boven op een spijl zitten om van de klamme Floridase lucht te genieten. De zon was achter een wolk verdwenen, maar 's middags zou het zo mogelijk nog heter worden. De hagedis blies zijn nek op tot een feloranje ballon.

Twee kraanvogels op hoge poten, die hij eerst voor tuinornamenten had aangezien, keken naar hem op toen hij langsliep. Een van de twee bracht pijlsnel zijn kop omlaag en toen hij hem ophief, bungelde er een grote kikker uit zijn snavel. Met schrokkerige bewegingen werkte hij de kikker naar binnen, die met zijn poten schopte en door de lucht maaide.

'Kom,' zei mevrouw Higgler. 'Niet treuzelen. Het is al erg genoeg dat je de begrafenis van je eigen vader hebt gemist.'

Fat Charlie onderdrukte de neiging te zeggen dat hij die dag al zesduizend kilometer had afgelegd en een auto had gehuurd en van Orlando hierheen was gereden en de verkeerde afslag had genomen, en trouwens, wie kwam er op het idee om een begraafplaats achter een *Wal-Mart* helemaal aan de rand van de stad te verstoppen? Ze liepen door, langs een groot betonnen gebouw dat naar formaldehyde rook, tot ze bij een open graf in de verste uithoek van het terrein kwamen. Daarachter was alleen een hoog hek, en daar weer achter een wildernis van bomen en palmen en groen. In het graf bevond zich een eenvoudige houten kist. Er lagen al een paar hoopjes aarde op. Naast het graf lag een grote berg aarde en een schep.

Mevrouw Higgler pakte de schep op en gaf hem aan Fat Charlie. 'Het was een mooie dienst,' zei ze. 'Een paar van je vaders oude kroegmaten waren er en alle dames uit onze straat. Zelfs toen hij een eindje verderop was gaan wonen, bleven we contact houden. Hij zou het wel leuk hebben gevonden. Natuurlijk had hij het leuker gevonden als jij erbij was geweest.' Ze schudde haar hoofd. 'En nu, scheppen,' zei ze. 'Als je hem nog gedag wilt zeggen, kun je dat doen terwijl je de kuil volgooit.'

'Ik dacht dat ik alleen maar een of twee scheppen aarde hoefde te doen,' zei hij. 'Om mijn goede wil te tonen.'

'Ik heb de man dertig dollar gegeven om weg te gaan,' zei mevrouw Higgler. 'Ik vertelde hem dat de zoon van de overledene helemaal uit Hengeland overkwam en dat hij zijn vader de laatste eer wilde bewijzen. Dat is wat anders dan een beetje "goede wil tonen".'

'Juist,' zei Fat Charlie. 'Absoluut. Begrepen.' Hij trok zijn jasje uit en hing het over het hek. Hij knoopte zijn das los, deed hem af en stopte hem in de zak van zijn jasje. Hij schepte de zwarte aarde in het open graf, in de Floridase lucht die zo drukkend was als de zwaartekracht.

Na een tijdje begon het zo'n beetje te regenen, dat wil zeggen, het was het soort regen dat maar niet kon besluiten of het een echte regenbui wilde worden. Als je erdoorheen reed, wist je nooit zeker of je je ruitenwissers moest aanzetten. Als je erin stond, erin aan het scheppen was, werd je alleen maar zweteriger, vochtiger, onbehaaglijker. Fat Charlie ging door met scheppen en mevrouw Higgler stond erbij, met haar armen over haar gigantische boezem gevouwen, terwijl de bijna-regen haar zwarte jurk en haar strohoed met een zwartzijden roos bewasemde, en ze keek hoe hij de kuil volgooide.

De aarde veranderde in modder en werd zo mogelijk nog zwaarder.

Na wat een eeuwigheid leek te duren, en nog een bijzonder onaangename eeuwigheid bovendien, stampte Fat Charlie de laatste schep aarde aan.

Mevrouw Higgler liep op hem af. Ze pakte zijn jasje van het hek en gaf het aan hem.

'Je bent doorweekt en zit onder de modder en het zweet, maar

36

wat ben je groot geworden. Welkom thuis, Fat Charlie,' zei ze met een glimlach en ze drukte hem aan haar enorme borst.

'Ik huil niet,' zei Fat Charlie.

'Stil maar,' zei mevrouw Higgler.

'Het is de regen op mijn gezicht,' zei Fat Charlie.

Mevrouw Higgler zei niets meer. Ze hield hem vast en wiegde hem heen en weer, en na een poosje zei Fat Charlie: 'Zo gaat het wel weer.'

'Je gaat met mij mee naar huis,' zei mevrouw Higgler. 'Dan geven we je eerst iets te eten.'

Op de parkeerplaats veegde hij de modder van zijn schoenen, stapte toen in zijn grijze huurauto en volgde mevrouw Higglers donkerbruine stationcar door straten die twintig jaar geleden nog niet bestonden. Mevrouw Higgler reed als een vrouw die zojuist een enorme en felbegeerde mok koffie heeft ontdekt, en zichzelf tot taak heeft gesteld zo veel mogelijk koffie te drinken terwijl ze zo hard mogelijk reed. Fat Charlie reed achter haar aan, deed zijn best haar bij te houden, racete van het ene stoplicht naar het andere, en probeerde erachter te komen waar ze zich ongeveer bevonden.

En toen sloegen ze een straat in en hij besefte met groeiend onbehagen dat die hem bekend voorkwam. Dit was de straat waar hij als jongen had gewoond. De huizen zagen er zelfs min of meer hetzelfde uit, hoewel om de meeste voortuinen nu een imposante afrastering was verrezen.

Voor mevrouw Higglers huis stonden al een paar wagens geparkeerd. Hij stopte achter een bejaarde grijze Ford. Mevrouw Higgler liep naar de voordeur, maakte die met haar sleutel open.

Fat Charlie nam zichzelf op, modderig en nat van het zweet. 'Zo kan ik niet naar binnen,' zei hij.

'Ik heb wel erger gezien,' zei mevrouw Higgler. Toen snoof ze. 'Weet je wat, ga naar binnen, loop meteen door naar de badkamer; was je handen en je gezicht, fris jezelf op en als je klaar bent, vind je ons in de keuken.'

Toen hij de badkamer in kwam, rook alles naar jasmijn. Hij trok zijn modderige overhemd uit, en waste zijn gezicht en handen in een piepkleine wasbak met naar jasmijn geurende zeep. Met een washandje spoelde hij zijn borst af en boende de ergste modderplekken uit zijn broek. Hij keek naar zijn overhemd, dat wit was geweest toen hij het die ochtend had aangetrokken, maar nu een aparte groezelige tint bruin had gekregen, en besloot het niet meer aan te trekken. Hij had meer overhemden in zijn tas, op de achterbank van de huurauto. Hij zou door de achterdeur naar buiten glippen, een schoon overhemd aantrekken en zich daarna aan de mensen in het huis vertonen.

Hij draaide de badkamerdeur van de knip en zwaaide hem open.

Vier oudere dames stonden hem in de gang aan te staren. Hij kende ze allemaal.

'Wat doe je daar?' vroeg mevrouw Higgler.

'Ander overhemd,' zei Fat Charlie. 'Overhemd in auto. Ja. Zo terug.'

Met opgeheven kin schreed hij de gang door en verdween door de voordeur.

'Wat slaat hij voor taal uit?' vroeg de kleine mevrouw Dunwiddy, goed hoorbaar achter zijn rug.

'Zoiets zien we hier niet iedere dag,' zei mevrouw Bustamonte, hoewel, als er iets was wat je hier aan de Floridase goudkust dagelijks zag, dan was het wel mannen met onbloot bovenlijf, al droegen ze daar gewoonlijk geen modderige broek onder.

Fat Charlie trok naast zijn auto een ander overhemd aan en liep terug naar het huis. De vier vrouwen waren in de keuken ijverig bezig dingen in tupperware dozen te stouwen die eruitzagen als de overblijfselen van een overvloedige maaltijd.

Mevrouw Higgler was ouder dan mevrouw Bustamonte en beiden waren ouder dan juffrouw Noles en geen van hen was ouder dan mevrouw Dunwiddy. Mevrouw Dunwiddy was stokoud en dat was haar aan te zien. Er bestonden geologische tijdperken die waarschijnlijk jonger waren dan mevrouw Dunwiddy.

Als kind had Fat Charlie zich een voorstelling gemaakt van mevrouw Dunwiddy in Equatoriaal Afrika, die afkeurend door haar dikke brillenglazen naar de nog maar net verrezen mensachtigen keek. 'Blijf uit mijn voortuin,' zei ze dan tegen een recentelijk geëvolueerd, nogal nerveus exemplaar van de *Homo habilis*, 'of je kunt ervan op aan dat je een oorvijg krijgt.' Mevrouw Dunwiddy rook naar viooltjeswater en onder de viooltjesgeur rook ze naar een stokoude vrouw. Ze was een klein oud dametje dat bozer kon kijken dan een donderwolk, en Fat Charlie, die meer dan twee decennia geleden een kwijtgeraakte tennisbal in haar tuin had gezocht en daarbij een van haar tuinornamenten had gebroken, was nog steeds doodsbang voor haar.

Op dat moment zat mevrouw Dunwiddy met haar vingers hompen kerriegeit uit een tupperware schaaltje te eten. 'Zonde om te laten staan,' zei ze en ze mikte de resten geitenbot op een porseleinen schoteltje.

'Moet jij niet eten, Fat Charlie?' vroeg juffrouw Noles.

'Nee hoor,' zei Fat Charlie. 'Echt niet.'

Vier paar ogen keken hem verwijtend aan door vier paar brillenglazen. 'Niet goed om je dood te hongeren van verdriet,' zei mevrouw Dunwiddy, terwijl ze haar vinger aflikte en de volgende homp vet, bruin, geitenvlees pakte.

'Dat is het niet. Ik heb gewoon geen honger. Dat is alles.'

'Van ellende zul je verschrompelen tot je vel over been bent,' zei juffrouw Noles met wrang leedvermaak.

'Dat denk ik niet.'

'Ik dek de tafel voor je,' zei mevrouw Higgler. 'Jij gaat daar nu zitten. Ik wil geen woord meer van je horen. Er is nog genoeg van alles, dus zit daar maar niet over in.'

Fat Charlie ging zitten op de stoel die ze aanwees en binnen een paar seconden stond er een bord voor zijn neus, beladen met gestoofde erwten en rijst, zoete aardappelpastei, pikant varkensvlees, kerriegeit, kerriekip, gebakken bananen en ingelegde koeienpoot. Fat Charlie voelde het maagzuur al opkomen voordat hij een hap had genomen.

'Waar is iedereen?' vroeg hij.

'De kroegmaten van je vader zijn naar de kroeg. Ze willen een dagje gaan vissen op een brug, als herdenkingsbijeenkomst.' Mevrouw Higgler goot haar reismok, die de omvang van een kleine emmer had, leeg in de gootsteen en schonk hem vol met de dampende inhoud van een verse kan koffie.

Mevrouw Dunwiddy likte haar vingers af met een purperen tongetje, en schuifelde naar Fat Charlie, die zijn eten nog niet had aangeraakt. Vroeger geloofde hij echt dat mevrouw Dunwiddy een heks was. Geen aardige heks, maar zo eentje die door kinderen in een oven moest worden geduwd om eraan te ontsnappen. Het was voor het eerst in ruim twintig jaar dat hij haar zag, en nog steeds moest hij de neiging bedwingen om zich gillend onder de tafel te verstoppen.

'Ik heb heel wat mensen zien sterven,' zei mevrouw Dunwiddy. 'In mijn leven. Als je oud genoeg wordt, zul je dat zelf ook meemaken. Iedereen gaat een keer dood, vroeg of laat.' Ze zweeg. 'Toch had ik nooit verwacht dat het je vader zou overkomen.' En ze schudde haar hoofd.

'Hoe was hij?' vroeg Fat Charlie. 'Toen hij jong was?'

Mevrouw Dunwiddy keek hem aan door haar dikke, dikke brillenglazen, en ze kneep haar lippen op elkaar en ze schudde haar hoofd. 'Dat was voor mijn tijd,' zei ze alleen maar. 'Eet je koeienpoot.'

Fat Charlie zuchtte en begon te eten.

Het was in de namiddag en ze waren alleen in het huis.

'Waar slaap je vannacht?' vroeg mevrouw Higgler.

'Ik dacht naar een motel te gaan,' zei Fat Charlie.

'Als je zelf een prachtige slaapkamer hebt? En een prachtig huis een eindje verderop? Je hebt het nog niet eens bekeken. Als je het mij vraagt, zou je vader hebben gewild dat je daar logeerde.'

'Ik ben liever alleen. En ik voel er weinig voor om in mijn vaders huis te slapen.'

'Nou, het is mijn geld niet dat wordt weggegooid,' zei mevrouw Higgler. 'Je moet in elk geval beslissen wat je met je vaders huis doet. En met zijn spullen.'

'Het maakt me niet uit,' zei Fat Charlie. 'We kunnen ze voor een prikkie wegdoen. Op *eBay* zetten. Naar de stort brengen.'

'Nou, wat is dat voor mentaliteit?' Ze rommelde in een keukenla en trok er een voordeursleutel uit, met een groot papieren label eraan. 'Hij heeft me een reservesleutel gegeven toen hij ging verhuizen,' zei ze. 'Voor als hij de zijne zou verliezen, of de deur dichttrekken zonder hem mee te nemen, of zoiets. Hij zei altijd dat hij zijn hoofd nog zou vergeten als het niet aan zijn nek vastzat. Toen hij het huis hiernaast verkocht, zei hij tegen me: maak je geen zorgen, Callyanne, ik ga niet ver weg. Zolang ik me kan heugen, heeft hij in dat huis gewoond, maar toen besloot hij dat het te groot was en dat hij moest verhuizen...' Almaar doorpratend liep ze met hem naar de stoep en bracht hem in haar donkerbruine stationcar een paar straten verder, tot ze bij een laag houten huis kwamen.

Nadat ze de voordeur van het slot had gedraaid, gingen ze naar binnen. Er hing een bekende geur: vaag zoetig, alsof er in de keuken voor het laatst chocoladekoekjes waren gebakken, maar wel een tijd geleden. Het was veel te warm binnen. Mevrouw Higgler ging hem voor naar de kleine woonkamer en zette de raamventilator aan. Hij ratelde en beefde en stonk naar natte herdershond en liet de warme lucht circuleren.

Stapels boeken stonden opgetast rond een versleten sofa die Fat Charlie zich nog van zijn jeugd herinnerde. Er waren veel foto's in lijstjes: onder andere een zwart-witfoto van Fat Charlies moeder toen ze jong was, in een glitterjurk met opgestoken haar, pikzwart en glanzend; ernaast een foto van Fat Charlie zelf, misschien vijf of zes jaar oud, waarop hij naast een deur met spiegelglas stond, zodat het even leek alsof er twee kleine Fat Charlies, zij aan zij, vanuit de foto naar je keken.

Fat Charlie pakte het bovenste boek van de stapel. Het was een boek over Italiaanse architectuur.

'Was hij geïnteresseerd in architectuur?'

'Zijn grootste hobby. Ja.'

'Dat wist ik niet.'

Mevrouw Higgler haalde haar schouders op en nam een slokje koffie.

Fat Charlie sloeg het boek open en zag op de eerste bladzijde in een keurig handschrift zijn vaders naam staan. Hij sloeg het boek dicht.

'Ik heb hem nooit gekend,' zei Fat Charlie. 'Niet echt.'

'Het was geen man die je gemakkelijk kon leren kennen,' zei mevrouw Higgler. 'Ik kende hem, eens kijken, bijna zestig jaar? Maar toch kende ook ik hem niet echt.'

'Dus dan hebt u hem meegemaakt toen hij nog jong was.'

Mevrouw Higgler aarzelde. Het leek of ze zich dingen herinnerde. Toen zei ze heel zacht: 'Ik kende hem al toen ik een meisje was.'

Fat Charlie voelde dat hij een ander onderwerp moest aansnijden, dus hij wees naar het portret van zijn moeder. 'Hij heeft ma's foto daar staan,' zei hij.

Mevrouw Higgler nam een grote teug van haar koffie. 'Is op de boot genomen,' zei ze. 'Jij was nog niet geboren. Zo'n schip waarop je dineerde, en dat drie mijl uit de kust voer, buiten de territoriale wateren, en dan werd er gegokt. Daarna voer het weer terug. Ik weet niet of die schepen nog bestaan. Je moeder zei dat ze toen voor het eerst biefstuk had gegeten.'

Fat Charlie probeerde zich voor te stellen hoe zijn ouders waren geweest, voordat hij werd geboren.

'Hij is altijd een knappe man geweest,' peinsde mevrouw Higgler, alsof ze zijn gedachten kon lezen. 'Tot op het eind. Hij had een glimlach die een meisje de koude rillingen bezorgde. En hij kleedde zich altijd tiptop. Alle vrouwen waren dol op hem.'

Fat Charlie wist het antwoord al voordat hij de vraag stelde. 'Hebt u...?'

'Wat is dat voor rare vraag om aan een fatsoenlijke weduwe te stellen?' Ze nam een slokje koffie. Fat Charlie wachtte tot ze antwoord gaf. Ze zei: 'Ik heb hem gekust. Lang, lang geleden, voordat hij je moeder ontmoette. Hij kon heel goed kussen. Ik hoopte dat hij langs zou komen, me weer uit dansen zou vragen, in plaats daarvan smeerde hij 'm. Hij bleef weg, eens kijken, een jaar? Twee jaar? En tegen de tijd dat hij terugkwam, was ik met meneer Higgler getrouwd en bracht hij je moeder mee. Heeft haar ergens op de eilanden ontmoet.'

'Vond u het erg?'

'Ik was een getrouwde vrouw.' Weer een slokje koffie. 'En je kon geen hekel aan hem hebben. Kon niet eens fatsoenlijk boos op hem zijn. En zoals hij naar haar keek... verdraaid, als hij ooit zo naar mij had gekeken, had ik mijn geluk niet op gekund. Weet je dat ik je moeders bruidsmeisje ben geweest toen ze trouwden?'

'Dat wist ik niet.'

De ventilator begon koude lucht uit te stoten. Het rook nog steeds naar natte herdershond.

Hij vroeg: 'Denkt u dat ze gelukkig waren?'

'In het begin.' Ze hief haar enorme thermosmok op, leek een slokje koffie te willen nemen en bedacht zich toen. 'In het begin. Maar zelfs zij kon zijn aandacht niet erg lang vasthouden. Hij had zo veel te doen. Hij had het erg druk, je vader.'

Fat Charlie probeerde erachter te komen of mevrouw Higgler het al dan niet spottend bedoelde. Hij wist het niet. Ze lachte in elk geval niet.

'Zo veel te doen? Wat dan? Vissen vanaf een brug? Domino spelen op de veranda? Wachten op de onvermijdelijke uitvinding van karaoke? Hij had het niet druk. Ik geloof niet dat ik hem ooit een dag heb zien werken in al die tijd dat ik hem kende.'

'Zulke dingen zeg je niet over je vader.'

'Maar het is zo. Hij was een waardeloos figuur. Een beroerde echtgenoot en een beroerde vader.'

'Natuurlijk!' zei mevrouw Higgler heftig. 'Maar je kunt hem niet naar menselijke maatstaven beoordelen. Bedenk goed, Fat Charlie, dat je vader een god was.'

'Een god onder de mensen?'

'Nee. Gewoon een god.' Ze zei het terloops, zonder emotie, en ze kon op dezelfde normale toon hebben gezegd 'hij was suikerpatiënt' of gewoon 'hij was zwart'.

Fat Charlie wilde er de draak mee steken, maar daar was die blik in mevrouw Higglers ogen, en plotseling wist hij niets grappigs meer te zeggen. Op gedempte toon zei hij dus maar: 'Hij was geen god. Goden zijn bijzonder. Mythisch. Ze doen wonderen en zo.'

'Dat klopt,' zei mevrouw Higgler. 'Als hij nog zou leven, had-

43

den we het je niet verteld, maar nu hij is gestorven, kan het geen kwaad.'

'Hij was geen god. Hij was mijn vader.'

'Allebei kan ook,' zei ze. 'Het komt voor.'

Het leek op discussiëren met iemand die gestoord was, dacht Fat Charlie. Hij besefte dat hij gewoon zijn mond moest houden, maar zijn lippen bleven bewegen. Op hetzelfde moment zeiden zijn lippen: 'Kijk, als mijn vader een god was, had hij goddelijke gaven gehad.'

'Had hij ook. Deed er nooit veel mee, weet je. Maar hij was oud. Trouwens, hoe kwam het, denk je, dat hij nooit hoefde te werken? Elke keer als hij geld nodig had, deed hij mee aan de loterij, of hij ging naar Hallendale om op de honden of paarden te wedden. Hij won nooit zo veel dat het opviel. Gewoon genoeg om rond te kunnen komen.'

Fat Charlie had zijn hele leven nooit iets gewonnen. Helemaal niets. Op zijn werk had hij meegedaan aan diverse weddenschappen, maar hij kon er altijd van op aan dat zijn paard de startblokken niet eens zou halen, of dat zijn team zou worden verbannen naar een tot die tijd onbekende divisie, ergens in de graftomben van de georganiseerde sport. Dat stak hem.

'Als mijn vader een god was – wat ik geen moment geloof, laat ik dat erbij zeggen – waarom ben ík dan geen god? Ik bedoel, u zegt toch dat ik de zoon van een god ben?'

'Inderdaad.'

'Nou dan, waarom kan ik niet op winnende paarden wedden of toveren of wonderen en zo doen?'

Ze snoof. 'Je broer heeft de hele goddelijke rimram gekregen.'

Fat Charlie glimlachte onwillekeurig. Hij liet zijn adem ontsnappen. Dan was het dus toch een grap.

'Ach, weet u, mevrouw Higgler. Ik heb helemaal geen broer.'

'Natuurlijk wel. Daar staan jullie samen op de foto.'

Hoewel hij wist wat er op de foto stond, keek Fat Charlie er nog een keer vluchtig naar. Ze was stapelgek. Volkomen gestoord. 'Mevrouw Higgler,' zei hij zo vriendelijk mogelijk. 'Dat ben ík. Dat is een foto van mij toen ik klein was. Er zit spiegel-

44

glas in de deur. Ik sta ernaast. Ik ben het en mijn spiegelbeeld.'

'Jij bent het en het is ook je broer.'

'Ik heb nooit een broer gehad.'

'Nou en of. Ik mis hem niet. Jij was altijd braaf, weet je. Hij was een ondeugd toen hij nog hier was.' En voordat Fat Charlie iets anders kon zeggen, voegde ze eraan toe: 'Hij ging weg toen jij nog heel jong was.'

Fat Charlie boog naar haar toe. Hij legde zijn grote hand op mevrouw Higglers knokige hand, waarin ze de koffiemok hield. 'Het is niet waar,' zei hij.

'Louella Dunwiddy zorgde dat hij wegging,' zei ze. 'Hij was bang voor haar. Maar toch kwam hij af en toe terug. Als hij wilde, kon hij erg charmant zijn.' Ze dronk haar mok leeg.

'Ik heb altijd een broer willen hebben,' zei Fat Charlie. 'Iemand om mee te spelen.'

Mevrouw Higgler stond op. 'Dit huis maakt zichzelf niet schoon,' zei ze. 'In de auto liggen vuilniszakken. Ik denk dat we een heleboel vuilniszakken nodig hebben.'

'Ja,' zei Fat Charlie.

Hij overnachtte in een motel. 's Morgens ontmoette hij mevrouw Higgler weer in zijn vaders huis en ze stopten alle rommel in grote zwarte vuilniszakken. Ze verzamelden zakken met spullen voor het goede doel. Ze vulden een doos met dingen die Fat Charlie uit sentimentele overwegingen wilde bewaren, vooral foto's uit zijn jeugd en van voordat hij was geboren.

Er stond een oude hutkoffer – hij leek op een klein uitgevallen piratenkist – vol documenten en oude papieren. Fat Charlie ging op de grond zitten om ze uit te zoeken. Mevrouw Higgler kwam uit de slaapkamer aanlopen met de volgende zwarte vuilniszak vol mottige kleren.

'Die hutkoffer heeft hij van je broer gekregen,' zei mevrouw Higgler, zomaar opeens. Het was voor het eerst dat ze terugkwam op een van haar waanideeën van de vorige avond.

'Ik wou dat ik een broer had,' zei Fat Charlie, en hij realiseerde zich pas dat hij het hardop had gezegd toen mevrouw Higgler reageerde: 'Dat zeg ik toch. Je hébt een broer.'

'Als dat zo is,' zei hij, 'waar kan ik die zogenaamde broer dan vinden?' Later zou hij zich afvragen waarom hij die vraag had gesteld. Om haar een plezier te doen? Haar te plagen? Had hij alleen maar iets willen zeggen om de stilte op te vullen? Hoe dan ook, hij zei het. En ze beet op haar onderlip en knikte.

'Je moet het weten. Het is je erfgoed. Het is je bloedlijn.' Ze liep naar hem toe en wenkte hem met haar vinger dichterbij. Charlie boog zich voorover. De lippen van de oude vrouw streken langs zijn oor terwijl ze fluisterde: '... hem nodig... vertel het...'

'Wat zegt u?'

'Ik zeg,' zei ze met haar gewone stem, 'als je hem nodig hebt, vertel het aan een spin. Dan komt hij meteen.'

'Vertel het aan een spin?'

'Dat zeg ik. Zit ik voor Piet Snot te praten? Mijn longen een beetje te oefenen? Nooit gehoord van met de bijen praten? Toen ik als meisje op Saint Andrews woonde, voordat mijn ouders hierheen trokken, waren we gewend het goede nieuws aan de bijen te vertellen. Nou, dit is net zoiets. Praat tegen een spin. Dat deed ik als ik je vader een boodschap wilde sturen, wanneer hij de hort op was.'

'... juist.'

'Wil je niet op die manier "juist" tegen me zeggen.'

'Op welke manier?'

'Alsof ik een gestoorde oude vrouw ben die de weg kwijt is. Denk je dat ik ze niet meer allemaal op een rijtje heb?'

'Ahum. Nee, dat denk ik niet. Echt niet.'

Mevrouw Higgler liet zich niet vermurwen. Ze was verre van tevreden. Ze pakte haar koffiemok van de tafel en hield hem stevig vast, afkeurend. Fat Charlie had het nu verbruid en mevrouw Higgler was vastbesloten hem dat duidelijk te maken.

'Ik hoef dit niet te doen, weet je,' zei ze. 'Ik hoef je niet te helpen. Ik doe het alleen voor je vader, hij was een bijzondere man, en voor je moeder, ze was een fijne vrouw. Ik vertel je grote dingen. Ik vertel je belangrijke dingen. Je zou naar me moeten luisteren. Je zou me moeten geloven.'

'Ik geloof u,' zei Fat Charlie zo overtuigend mogelijk.

'Dat zeg je alleen om een oude vrouw haar zin te geven.'

'Nee,' loog hij. 'Dat is niet zo. Eerlijk waar.' Zijn woorden waren doordesemd van eerlijkheid, oprechtheid en waarheid. Hij was duizenden kilometers van huis, in het huis van zijn overleden vader, met een krankzinnige oude vrouw op het randje van een beroerte. Als het haar zou hebben gesust, had hij haar verteld dat de maan alleen maar een vreemd soort tropische vrucht was, en het nog min of meer hebben gemeend ook.

Ze snoof.

'Dat is het probleem met jongelui als jij,' zei ze. 'Omdat je nog maar pas komt kijken, denk je dat je alles weet. Ik ben in mijn leven al meer vergeten dan jij bij elkaar weet. Je weet niets over je vader, je weet niets over je familie. Ik vertel je dat je vader een god is, je vraagt me niet eens over wat voor god ik het heb.'

Fat Charlie probeerde zich de namen van sommige goden te herinneren. 'Zeus?' opperde hij.

Mevrouw Higgler maakte het geluid van een ketel die nog net niet gaat fluiten. Fat Charlie wist bijna zeker dat Zeus het verkeerde antwoord was geweest. 'Cupido?'

Ze produceerde een ander geluid, dat begon als geproest en eindigde in gegniffel. 'Ik zie het al voor me. Je vader die alleen zo'n donzige luier aanheeft, met een grote pijl en boog.' Ze gniffelde nog iets harder. Toen nam ze een grote slok koffie.

'Vroeger toen hij een god was,' zei ze. 'Vroeger, toen noemden ze hem Anansi.'

Waarschijnlijk kent iedereen wel een paar Anansiverhalen. Waarschijnlijk is er niemand ter wereld die niet een paar Anansiverhalen kent.

Anansi was een spin, toen de wereld nog jong was en alle verhalen voor het eerst werden verteld. Hij werkte zichzelf altijd in de nesten en hij haalde zich altijd weer uit de nesten. Het verhaal van de Teer-Baby, dat ze vertellen over broer Konijn? Dat was Anansi's eerste verhaal. Sommige mensen denken dat hij een konijn was. Maar die hebben het mis. Hij was geen konijn. Hij was een spin.

Anansiverhalen bestaan al net zo lang als mensen elkaar vertellen. Vroeger in Afrika, waar alles begon, zelfs voordat mensen holenleeuwen en -beren op rotswanden schilderden, zelfs toen vertelden ze al verhalen, over apen en leeuwen en bizons: grote droomverhalen. Die drang hebben mensen altijd gehad. Op die manier gaven ze zin aan hun wereld. Alles wat rende of kroop of slingerde of kronkelde, liep door die verhalen heen, en verschillende volksstammen vereerden verschillende beesten.

Leeuw was toen al de koning der dieren, en Gazelle was de meest snelvoetige, en Aap was de domste, en Tijger was de meest gevreesde, maar over hen wilden de mensen geen verhalen horen.

Het was Anansi die zijn naam aan de verhalen gaf. Ieder verhaal is een Anansiverhaal. Eens, voordat de verhalen van Anansi waren, behoorden ze allemaal aan Tijger toe (dat is de naam waarmee de mensen van de eilanden alle grote katten aanduiden), en de vertellingen waren duister en slecht en vol pijn, en er liep er niet een goed af. Maar dat is lang geleden. Tegenwoordig zijn de verhalen van Anansi.

Omdat we zojuist bij een begrafenis zijn geweest, zal ik je een verhaal over Anansi vertellen, van die keer dat zijn grootmoeder stierf. (Het is niet erg: ze was een stokoude vrouw en ze overleed in haar slaap. Zo gaat dat nu eenmaal.) Ze stierf ver van huis, dus Anansi steekt met zijn handkar het eiland over om zijn grootmoeders lichaam op te halen, en legt het op de handkar en duwt het naar huis. Hij is van plan haar te begraven onder de banyanboom achter zijn hut, weet je.

Dan loopt hij door het stadje, nadat hij het lijk van zijn grootmoeder de hele morgen in de kar heeft voortgeduwd, en hij denkt: *ik heb whisky nodig*. Dus hij gaat naar de winkel, want er is een winkel in dat stadje, een winkel die alles verkoopt en waarvan de winkelier erg opvliegend is. Anansi, hij gaat naar binnen en drinkt een beetje whisky. Hij drinkt nog een beetje whisky en hij denkt: ik zal deze kerel eens beet nemen, dus hij zegt tegen de winkelier: 'Breng mijn grootmoeder een beetje whisky. Ze ligt buiten in de kar te slapen. Misschien moet je haar wakker maken, want ze is een vaste slaapster.'

Dus de winkelier loopt met een fles naar buiten, naar de wagen, en zegt tegen de oude dame in de wagen: 'Hé, hier is je whisky,' maar de oude dame zegt helemaal niets. En de winkelier, die wordt bozer en bozer, want het was een opvliegende man, en hij zegt: 'Word wakker, oudje, word wakker en drink je whisky.' Maar de oude dame zegt niets. Dan doet ze iets wat de doden soms op het heetst van de dag doen: ze laat een harde scheet. Nou, de winkelier is zo boos op deze oude vrouw, die midden in zijn gezicht een scheet laat, dat hij haar een klap geeft, en nog een klap, en dan geeft hij haar nog een klap en ze valt van de handkar op de grond.

Anansi rent naar buiten en hij begint te huilen en te jammeren en stennis te trappen, en blijft maar zeggen: 'Mijn grootmoeder is dood. Kijk nou wat je hebt gedaan! Moordenaar! Smeerlap!' En de winkelier zegt tegen Anansi: 'Vertel niemand dat ik dat heb gedaan,' en hij geeft Anansi vijf grote flessen whisky en een zak goud en een zak met bananen en ananassen en mango's, om hem op te laten houden met stennis trappen en weg te laten gaan.

(Hij denkt dat hij Anansi's grootmoeder heeft vermoord, weet je.)

Dus Anansi rijdt de handkar naar huis en begraaft zijn grootmoeder onder de banyanboom.

De volgende dag loopt Tijger langs Anansi's huis en hij ruikt kookluchtjes. Dus hij nodigt zichzelf uit en daar zit Anansi aan een feestmaal, en Anansi, dat is hij nu eenmaal verplicht, vraagt of Tijger wil aanschuiven om mee te eten.

Tijger zegt: 'Broer Anansi, waar heb je al dat heerlijke eten vandaan? En lieg niet tegen me. En waar heb die flessen whisky vandaan, en die grote zak met goudstukken? Als je tegen me liegt, bijt ik je strot door.'

Dus Anansi zegt: 'Ik kan niet tegen je liegen, broer Tijger. Dat heb ik allemaal gekregen omdat ik mijn dode grootmoeder op een handkar naar het stadje heb gereden. En de winkelier gaf me al die goede gaven omdat ik mijn dode grootmoeder naar hem toe heb gebracht.'

Nu had Tijger geen levende grootmoeder meer, maar zijn vrouw had een moeder, dus hij gaat naar huis en roept de vrouw van zijn moeder naar buiten. Hij zegt: 'Grootmoedertje, kom naar buiten, want jij en ik moeten eens praten.' En ze komt naar buiten en tuurt om zich heen en zegt: 'Wat is er?' Nou, Tijger doodt haar, ook al houdt zijn vrouw van haar, en hij legt haar lichaam op een handkar.

Daarna rijdt hij de handkar naar het stadje, met zijn dode schoonmoeder erop. 'Wie wil er een dood lichaam?' roept hij. 'Wie wil er een dode grootmoeder?' Maar de mensen jouwen hem alleen maar uit, en ze lachen om hem en ze bespotten hem, en als ze zien dat hij het serieus meent en rondjes blijft rijden, bekogelen ze hem met rot fruit tot hij wegrent.

Het was niet de eerste keer dat Tijger door Anansi voor schut werd gezet, en het zou niet de laatste keer zijn. Tijgers vrouw bleef hem verwijten dat hij haar moeder had gedood. Er zijn dagen dat Tijger wou dat hij nooit was geboren.

Dat is een Anansiverhaal.

Alle verhalen zijn natuurlijk Anansiverhalen. Zelfs dit.

In vervlogen tijden wilden alle dieren dat de verhalen naar hen werden genoemd, vroeger toen de wereld nog door liederen werd gezongen, vroeger toen de lucht en de regenboog en de oceaan nog werden gezongen. In een tijd dat de dieren tegelijkertijd mens en dier waren, was Anansi de spin ze allemaal te slim af, vooral Tijger, want hij wilde dat alle verhalen naar hem werden genoemd.

Verhalen zijn als spinnen, met al die lange poten, en verhalen zijn als spinnenwebben waarin iemand helemaal verstrikt kan raken, maar die er zo mooi uitzien in de morgendauw onder een blad, door de gracieuze manier waarop ze met elkaar zijn verbonden, het ene web met het andere.

Wat nu? Wil je weten of Anansi op een spin leek? Nou en of, behalve wanneer hij op een mens leek.

Nee, hij veranderde nooit van gedaante. Het hangt er alleen van af hoe je het verhaal vertelt. Dat is alles.

DRIE

WAARIN

FAMILIEBANDEN

WORDEN

AANGETROKKEN

Fat Charlie vloog naar Engeland, naar huis; voor zover hij zich ergens thuis voelde.

Rosie stond hem op te wachten toen hij door de douane kwam met een klein koffertje en een grote dichtgetapete kartonnen doos. Ze gaf hem een dikke knuffel. 'Hoe was het?' vroeg ze.

Hij haalde zijn schouders op. 'Viel mee.'

'Nou,' zei ze, 'je hoeft je tenminste geen zorgen meer te maken dat hij op de bruiloft komt en je voor schut zet.'

'Dat is zo.'

'Mijn ma zegt dat we uit piëteit de bruiloft een paar maanden moeten uitstellen.'

'Je ma wil gewoon dat de bruiloft niet doorgaat. Punt uit.'

'Onzin. Ze vindt je een hele aanwinst.'

'Je moeder zou een combinatie van Brad Pitt, Bill Gates en prins William nog geen "hele aanwinst" noemen. Niemand op aarde is goed genoeg om haar schoonzoon te worden.'

'Ze mag je graag,' zei Rosie plichtmatig en zonder overtuiging.

Rosies moeder mocht Fat Charlie niet en dat wist iedereen. Rosies moeder was een wandelende zenuwpees, een vat vol ondoordachte vooroordelen, zorgen en grieven. Ze woonde in een schitterende flat in de Wimpole Street en in haar enorme ijskast stonden alleen flessen gevitamineerd water en volkorencrackers.

In schalen op de antieke dressoirs lag van was gemaakt kunst-fruit, dat twee keer per week werd afgestoft.

Fat Charlie had tijdens zijn eerste bezoek aan de flat van Ro-sies moeder een hap uit een van de wasappels genomen. Hij was buitengewoon nerveus geweest, zó nerveus dat hij een appel had gepakt – een buitengewoon realistisch uitziende appel, moet als excuus gezegd worden – en hij had erin gebeten. Rosie had koortsachtig seintjes gegeven. Fat Charlie had de hap was in zijn hand uitgespuugd en gedacht dat hij maar moest doen alsof hij dol was op kunstfruit, of alsof hij het de hele tijd had geweten en alleen maar grappig had willen zijn. Rosies moeder kwam echter met opgetrokken wenkbrauwen op hem af, pakte hem het restant van de appel af, hield een korte uiteenzetting hoeveel wasfruit tegenwoordig kostte, als het nog te krijgen was, en liet de appel toen in de prullenbak vallen. De rest van de middag zat hij op de bank met een mond die naar kaarsvet smaakte, terwijl Rosies moeder hem strak aankeek om er zeker van te zijn dat hij niet nog een hap uit haar kostbare kunstfruit probeerde te ne-men of aan de poot van een chippendale stoel zou knagen.

Er stonden grote kleurenfoto's in zilveren lijstjes op het dres-soir in de flat van Rosies moeder, foto's van Rosie als meisje en van Rosies vader en moeder, en Fat Charlie had ze aandachtig bestudeerd, op zoek naar de sleutel tot het raadsel dat Rosie was. Haar vader, die was gestorven toen Rosie vijftien was, was een boom van een kerel geweest. Hij was eerst kok, toen chef-kok, toen restauranthouder geweest. Op elke foto zag hij er perfect gekleed uit, alsof hij zichzelf voor iedere opname door een kos-tuumverhuurbedrijf in het pak had laten steken, rondborstig en glimlachend, en altijd met Rosies moeders arm door de zijne ge-haakt.

'Hij was een fantastische kok,' zei Rosie. Op de foto's had Ro-sies moeder er weelderig en stralend uitgezien. Nu, twaalf jaar later, leek ze op een broodmagere Eartha Kitt, en Fat Charlie had haar nog nooit zien glimlachen.

'Kookt je moeder wel eens?' had Fat Charlie gevraagd, na die eerste keer.

'Ik weet het niet. Ik heb haar nog nooit iets zien koken.'

'Wat eet ze dan? Ik bedoel, op crackers en water kan ze niet leven.'

Rosie zei: 'Ik denk dat ze dingen laat bezorgen.'

Fat Charlie dacht eerder dat Rosies moeder er 's nachts in vleermuisvermomming op uit trok om het bloed van nietsvermoedende slapers te drinken. Hij had Rosie die theorie een keer voorgelegd, maar ze had de humor er niet van ingezien.

Rosies moeder had Rosie verteld dat ze zeker wist dat Fat Charlie haar om haar geld wilde trouwen.

'Welk geld?' vroeg Rosie.

Rosies moeder wees naar het appartement, een gebaar dat het kunstfruit, het antieke meubilair, de schilderijen aan de muren omvatte, en kneep haar lippen op elkaar.

'Maar dat is allemaal van jou,' zei Rosie, die een inkomen had uit haar werk voor een Londense liefdadigheidsinstelling – en haar inkomen was niet hoog, dus om het aan te vullen had Rosie de erfenis van haar vader aangesproken. Daarmee had ze een kleine flat gefinancierd, die ze deelde met een hele serie Australiërs en Nieuw-Zeelanders, en een tweedehands vw Golf gekocht.

'Ik heb niet het eeuwige leven,' snoof haar moeder, op een manier die aangaf dat ze van plan was eeuwig te blijven leven, en almaar harder en magerder en knokiger te worden, en minder en minder te eten, totdat ze in staat was op lucht en kunstfruit en wrok te leven.

Rosie, die Fat Charlie van Heathrow naar huis reed, besloot van onderwerp te veranderen. Ze zei: 'Er is geen water in mijn flat. Het hele gebouw zit zonder water.'

'Hoe komt dat?'

'Mevrouw Klinger van beneden zegt dat er ergens een lek zit.'

'Bij mevrouw Klinger waarschijnlijk.'

'Chárlie! Dus ik vroeg me af... kan ik bij jou een bad nemen?'

'Heb je hulp nodig bij het inzepen?'

'Chárlie!'

'Natuurlijk. Geen probleem.'

Rosie tuurde naar de achterkant van de auto die voor haar reed, toen haalde ze haar hand van de versnellingspook en pakte Fat Charlies grote hand om er een kneepje in te geven. 'Nog even en dan zijn we getrouwd,' zei ze.

'Weet ik,' zei Fat Charlie.

'Nou, ik bedoel,' zei ze. 'Dan is er toch meer dan genoeg tijd voor al die dingen?'

'Meer dan genoeg,' zei Fat Charlie.

'Weet je wat mijn moeder een keer heeft gezegd?' zei Rosie.

'Eh, iets over het herinvoeren van de doodstraf?'

'Dat was het níét. Ze zei, als een pasgetrouwd paar elke keer dat ze in het eerste jaar de liefde bedrijven een munt in de pot gooit, en de volgende jaren halen ze er elke keer een munt uit, dat die pot nooit leeg raakt.'

'En dat betekent...?'

'Nou,' zei ze, 'interessant, nietwaar? Ik ben om acht uur bij je met mijn badeendje. Hoe goed zit jij in de handdoeken?'

'Ahum...'

'Ik neem mijn eigen handdoek wel mee.'

Fat Charlie dacht niet dat de wereld zou vergaan als er af en toe een munt in de pot ging voordat ze de huwelijksband smeedden en de bruidstaart aansneden, maar Rosie had haar eigen mening over die kwestie, en daarmee was de zaak gesloten. De pot bleef helemaal leeg.

Eenmaal thuis realiseerde Fat Charlie zich dat het probleem van 's morgens vroeg in Londen aankomen na een kort tripje is dat je de rest van de dag niet veel meer te doen hebt.

Fat Charlie was iemand die het liefst aan het werk was. Op de bank naar *Countdown* liggen kijken riep bij hem herinneringen op aan de periodes dat hij bij het werklozenleger had gehoord. Hij besloot dat het geen gek idee was om een dag eerder aan de slag te gaan. In het kantoor van de Grahame Coats Agency aan de Aldwych, op de vijfde en hoogste verdieping, zou hij het gevoel hebben dat hij deelnam aan de maatschappij. Er zouden interessante gesprekken zijn met collega's in de lunchroom.

Het leven zou zich in al zijn schakeringen voor hem ontvouwen, als een schitterend wandkleed en een toonbeeld van onophoudelijke, noeste vlijt. De mensen zouden blij zijn om hem te zien.

'Je zou morgen pas komen,' zei Annie, de receptioniste, toen Fat Charlie binnenkwam. 'Ik heb tegen iedereen gezegd dat je pas morgen terug zou komen. Als ze belden.' Ze was verre van blij.

'Kon niet thuisblijven,' zei Fat Charlie.

'Dat zie ik,' zei ze snuivend. 'Je moet Maeve Livingstone terugbellen. Ze hangt iedere dag aan de lijn.'

'Ik dacht dat ze een cliënt van Grahame Coats was.'

'Ja, maar hij wil dat jij met haar praat. Ogenblikje.' Ze nam de telefoon aan.

Het was altijd voluit Grahame Coats. Niet meneer Coats. Nooit alleen Grahame. Het was zijn bedrijf, hij vertegenwoordigde mensen en incasseerde een percentage van wat ze verdienden voor het recht hen te vertegenwoordigen.

Fat Charlie ging naar zijn kamer, een piepklein hok dat hij deelde met een aantal archiefkasten. Er hing een zelfklevend geel briefje op zijn computerscherm met '*kom naar mijn kantoor. GC*', dus hij liep door de gang naar de gigantische kamer van Grahame Coats. De deur zat dicht. Hij klopte en toen, niet zeker of hij iemand iets had horen zeggen, deed hij de deur open en stak zijn hoofd om de hoek.

De kamer was leeg. Er was niemand. 'Ahum, hallo?' zei Fat Charlie, niet zo hard. Er kwam geen antwoord. Er heerste echter een zekere mate van wanorde in de kamer. De boekenkast stond in een vreemde hoek ten opzichte van de muur en uit de ruimte erachter kwam een bonkend geluid dat op hameren leek.

Hij sloot de deur zo zacht mogelijk en ging terug naar zijn bureau.

Zijn telefoon rinkelde. Hij nam op.

'Met Grahame Coats. Kom naar mijn kamer.'

Deze keer zat Grahame Coats achter zijn bureau en stond de boekenkast plat tegen de muur. Hij nodigde Fat Charlie niet uit om te gaan zitten. Grahame Coats was een blanke man van middelbare leeftijd, met lichtblond haar en een wijkende haargrens. Als je hem tegenkwam en onwillekeurig moest denken aan een albino fret in een duur pak, zou je niet de eerste zijn.

'U bent weer onder ons, zie ik,' zei Grahame Coats. 'Als het ware.'

'Ja,' zei Fat Charlie. En toen, omdat Grahame Coats niet blij leek met Fat Charlies vervroegde terugkeer, voegde hij eraan toe: 'Sorry.'

Grahame Coats kneep zijn lippen op elkaar, keek naar een papier op zijn bureau, keek weer op. 'Ik verkeerde in de veronderstelling dat je eigenlijk pas morgen zou terugkomen. We zijn een beetje te vroeg, nietwaar?'

'We – ik bedoel ik – ben vanochtend teruggekomen. Uit Florida. Ik dacht, laat ik alvast komen. Een hoop te doen. Goede wil tonen. Als het u schikt.'

'Absolu-tief,' zei Grahame Coats. Van dat woord – een botsing tussen *absoluut* en *definitief* – ging Fat Charlies haar altijd overeind staan. 'Het is jouw begrafenis.'

'Van mijn vader eigenlijk.'

Een fretachtige draai van zijn nek. 'Je hebt verlof opgenomen, dus dat blijft zo.'

'Juist.'

'Maeve Livingstone, verontruste weduwe van Morris. Heeft geruststelling nodig. Klare taal en mooie beloften. Rome is niet op een dag gebouwd. De activiteiten om de nalatenschap van Morris Livingstone af te wikkelen en geld naar haar over te maken, hebben onze onverminderde aandacht. Belt praktisch elke dag om bij me uit te huilen. Voorlopig draag ik die taak aan jou over.'

'Juist,' zei Fat Charlie. 'Dus, ahum. Ledigheid is des duivels oorkussen.'

'Een nieuwe dag, een nieuw geluid,' zei Grahame Coats, zijn vinger heen en weer zwaaiend.

'Werk aan de winkel,' opperde Fat Charlie.

'De schouders eronder,' zei Grahame Coats. 'Nou, het was een genoegen met je te praten. Maar het werk roept.'

Altijd als hij in de nabijheid van Grahame Coats was, gebeurde er iets waardoor Fat Charlie (a) in clichés sprak en (b) begon te dagdromen over grote zwarte helikopters, die eerst het vuur openden en daarna emmers met vlammende napalm wierpen op de burelen van de Grahame Coats Agency. In die dagdromen zat Fat Charlie niet op kantoor. Hij zat in een cafeetje aan de overkant van de Aldwych, nam af en toe een slokje van zijn schuimige koffie en juichte bij een bijzonder welgemikte emmer met napalm.

Misschien leid je hieruit af dat er weinig te vertellen valt over Fat Charlies werk, behalve dat hij er ongelukkig was, en in grote lijnen zou je daar gelijk in hebben. Fat Charlie had een talent voor cijfers dat hem aan het werk hield, en een onhandigheid en verlegenheid die hem ervan weerhield mensen duidelijk te maken wat hij eigenlijk deed, en hoeveel hij eigenlijk deed. Overal om zich heen zag Fat Charlie mensen onstuitbaar opklimmen naar het niveau van hun incompetentie, terwijl hij onder aan de ladder de belangrijke werkzaamheden verrichtte, totdat hij zich weer moest aansluiten bij het werklozenleger en overdag tv ging kijken. Hij zat nooit lang zonder werk, maar het was Fat Charlie de afgelopen tien jaar te vaak overkomen om zich nog ergens zeker te voelen van zijn baan. Hij vatte het echter nooit persoonlijk op.

Hij belde Maeve Livingstone op, de weduwe van Morris Livingstone, voorheen Engelands beroemdste kleine komiek uit Yorkshire, die lange tijd cliënt was geweest bij de Grahame Coats Agency. 'Hallo,' zei hij. 'Met Charles Nancy, afdeling boekhouden van de Grahame Coats Agency.'

'O,' zei een vrouwenstem aan de andere kant van de lijn. 'Ik dacht dat Grahame Coats zelf zou bellen.'

'Hij heeft het erg druk. Dus hij heeft het, ahum, gedelegeerd,' zei Fat Charlie. 'Aan mij. Dus, wat kan ik voor u doen?'

'Ik weet het niet zeker. Ik vroeg me af... nou ja, de bankdirecteur vroeg zich af... wanneer de rest van het geld van Morris' erfenis vrijkomt. Grahame Coats heeft me de vorige keer uitgelegd... nou ja, ik geloof dat het vorige keer was... toen ik hem sprak... dat het in beleggingen zat... ik bedoel, ik begrijp dat die dingen tijd kosten... hij zei dat ik anders veel geld zou verliezen...'

'Nou ja,' zei Fat Charlie, 'Ik weet dat hij ermee bezig is. Maar die dingen kosten tijd.'

'Ja,' zei ze. 'Ik neem aan dat het zo is. Ik heb de BBC gebeld en daar zeiden ze dat ze na de dood van Morris een paar keer geld hebben gestort. Weet je dat ze de hele *Morris Livingstone, I presume* op dvd hebben uitgebracht? En ze brengen beide series van *Short Back and Sides* voor de kerst uit.'

'Dat wist ik niet,' gaf Fat Charlie toe. 'Maar ik weet zeker dat Grahame Coats het wel weet. Dat soort dingen houdt hij goed bij.'

'Ik moest de dvd zelf kopen,' zei ze weemoedig. 'Toch bracht het alles weer terug. De geur van schmink, de opwinding van de studio. Daardoor miste ik de schijnwerpers ineens weer, dat kan ik je wel vertellen. Zo heb ik Morris ontmoet, weet je. Ik was danseres. Ik had mijn eigen carrière.'

Fat Charlie zei dat hij aan Grahame Coats zou doorgeven dat haar bankdirecteur zich zorgen begon te maken en beëindigde het telefoongesprek.

Hij vroeg zich af hoe iemand de schijnwerpers kon missen. In Fat Charlies ergste nachtmerries scheen er vanuit de donkere hemel een schijnwerper op hem neer, terwijl hij op een groot podium stond en onzichtbare figuren hem dwongen in de schijnwerpers te gaan zingen. En ongeacht hoe snel en ver Fat Charlie ook wegrende, hoe goed hij zich ook verstopte, ze vonden hem altijd en sleepten hem weer het podium op, voor tientallen verwachtingsvolle gezichten. Hij werd altijd wakker voordat hij echt moest zingen, badend in het zweet en bevend, terwijl zijn hart een roffel sloeg in zijn borst.

Een hele werkdag ging voorbij. Fat Charlie werkte er al bijna twee jaar. Hij zat er het langst van iedereen behalve Grahame Coats zelf, want het personeelsverloop bij de Grahame Coats Agency was groot. En nog steeds was niemand blij hem te zien.

Soms zat Fat Charlie aan zijn bureau naar buiten te staren, terwijl de grijze regen liefdeloos tegen het raam kletterde, en dan stelde hij zich voor dat hij ergens op een tropisch strand zat en dat de golven van een onwaarschijnlijk blauwe zee op het onwaarschijnlijk gele zand beukten. Vaak vroeg Fat Charlie zich af of de mensen op zijn gefantaseerde strand, als ze keken naar de witte uitlopers van de golven die over het strand kringelden, en luisterden naar het fluiten van de tropische vogels in de palmbomen, droomden dat ze in Engeland waren, in de regen, in een vertrek ter grootte van een kast op de vijfde verdieping, op veilige afstand van de saaiheid van het zuiver gouden strand en de helse verveling van een dag zo perfect dat zelfs een romig drankje met een tikje te veel rum of een rode parasol een welkome onderbreking vormde. Dat troostte hem.

Onderweg naar huis stopte hij bij de slijter en kocht een fles Duitse witte wijn en een naar patchoeli geurende kaars in het piepkleine supermarktje naast hem, en hij haalde een pizza bij de pizzeria in de buurt.

Rosie belde hem om halfacht vanuit haar yogales om te vertellen dat het iets later zou worden, om acht uur vanuit haar auto om te vertellen dat ze vast zat in het verkeer, om kwart over negen om te vertellen dat ze de straat in reed; tegen die tijd had Fat Charlie bijna de hele fles witte wijn in zijn eentje opgedronken en de hele pizza, op één eenzaam driehoekje na, opgegeten.

Later vroeg hij zich af of het door de wijn kwam dat hij het had gezegd.

Rosie arriveerde om tien voor halftien met handdoeken en een boodschappentas met flessen shampoo, stukken zeep en een grote pot haargel. Ze zei nee, kordaat maar vriendelijk, tegen een glas witte wijn en het stukje pizza – ze had, legde ze uit, gegeten toen ze vast zat in het verkeer. Ze had het laten bezorgen. Dus Fat Charlie zat in de keuken en schonk zichzelf het laatste glas witte wijn in en plukte de kaas en peperoni van de bovenkant van de koude pizza, terwijl Rosie naar de badkamer ging om het bad vol te laten lopen, en toen plotseling en behoorlijk hard begon te gillen.

Fat Charlie arriveerde in de badkamer voordat de eerste schreeuw helemaal was weggeëbd en terwijl Rosie haar longen volzoog voor de tweede. Hij was ervan overtuigd dat hij haar badend in het bloed zou aantreffen. Tot zijn verrassing en opluchting bloedde ze niet. Ze had een blauwe beha en een slipje aan, en wees naar het bad, waar in het midden een grote bruine tuinspin zat.

'Sorry,' jammerde ze. 'Hij dook opeens op.'

'Dat doen spinnen vaker,' zei Fat Charlie. 'Ik spoel hem wel even weg.'

'Waag het niet,' zei Rosie met klem. 'Het is een levend wezen. Breng hem naar buiten.'

'Juist,' zei Fat Charlie.

'Ik wacht in de keuken,' zei ze. 'Geef me een seintje als het zover is.'

Met een hele fles wijn op is het lokken van een nogal schichtige spin in een doorzichtig plastic glas met behulp van een oude verjaardagskaart een grotere uitdaging voor de oog-handcoördinatie dan anders: een uitdaging die er niet gemakkelijker op wordt door een grotendeels ontklede verloofde op het randje van hysterie, die in weerwil van haar aankondiging dat ze in de keuken zou wachten, over je schouder meekijkt en adviezen geeft.

Maar ondanks die hulp had hij de spin gauw genoeg in het glas, waarvan de opening stevig was afgedekt met een kaart van een oude schoolvriend waarop stond: JE BENT NET ZO OUD ALS JE JE VOELT (met binnenin de komische toevoeging: DUS ZIT NIET STEEDS AAN JEZELF TE VOELEN, SEKSMANIAK – EEN FIJNE VERJAARDAG).

Hij droeg de spin de trap af, door de voordeur naar de piepkleine voortuin, die bestond uit een heg, waar voorbijgangers van alles overheen konden gooien, en een paar grote stapstenen met gras ertussen. Hij hield het glas omhoog. In het gele natriumlicht was de spin zwart. Hij verbeeldde zich dat de spin hem aankeek.

'Het spijt me,' zei hij tegen de spin, en omdat de witte wijn behaaglijk in zijn maag klotste, zei hij het hardop.

Hij zette het glas met de kaart eronder op een gebarsten stapsteen, tilde het glas op en wachtte tot de spin weg zou lopen. In plaats daarvan bleef de spin gewoon zitten, op het gezicht van de teddybeer, de vrolijke stripfiguur van de verjaardagskaart. De man en de spin namen elkaar aandachtig op.

Er schoot hem iets te binnen wat mevrouw Higgler tegen hem had gezegd, en de woorden rolden uit zijn mond voordat hij ze kon tegenhouden. Misschien was het een duiveltje in hem. Waarschijnlijk was het de alcohol.

'Als je m'n broer ziet,' zei Fat Charlie tegen de spin, 'zeg hem dat hij eens langs moet komen om me gedag te zeggen.'

De spin bleef zitten waar hij zat, en tilde één poot op, bijna alsof hij erover nadacht. Daarna schoot hij over de stapsteen naar de heg en was verdwenen.

Rosie had was in het bad geweest en ze gaf Fat Charlie een langdurige kus op zijn wang en ze ging naar huis.

Fat Charlie zette de tv aan, maar toen hij merkte dat hij begon te knikkebollen, zette hij hem uit en ging naar bed, waar hij een droom had die zo levendig en bijzonder was, dat die hem de rest van zijn leven zou bijblijven.

Dat je droomt, weet je onder andere doordat je ergens bent waar je nooit in je leven bent geweest. Fat Charlie was nooit in Californië geweest. Hij was nooit in Beverly Hills geweest. Maar omdat hij het vaak genoeg had gezien, in films en op tv, bezorgde het hem een prettige schok van herkenning. Er was een feest aan de gang.

De lichten van Los Angeles glansden en twinkelden onder hem. De mensen op het feest leken keurig verdeeld in degenen die rondliepen met zilveren dienbladen vol perfecte hapjes, en degenen die hapjes van de zilveren bladen pakten of ze afsloegen. De mensen die te eten kregen, circuleerden door het grote huis; ze roddelden, glimlachten, kletsten, en waren even zeker van hun betrekkelijke positie in Hollywood als vroeger de hovelingen aan het Japanse hof – en net als vroeger aan het Japanse hof, dachten ze allemaal dat ze veilig zouden zijn als ze één sport hoger op de ladder zouden staan. Er waren acteurs die filmster wilden worden, filmsterren die onafhankelijke producer wilden worden, onafhankelijke producers die hunkerden naar de veiligheid van een studiobaan, regisseurs die filmster wilden worden, studiobazen die de baas wilden worden van een studio met meer vastigheid, juristen in dienst van de studio die aardig gevonden wilden worden om zichzelf, of als dat onmogelijk was, gewoon aardig gevonden wilden worden.

In Fat Charlies droom kon hij zichzelf zowel van binnen als van buiten zien, en hij was niet zichzelf. Gewoonlijk legde Fat Charlies in zijn dromen een examen in dubbele boekhouding af, waarvoor hij niet had geleerd, en als hij van tafel opstond, ontdekte hij onvermijdelijk dat hij die ochtend was vergeten iets onder zijn middel aan te trekken. In zijn dromen was Fat Charlie zichzelf, maar onhandiger.

In deze droom niet.

In deze droom was Fat Charlie cool, en meer dan cool. Hij was slim, hij was snel, hij was vlot, hij was de enige die zonder zilveren dienblad en zonder uitnodiging op het feest rondliep. En (dit was een bron van verbazing voor de slapende Fat Charlie, die zich niets gênanters kon voorstellen dan onuitgenodigd ergens rond te lopen) hij had het geweldig naar zijn zin.

Iedereen die ernaar vroeg, vertelde hij een ander verhaal over wie hij was en wat hij er deed. Na een halfuur waren de meeste feestgangers ervan overtuigd dat hij een vertegenwoordiger was van een buitenlandse investeringsmaatschappij die een van de studio's wilde opkopen, en weer een halfuur later wist iedereen op het feest dat hij een bod op Paramount zou uitbrengen.

Hij had een hese, aanstekelijke lach, en hij leek zich kostelijker te vermaken dan wie dan ook op het feest, zoveel was zeker. Hij instrueerde de barkeeper bij de bereiding van een cocktail die hij 'dubbele bodem' noemde en, naar hij uitlegde, wetenschappelijk gezien eigenlijk geen alcohol bevatte, ook al bestond de onderlaag uit champagne. Er ging een scheutje van dit en een scheutje van dat in, tot hij een felle paarse tint kreeg, en hij reikte hem uit aan de feestgangers, drong hem met zoveel vrolijkheid en enthousiasme aan hen op dat zelfs de mensen die van hun spuitwater nipten alsof ze bang waren dat het zou kunnen exploderen, het paarse drankje met plezier achterover sloegen.

En toen, met de logica die dromen eigen is, bracht hij ze allemaal naar het zwembad en stelde voor dat hij ze de truc 'lopen op het water' zou leren. Het was allemaal een kwestie van vertrouwen, vertelde hij, van houding, van benadering, van weten hoe je het moest doen. En de mensen op het feest kregen het idee dat 'lopen op het water' een vaardigheid was die ze zich graag eigen wilden maken, dat ze diep in hun hart altijd hadden geweten hoe het moest, maar het waren vergeten, en dat deze man de techniek bij hen naar boven zou halen.

'*Trek je schoenen uit*,' zei hij tegen hen, dus ze trokken hun schoenen uit, de Sergio Rossi's en Christian Louboutins en René Caovilla's stonden naast de Nikes en Doc Martens en de anonieme zwartleren schoenen van de filmagenten, en hij ging hun voor, eerst in een soort congadans om het zwembad en daarna op het water, dat koel aanvoelde en als dikke gelei onder hun voeten drilde. Sommige vrouwen en een paar mannen giechelden, een aantal jongere agenten begon op en neer te springen, als kinderen in een springkasteel. In de verte onder hen schenen de lichten van Los Angeles door de mist heen, als verre sterrenstelsels.

Al snel was iedere centimeter van het zwembad in beslag genomen door de feestvierders, die op het water dansten, swingden of sprongen. Het gedrang was zo erg dat de snelle jongen, de Charlie-in-zijn-droom, weer op de betonnen rand van het zwembad stapte om een falafel-sashimiballetje van een zilveren dienblad te pakken.

Een spin liet zich van een jasmijnstruik op de schouder van de snelle jongen vallen. Het diertje schoot langs zijn arm omlaag naar zijn handpalm, waar hij het begroette met een opgetogen 'hoi'.

Het was stil, alsof hij luisterde naar iets wat de spin zei, iets wat hij alleen kon horen. Daarna zei hij: '*Vraagt en gij zult krijgen. Zo is het toch?*'

Hij zette de spin op een jasmijnblad neer, voorzichtig.

En precies op dat moment bedacht iedereen die blootsvoets

op het water in het zwembad stond, dat water vloeibaar was en niet vast, en dat er een reden was dat mensen gewoonlijk niet op het water liepen, laat staan dansten of sprongen: het kón namelijk niet.

Ze waren de belangrijkste raderen in de droommachine, die mensen, en plotseling maaiden ze om zich heen, met al hun kleren aan, en lagen nat ze en doodsbang in het anderhalf tot vier meter diepe water te spartelen.

De snelle jongen stak achteloos het zwembad over, trapte op iemands hoofd of op iemands handen, en geen enkele keer verloor hij zijn evenwicht. Toen hij de overkant van het zwembad had bereikt, waar alles loodrecht naar beneden liep, nam hij een grote sprong en verdween in de richting van nachtelijke lichten van Los Angeles.

De mensen in het zwembad krabbelden eruit, boos, van streek, in de war, kletsnat en sommigen bijna verdronken...

Het was vroeg in de ochtend in Londen. Het licht was blauwgrijs. Fat Charlie stond op, verontrust door zijn droom, en liep naar het venster. De gordijnen waren open. Hij kon de zon zien opgaan, een enorme bloedsinaasappel van een ochtendzon, omringd door grijze wolken met een zweempje scharlakenrood. Het was het soort lucht dat zelfs bij de meest prozaïsche persoon een heimelijk verlangen opwekt om olieverfschilderijen te maken.

Fat Charlie keek naar de zonsopgang. *Morgenrood*, dacht hij, *brengt water in de sloot.*

Hij had zo'n vreemde droom gehad. *Een feest in Hollywood. Het geheim van lopen op het water. En iemand die Fat Charlie was, maar ook weer niet...*

Fat Charlie besefte dat hij wíst wie die man uit zijn droom was, dat hij hem ergens van kende, en hij besefte ook dat dit hem de rest van de dag zou irriteren; als een stukje afgebroken flosdraad tussen zijn tanden, of het exacte verschil tussen de woorden *erotogeen* en *erotomaan* zou het blijven hangen en hem irriteren.

Hij staarde uit het raam. Het was amper zes uur 's morgens en de wereld was stil. Iemand die vroeg met zijn hond op pad was aan het eind van de straat, spoorde de dwergkees aan om zich te ontlasten. Een postbode kuierde van het ene naar het andere huis en weer terug naar zijn rode bestelbusje. En toen bewoog er iets op de stoep onder zijn huis, en Fat Charlie keek omlaag.

Er stond een man voor de heg. Toen hij zag dat Fat Charlie in zijn pyjama op hem neerkeek, grijnsde hij en zwaaide. Een flits van herkenning die Fat Charlie tot in het diepst van zijn ziel raakte. Zowel het grijnzen als het zwaaien kwam hem bekend voor, al wist hij niet zo gauw waarvan. Iets van de droom was in Fat Charlies hoofd blijven hangen, maakte dat hij zich onbehaaglijk voelde, dat de wereld hem onwerkelijk voorkwam. Toen hij in zijn ogen wreef, was de figuur bij de heg verdwenen. Fat Charlie hoopte dat de man was doorgelopen, dat hij in de laatste ochtendmist de straat was uitgelopen, en de verwarring, verontrusting en waanzin had meegenomen die hij had bij zich had.

En toen werd er aangebeld. Fat Charlie trok zijn kamerjas aan en liep naar beneden. Nog nooit in zijn hele leven had hij de veiligheidsketting op de deur gedaan voordat hij hem opendeed, maar voordat hij de knop omdraaide, schoof hij het palletje van de ketting op zijn plek, en hij trok de voordeur vijftien centimeter open.

'Goedemorgen?' zei hij argwanend.

De glimlach die hij door de kier van de deur zag, had een heel dorp van licht kunnen voorzien.

'Je hebt me geroepen en ik kom,' zei de onbekende. 'Nou, ga je die deur nog voor me openmaken, Fat Charlie?'

'Wie ben je?' Zodra hij dat vroeg, wist hij waar hij de man eerder had gezien: op zijn moeders begrafenis, in de kleine kapel van het crematorium. Dat was de laatste keer dat hij die glimlach had gezien. En hij wist het antwoord, wist het antwoord al voordat de man de woorden uitsprak.

'Ik ben je broer,' zei de man.

Fat Charlie sloot de deur. Hij haalde de veiligheidsketting eraf en zette de deur wijd open. De man stond er nog.

Fat Charlie wist niet precies hoe hij een wellicht denkbeeldige broer moest begroeten in wie hij daarvoor niet eens had geloofd. Dus ze stonden daar, de een aan de ene kant van de deur, de ander aan de andere kant, tot zijn broer zei: 'Noem me maar Spider. Ben je van plan me binnen te laten?'

'Ja, natuurlijk. Nou en of. Alsjeblieft. Kom erin.'

Fat Charlie liep voor hem uit de trap op.

Er gebeuren dingen die niemand voor mogelijk had gehouden. Als ze gebeuren, doen mensen gewoon wat ze anders ook doen. Vandaag zullen er, net als op elke andere dag, zo'n vijfduizend mensen op deze planeet iets meemaken dat maar één op de miljoen keer gebeurt, en geen van hen zal aan zijn zintuigen twijfelen. De meesten zullen iets zeggen wat, in hun eigen taal, het equivalent is van 'rare wereld, nietwaar?' en gewoon doorgaan. Terwijl dus een deel van Fat Charlie bezig was logische, rationele, redelijke verklaringen te bedenken voor wat er gaande was, was het grootste deel van hem gewoon bezig aan het idee te wennen dat een broer, van wiens bestaan hij niet op de hoogte was geweest, achter hem aan de trap opliep.

Ze liepen de keuken in en bleven daar staan.

'Wil je een kop thee?'

'Heb je ook koffie?'

'Alleen oploskoffie, vrees ik.'

'Ook goed.'

Fat Charlie zette de ketel op het vuur. 'Kom je van ver?' vroeg hij.

'Los Angeles.'

'Hoe was je vlucht?'

De man ging aan de keukentafel zitten. Toen haalde hij zijn schouders op. Het was het soort schouderophalen dat van alles kon betekenen.

'Ahum, ben je van plan lang te blijven?'

'Daar heb ik eigenlijk nog niet over nagedacht.' De man – Spider – keek rond in Fat Charlies keuken alsof hij nog nooit van zijn leven in een keuken was geweest.

'Hoe wil je je koffie?'

'Zwart als de nacht, zoet als de zonde.'

Fat Charlie zette de mok voor hem neer en gaf hem de suikerpot. 'Ga je gang.'

Terwijl Spider de ene na de andere schep suiker in zijn koffie schepte, ging Fat Charlie tegenover hem zitten en keek hem strak aan.

Er was een bepaalde familiegelijkenis tussen de twee mannen. Dat was onmiskenbaar, hoewel het geen verklaring was voor het intens vertrouwde gevoel dat Fat Charlie kreeg als hij naar Spider keek. Zijn broer zag eruit zoals Fat Charlie zichzelf in gedachten het liefste zag, als hij geen last had van de nogal teleurstellende vent die hem met eentonige regelmaat vanuit de badkamerspiegel aankeek. Spider was langer en slanker en cooler. Hij droeg een zwart-met-rood leren jack, en een strakke zwarte leren broek, en hij leek er zich prettig in te voelen. Fat Charlie probeerde zich te herinneren wat de snelle jongen in zijn droom aan had gehad. Hij had een fenomenale uitstraling. Zelfs als Fat Charlie gewoon tegenover hem aan tafel zat, voelde hij zich onhandig en lomp en nogal dom. Het kwam niet door de kleren die Spider droeg, maar Fat Charlie wist dat als híj ze aantrok, hij eruit zou zien als een soort mislukte travestiet. Het kwam niet door de manier waarop Spider glimlachte – nonchalant, stralend – maar Fat Charlie was er heilig van overtuigd dat zelfs als hij dat glimlachen vanaf nu tot in aller eeuwigheid zou oefenen, hij er niet in zou slagen ook maar één glimlach te produceren die half zo charmant, zo overlopend van zelfvertrouwen, zo stralend opgewekt was.

'Je was op ma's crematie,' zei Fat Charlie.

'Ik heb overwogen om na de dienst naar je toe te gaan,' zei Spider. 'Maar ik wist niet zeker of het een goed idee was.'

'Had het maar gedaan.' Fat Charlie bedacht opeens iets. Hij zei: 'Ik had je wel op pa's begrafenis verwacht.'

Spider zei: 'Hè?'

'Zijn begrafenis. In Florida. Een paar dagen geleden.'

Spider schudde zijn hoofd. 'Hij is niet dood,' zei hij. 'Ik weet vrij zeker dat ik het zou hebben geweten als hij dood was.'

'Hij is dood. Ik heb hem begraven. Nou ja, ik heb de kuil dichtgegooid. Vraag maar aan mevrouw Higgler.'

Spider vroeg: 'Hoe is hij dan gestorven?'

'Hartstilstand.'

'Dat zegt nog niets. Alleen dat hij is gestorven.'

'Nou ja, dat is ook zo.'

Spider glimlachte niet meer. Nu staarde hij in zijn koffie, alsof hij verwachtte daarin het antwoord te vinden. 'Ik moet het uitzoeken,' zei Spider. 'Niet dat ik je niet geloof. Maar omdat het om je ouweheer gaat, ook al is jouw ouweheer net zo goed de mijne.' En hij trok een gezicht. Fat Charlie wist wat dat gezicht betekende. Hij had het zelf vaak genoeg getrokken, in gedachten, als zijn vader ter sprake kwam. 'Woont ze nog steeds in hetzelfde huis? Naast ons oude huis?'

'Mevrouw Higgler? Ja. Nog steeds.'

'Je hebt zeker niets van vroeger? Een portret? Een foto misschien?'

'Ik heb een doos vol foto's meegenomen.' Fat Charlie had de grote kartonnen doos nog niet opengemaakt. Die stond nog in de gang. Hij haalde de doos en zette hem op de keukentafel neer. Met een keukenmes sneed hij de tape door die eromheen zat. Spider roetsjte met zijn slanke vingers door de foto's alsof het speelkaarten waren, tot hij er eentje uit trok van hun moeder met mevrouw Higgler, vijfentwintig jaar geleden op mevrouw Higglers veranda.

'Is die veranda er nog?'

Fat Charlie zocht in zijn geheugen. 'Ik denk het wel,' zei hij.

Later kon hij zich niet meer herinneren of de foto erg groot was geworden, of Spider heel klein. Hij zou hebben gezworen dat het eigenlijk geen van beide was geweest. Toch was het zonder meer waar dat Spider de foto was ingewandeld, dat die had geflikkerd en gegolfd en hem had opgeslokt.

Fat Charlie wreef in zijn ogen. Om zes uur 's morgens zat hij alleen in de keuken. Er stond een doos met foto's en papieren op de keukentafel, en ook een lege mok, die hij in de gootsteen zette. Hij liep door de gang naar zijn slaapkamer, ging op bed liggen en sliep tot om kwart over zeven de wekker afging.

VIER

Fat Charlie werd wakker. De herinneringen aan dromen over een ontmoeting met zijn filmster-broer vermengden zich met een droom waarin president Taft was komen logeren en de hele cast van de tekenfilm van *Tom en Jerry* mee had genomen. Hij douchte zich en nam de ondergrondse naar zijn werk.

De hele dag zat hem iets dwars, maar hij wist niet wat. Hij raakte dingen kwijt. Hij vergat dingen. Op een gegeven ogenblik begon hij te zingen achter zijn bureau, niet omdat hij zich gelukkig voelde, maar het ging vanzelf. Hij besefte pas dat hij het deed toen Grahame Coats zijn hoofd om de deur van Fat Charlies kamertje stak om hem tot de orde te roepen. 'Geen radio's, walkmans, mp3-spelers en dergelijke muziekinstrumenten op kantoor,' zei Grahame Coats met een bestraffende, fretachtige blik. 'Het geeft blijk van een lakse houding die geen pas geeft in de werkzame wereld.'

'Het was geen radio,' bekende Fat Charlie met rode oren.

'Nee? Wat, als ik vragen mag, was het dan wel?'

'Ik was het zelf,' zei Fat Charlie.

'Jij?'

'Ja, ik was aan het zingen. Het spijt me...'

'Ik zou hebben gezworen dat het de radio was. En toch zat ik ernaast. Lieve heer. Als je over zoveel talenten beschikt, zoveel opmerkelijke gaven, kun je ons beter verlaten om de planken op te gaan, de massa te entertainen, misschien op te treden in een klucht in plaats van een bureau in beslag te nemen op een kantoor waar anderen proberen te werken. Nietwaar? Een kantoor waar we mensen bij hun carrière begeleiden.'

'Nee,' zei Fat Charlie. 'Ik wil hier niet weg. Ik had er gewoon geen erg in.'

'Dan,' zei Grahame Coats, 'zul je het zingen af moeten leren – behalve in bad, onder de douche of misschien op de tribune als je je favoriete voetbalclub aanmoedigt. Persoonlijk ben ik een supporter van Crystal Palace. Zo niet, dan zul je elders betaald werk moeten zoeken.'

Fat Charlie glimlachte, realiseerde zich dat hij helemaal niet wilde glimlachen, en keek serieus, maar toen was Grahame Coats al weg, dus Fat Charlie vloekte binnensmonds, legde zijn armen over elkaar op het bureau en vlijde zijn hoofd erop.

'Was jij dat die aan het zingen was?' Het was een van de nieuwe meisjes van de afdeling artiestencontacten. Het lukte Fat Charlie nooit om hun namen te onthouden. Tegen de tijd dat hij wist hoe ze heetten, werkten ze er al niet meer.

'Ik vrees van wel.'

'Wat zong je? Het klonk goed.'

Fat Charlie besefte dat hij het niet wist. Hij zei: 'Geen idee. Ik heb niet geluisterd.'

Ze lachte erom, maar zachtjes. 'Hij heeft gelijk. Je zou platen moeten maken in plaats van hier je tijd te verdoen.'

Fat Charlie wist niet wat hij moest zeggen. Met vuurrode wangen begon hij getallen door te strepen en aantekeningen te maken en zelfklevende briefjes met berichten bij elkaar te zoeken en die briefjes op het scherm te plakken, tot hij zeker wist dat ze weg was.

Maeve Livingstone belde: kon Fat Charlie er alsjeblíéft voor zorgen dat Grahame Coats haar bankdirecteur belde. Hij zei dat hij zijn best zou doen. Ze vertelde hem vinnig dat hij er gewoon voor moest zorgen.

Rosie belde hem om vier uur 's middags op zijn mobiel om

hem te laten weten dat er weer water was in de flat en, goed nieuws, om te vertellen dat haar moeder had besloten zich te interesseren voor hun aanstaande bruiloft en haar had uitgenodigd om dat die avond met haar te bespreken.

'Nou,' zei Fat Charlie. 'Als zij het diner organiseert, scheelt ons dat een smak geld.'

'Dat is niet aardig. Ik bel je vanavond om te vertellen hoe het is gegaan.'

Fat Charlie zei dat hij van haar hield en verbrak de verbinding. Iemand keek naar hem. Hij draaide zich om.

Grahame Coats zei: 'Wie privételefoontjes pleegt onder werktijd, wee hem, hij zal storm oogsten. Weet je van wie die uitspraak is?'

'Van u?'

'Inderdaad,' zei Grahame Coats. 'Inderdaad, van mij. En dat is zo waar als ik hier sta. Beschouw dit als een officiële waarschuwing.' En toen glimlachte hij, het soort zelfingenomen glimlach dat Fat Charlie dwong te overwegen hoe het zou aflopen als hij zijn vuist in Grahame Coats' comfortabel gevulde middenrif zou planten. Hij concludeerde dat er twee mogelijkheden waren: of hij werd ontslagen of hij werd aangeklaagd wegens mishandeling. Hoe dan ook, dacht hij, het zou prettig zijn...

Fat Charlie was niet agressief van nature, maar hij had zijn dromen. Zijn dagdromen waren bescheiden en geruststellend. Hij had graag genoeg geld gehad om in goede restaurants te eten als hij daar zin in had. Hij zou een baan willen hebben waarin niemand hem kon vertellen wat hij moest doen. Hij zou willen zingen zonder zich te schamen, ergens waar geen mensen in de buurt waren die hem konden horen.

Deze middag namen zijn dagdromen echter een andere wending: hij kon vliegen bijvoorbeeld, en de kogels ketsten af op zijn brede borst terwijl hij pijlsnel omlaag schoot en Rosie uit de klauwen van een bende boeven en schurken redde. Ze zou zich stevig aan hem vastklampen wanneer ze tegen zonsondergang naar zijn Stoere Burcht vlogen, waar Rosie, overweldigd door een gevoel van dankbaarheid, enthousiast zou besluiten zich niet

71

druk te maken over dat wachten-tot-het-huwelijk gedoe, en zou willen kijken hoe ze de pot zo snel mogelijk vol konden krijgen...

Het dagdromen hielp tegen de stress van het werken bij de Grahame Coats Agency, van het mensen moeten vertellen dat hun cheque onderweg was, van het opbellen over geld dat mensen het kantoor verschuldigd waren.

Om zes uur zette Fat Charlie zijn computer uit en liep de vijf trappen af. Het had niet geregend. In de lucht waren spreeuwen aan het rondwieken en tjilpen: het avondkoor van de stad. Iedereen op het trottoir haastte zich ergens heen. De meeste mensen liepen, zoals Fat Charlie, over Kingsway naar metrostation Holborn. Ze liepen met gebogen hoofd en de blik van mensen die voor het donker thuis wilden zijn.

Er stond één persoon op het trottoir die nergens heen ging. Hij stond daar gewoon, keek naar Fat Charlie en de andere forensen, en zijn leren jack wapperde in de wind. Hij glimlachte niet.

Fat Charlie zag hem vanaf het eind van de straat. Terwijl hij op hem af liep, werd alles onwerkelijk. De gebeurtenissen van die dag losten in het niets op en hij wist weer waar hij de hele dag maar niet op had kunnen komen.

'Hallo, Spider,' zei hij toen hij voor hem stond.

Spider zag eruit alsof er een storm in hem woedde. Het leek of hij elk moment kon gaan huilen. Fat Charlie wist het niet zeker. Er was te veel emotie op zijn gezicht, in de manier waarop hij daar stond, zodat de mensen op straat beschaamd hun gezicht afwendden.

'Ik ben erheen gegaan,' zei hij. Zijn stem klonk mat. 'Ik heb mevrouw Higgler opgezocht. Ze heeft me het graf laten zien. Mijn vader is dood en ik wist het niet.'

Fat Charlie zei: 'Hij was ook mijn vader, Spider.' Hij vroeg zich af hoe het mogelijk was dat hij Spider was vergeten, hem zo gemakkelijk uit zijn hoofd had gezet, alsof hij hem had gedroomd.

'Dat is waar.'

De avondlucht zag zwart van de spreeuwen. Ze wiekten heen en weer door de lucht, van het ene naar het andere dak.

Met een ruk rechtte Spider zijn schouders. Het leek of hij een besluit had genomen. 'Je hebt helemaal gelijk,' zei hij. 'Dit moeten we samen doen.'

'Precies, zei Fat Charlie. Toen vroeg hij: 'Wat moeten we eigenlijk doen?' Maar Spider had al een taxi aangehouden.

'We zijn mensen met een groot verdriet,' zei Spider tegen de wereld. 'Onze vader leeft niet meer. Ons hart weegt zwaar in onze borst. Smart daalt op ons neer als stuifmeel in het hooikoortsseizoen. Duisternis is ons lot en rampspoed ons enige gezelschap.'

'Goed,' zei de taxichauffeur opgewekt. 'Waar willen de heren heen?'

'Naar waar we de drie remedies tegen zielenpijn kunnen vinden,' zei Spider.

'We kunnen een curry nemen,' opperde Fat Charlie.

'Er zijn maar drie dingen, drie en niet meer, die ons kunnen verlossen van de pijn van onze sterfelijkheid, en de kwellingen van het bestaan kunnen verlichten,' zei Spider. 'En die dingen zijn wijn, vrouwen en gezang.'

'Curry helpt ook,' zei Fat Charlie, maar niemand luisterde naar hem.

'Nog een bepaalde volgorde?' vroeg de chauffeur.

'Eerst de wijn,' kondigde Spider aan. 'Rivieren en meren en uitgestrekte oceanen vol wijn.'

'Komt in orde.' zei de chauffeur en hij voegde zich in het verkeer.

'Ik heb hier een bijzonder slecht gevoel over,' zei Fat Charlie hulpvaardig.

Spider knikte. 'Een slecht gevoel,' zei hij. 'Ja. We hebben allebei een slecht gevoel. Vanavond zullen we onze slechte gevoelens aanpakken, samen delen en onder ogen zien. We zullen rouwen. We zullen de bittere droesem van onze sterfelijkheid tot de laatste druppel opdrinken. Gedeelde smart, mijn broer, is geen dubbele maar halve smart. Niemand is een eiland.'

'Vraag niet voor wie de klok luidt,' reciteerde de taxichauffeur. 'Hij luidt voor jou.'

'Nee maar,' zei Spider. 'Dat is een behoorlijk ingewikkelde koan die u daar noemt.'

'Dank u,' zei de chauffeur.

'Maar het klopt, dat staat aan het eind van het gedicht. U bent een echte filosoof. Ik ben Spider. Dit is mijn broer, Fat Charlie.'

'Charles,' zei Fat Charlie.

'Steve,' zei de chauffeur. 'Steve Burridge.'

'Meneer Burridge,' zei Spider. 'Hoe zou u het vinden om vanavond onze privéchauffeur te zijn?'

Steve Burridge legde uit dat zijn dienst er bijna op zat en dat hij hierna zijn taxi naar huis reed waar een maaltijd met mevrouw Burridge en de kleine Burridges op hem wachtte.

'Hoor je dat?' zei Spider. 'Een echte huisvader. Nou, mijn broer en ik hebben geen vader meer. En vandaag hebben we elkaar voor het eerst ontmoet.'

'Vast een heel verhaal,' zei de chauffeur. 'Was er ruzie?'

'Dat niet. Alleen wist hij niet dat hij een broer had,' zei Spider.

'En jíj?' vroeg Fat Charlie. 'Wist jij het wel?'

'Dat zou kunnen,' zei Spider. 'Maar zulke dingen vergeet je gemakkelijk weer.'

De taxi stopte bij de stoep. 'Waar zijn we?' vroeg Fat Charlie. Ze hadden niet ver gereden. Hij dacht dat ze ergens in de buurt van Fleet Street waren.

'Waar hij heen wilde,' zei de chauffeur. 'De wijn.'

Spider stapte uit de taxi en bekeek de voorpui van het stokoude wijnlokaal: groezelig eiken en smerig glas. 'Perfect,' zei hij. 'Reken even af, broer.'

Fat Charlie betaalde de taxichauffeur. Ze gingen naar binnen, de houten trap af naar een kelder, waar roodwangige advocaten gebroederlijk zaten te drinken met bleke vermogensbeheerders. Er lag zaagsel op de vloer en er was een onleesbare wijnkaart op een bord achter de bar gekalkt.

'Wat wil je drinken?' vroeg Spider.

'Een glas rode huiswijn,' zei Fat Charlie.

Spider keek hem ernstig aan. 'We zijn de laatste loten aan Anansi's stam. We rouwen niet over de dood van onze vader met rode huiswijn.'

'Eh. Juist. Nou, dan neem ik hetzelfde als jij.'

Spider liep naar de bar en bewoog zich door het gedrang alsof er geen andere mensen waren. Binnen een paar minuten kwam hij terug met twee wijnglazen, een kurkentrekker en een extreem stoffige fles wijn in zijn handen. Hij trok de kurk eraf met een gemak dat Fat Charlie, die altijd stukjes kurk uit zijn wijn moest vissen, erg imponeerde. Spider schonk de wijn in, die taankleurig was, bijna zwart. Hij vulde beide glazen en zette een glas voor Fat Charlie neer.

'Proost,' zei hij. 'Ter nagedachtenis aan onze vader.'

'Op pa,' zei Fat Charlie, en hij tikte met zijn glas tegen dat van Spider – wonderlijk genoeg zonder een druppel te morsen – en hij proefde van de wijn. Die was bijzonder bitter en kruidig en zout. 'Wat is dit?'

'Begrafeniswijn, het soort dat je drinkt voor de goden. Die wordt al een hele tijd niet meer gemaakt. Hij is gekruid met bittere aloë en rozemarijn en de tranen van treurige maagden.'

'En ze verkopen hem in een wijnlokaal in Fleet Street?' Fat Charlie pakte de fles, maar het etiket was te verschoten en stoffig om het te kunnen lezen. 'Nooit van gehoord.'

'Zulke oude barretjes hebben goed spul, als je ernaar vraagt,' zei Spider. 'Of misschien denk ik dat alleen maar.'

Fat Charlie nam nog een slokje wijn. Hij was sterk en pikant.

'Het is geen wijn om van te nippen,' zei Spider. 'Het is treurwijn. Je moet hem achteroverslaan. Zo.' Hij nam een grote teug. Toen trok hij een vies gezicht. 'Op die manier smaakt hij ook beter.'

Fat Charlie aarzelde, nam toen een grote slok van de vreemde wijn. Hij verbeeldde zich dat hij de aloë en rozemarijn kon proeven. Hij vroeg zich af of er zout in zat of echte tranen.

'De rozemarijn hebben ze erbij gedaan uit piëteit,' zei Spider, en hij begon hun glazen bij te vullen. Fat Charlie probeerde hem uit te leggen dat hij die avond echt niet te veel mocht drinken, omdat hij de volgende dag moest werken, maar Spider viel hem in de rede. 'Het is jouw beurt om te proosten,' zei hij.

'Eh. Juist,' zei Fat Charlie. 'Op ma.'

Ze dronken op hun moeder. Fat Charlie merkte dat hij de smaak van de bittere wijn te pakken begon te krijgen; zijn ogen prikten, en een gevoel van verlies, diep en pijnlijk, maakte zich van hem meester. Hij miste zijn moeder. Hij miste zijn jeugd. Hij miste zelfs zijn vader. Tegenover hem aan tafel schudde Spider zijn hoofd. Een traan gleed over Spiders wangen en viel in het wijnglas. Hij pakte de fles en schonk hun beiden nog meer wijn in.

Fat Charlie dronk.

Verdriet overspoelde hem terwijl hij dronk, vulde zijn hoofd en zijn lichaam met verlies, en de pijn van afwezigheid sloeg door hem heen als de golven van de oceaan.

Ook bij hem liepen de tranen over zijn wangen, plonsden in zijn drankje. Hij zocht in zijn zakken naar een zakdoek. Spider schonk de laatste zwarte wijn uit, voor allebei iets.

'Verkopen ze deze wijn hier echt?'

'Ze hadden een fles, maar dat wisten ze niet. Ze moesten er even aan herinnerd worden.'

Fat Charlie snoot zijn neus. 'Ik heb nooit geweten dat ik een broer had,' zei hij.

'Ik wel,' zei Spider. 'Ik was de hele tijd van plan je op te zoeken, maar er kwam iets tussen. Je weet hoe dat gaat.'

'Niet echt.'

'Er komen dingen tussen.'

'Wat voor soort dingen?'

'Gewoon, dingen. Dingen die gebeuren. Zo gaat dat met dingen. Ze gebeuren opeens. Ik kan ze niet allemaal onthouden.'

'Nou, geef 's een voorbeeld.'

Spider dronk meer wijn. 'Oké. De laatste keer dat ik besloot dat we elkaar moesten ontmoeten, nou, toen ben ik dagen bezig geweest met de voorbereiding. Ik wilde dat het perfect ging. Ik moest kiezen welke kleren ik aantrok. Toen moest ik bedenken

wat ik tegen je zou zeggen als het zover was. Ik wist dat de ontmoeting van twee broers, nou, dat is toch stof voor een epos? Ik
besloot het in versvorm te doen, omdat het de enige manier was
om er genoeg gewicht aan te geven. Maar wat voor soort vers?
Wordt het een rap? Ga ik het declameren? Ik bedoel, ik kan je
niet met een limerick begroeten. Dus het moest iets krachtigs,
ritmisch, heroïsch zijn. En toen had ik het. De perfecte eerste
regel: *bloed roept bloed als sirenen in de nacht.* Dat is zo veelzeg-
gend. Ik wist dat ik er alles in kon krijgen – mensen die dood
gaan in sloppenwijken, zweet en nachtmerries, de kracht van
vrije, onafhankelijke geesten. Alles zou erin komen. En toen
moest ik een tweede regel bedenken, en de hele zaak viel in dui-
gen. Het beste wat ik kon bedenken was *te-dum-dum-dum naar
smacht.'*

Fat Charlie keek verbaasd. 'Wie is te-dum-dum-dum eigenlijk?'

'Dat is niemand. Het staat op de plek waar woorden horen te
staan. Maar ik ben er nooit echt verder mee gekomen, en ik kon
niet opeens opduiken met alleen een eerste regel, een paar dum-
dums en twee woorden van een episch gedicht. Dat zou erg onbeleefd zijn geweest.'

'Nou...'

'Precies. Dus in plaats daarvan ging ik een week naar Hawaï.
Zoals ik al zei, er kwam iets tussen.'

Fat Charlie dronk meer wijn. Hij begon het lekker te vinden.
Op bepaalde momenten past een sterke smaak bij sterke emo-
ties en dit was een van die momenten. 'Maar het zou niet altíjd
de tweede regel van een gedicht zijn geweest,' zei hij.

Spider legde zijn slanke hand op Fat Charlies veel grotere
hand. 'Genoeg over mij,' zei hij. 'Ik wil iets over jou horen.'

'Zoveel is er niet te vertellen,' zei Fat Charlie. Hij vertelde zijn
broer over zijn leven. Over Rosie en Rosies moeder, over Grahame Coats en de Grahame Coats Agency, en zijn broer knikte. Het klonk alsof zijn leven niet veel voorstelde, nu Fat Charlie het onder woorden bracht.

'Toch,' zei Fat Charlie filosofisch, 'denk ik dan aan het soort

mensen waarover je in de roddelrubrieken van de kranten leest.
En die zeggen altijd hoe saai en leeg en zinloos hun leven is.'
Hij hield de fles wijn boven zijn glas, in de hoop dat er net genoeg over was voor een slok, maar het was maar een druppel. De
fles was leeg. Ze hadden er langer mee gedaan dan redelijker-
wijs mogelijk was, maar nu was er niets meer over.

Spider stond op. 'Ik ken die mensen,' zei hij. 'Die uit de glossy's. Ik heb me in die kringen bewogen. Ik heb het van dichtbij
gezien, hun holle, lege leven. Ik heb ze ongemerkt geobserveerd
als ze dachten dat ze alleen waren. En ik kan je dit vertellen: ik
ben bang dat niemand van hen, zelfs niet met het pistool op de
borst, met je zou willen ruilen, broer. Kom, we gaan.'

'Huh? Waar gaan we heen?'

'We gaan. We hebben het eerste deel van onze nachtelijke
drievoudige opdracht volbracht. De wijn is gedronken. Nu de
andere twee delen nog.'

'Eh...'

Fat Charlie liep achter Spider aan naar buiten, in de hoop dat
de koele nachtlucht zijn hoofd helder zou maken. Dat was niet
zo. Fat Charlies hoofd voelde aan of het weg zou zweven als het
niet aan zijn romp vast had gezeten.

'Nu de vrouwen,' zei Spider. 'Daarna het gezang.'

Het is misschien het vermelden waard dat in Fat Charlies wereld vrouwen niet zomaar voorhanden waren. Je moest aan ze
voorgesteld worden; je moest moed verzamelen om met ze te
praten; je moest een onderwerp vinden om over te praten als het
zover was, en als je die berg had bedwongen, waren er weer andere toppen te beklimmen. Je moest ze durven vragen of ze za-
terdagavond iets te doen hadden, en als je dat deed, moesten ze
die avond meestal hun haar wassen, of hun dagboek bijhouden,
of hun kaketoe verzorgen, of ze moesten bij de telefoon blijven
wachten op een man die niet belde.

Maar Spider leefde in een andere wereld.

Ze wandelden naar West End en stopten toen ze bij een drukke kroeg kwamen. De bezoekers waaierden uit over het trottoir,

en Spider stopte om gedag te zeggen op wat een verjaardags-
feestje bleek te zijn voor een jongedame die Sybilla heette en die
erg in haar nopjes was toen Spider haar en haar vriendinnen per
se op een rondje wilde trakteren omdat ze jarig was. Toen begon
hij moppen te vertellen (... vraagt de barkeeper: *Lust je geen alcohol?*' Antwoordt de muis: *Jawel, maar ik ben bang voor een kater.*') en hij lachte om zijn eigen moppen, een bulderende, vrolijke lach. Hij kon alle namen van de mensen om hem heen
onthouden. Hij praatte met ze en luisterde naar wat ze te zeggen hadden. Toen Spider aankondigde dat het tijd werd een andere kroeg op te zoeken, besloot het hele verjaardagsfeest, als één
vrouw, om met hem mee te gaan...

Tegen de tijd dat ze bij de derde kroeg kwamen, leek Spider
op iemand uit een rockvideoclip. De vrouwen hadden zich om
hem heen gedrapeerd. Ze vlijden zich tegen hem aan. Een paar
hadden hem gekust, half voor de grap, half serieus. Fat Charlie
bekeek het met afgunstige weerzin.

'Ben je zijn bodyguard?' vroeg een van de meisjes.

'Hè?'

'Of je zijn bodyguard bent?'

'Nee,' zei Fat Charlie. 'Ik ben z'n broer.'

'Gaaf', zei ze. 'Ik wist niet dat hij een broer had. Ik vind hem
geweldig.'

'Ik ook,' zei een ander meisje, die Spider een tijdje had ge-
knuffeld, tot ze was verdrongen door anderen met dezelfde
ideeën. Ze zag Fat Charlie voor het eerst. 'Ben je zijn manager?'

'Nee, zijn broer,' zei het eerste meisje. 'Dat heeft hij me net
verteld,' voegde ze er vinnig aan toe.

De tweede negeerde haar. 'Kom je ook uit de Verenigde Staten?' vroeg ze. 'Je hebt wel een soort accent.'

'Oorspronkelijk wel,' zei Fat Charlie. 'We hebben in Florida
gewoond. Mijn vader was Amerikaan, mijn moeder was van, nou
ja, eigenlijk kwam ze van Saint Andrews, maar later ging ze...'

Niemand luisterde.

Toen ze van daaruit verder trokken, ging het restant van het
verjaardagsfeest met hen mee. De vrouwen verdrongen zich om

Spider; ze wilden weten wat er verder op het programma stond. Er werden restaurants voorgesteld, of nachtclubs. Spider grinnikte alleen en bleef doorlopen.

Fat Charlie, die achter hem aan drentelde, voelde zich meer dan ooit buitengesloten.

Ze sliertten door de neon-en-tl verlichte wereld. Spider had zijn armen om een paar vrouwen geslagen. Hij kuste ze onder het lopen, zonder onderscheid, als een man die nu eens een hapje neemt van de ene en dan weer van de andere vrucht. Geen van hen leek het erg te vinden.

Het is niet normaal, dacht Fat Charlie. *Dat is het beslist niet.* Hij probeerde ze niet eens meer bij te houden, maar deed alleen zijn best ze niet kwijt te raken.

Nog steeds kon hij de bittere wijn op zijn tong proeven.

Hij realiseerde zich dat er een meisje naast hem liep. Ze was klein en leuk om te zien, op een olijke manier. Ze trok aan zijn mouw. 'Wat gaan we doen?' vroeg ze. 'Waar gaan we heen?'

'We rouwen om mijn vader,' zei hij. 'Als ik het goed heb.'

'Zitten we in een tv-programma?'

'Ik hoop het niet.'

Spider bleef staan en draaide zich om. In zijn ogen lag een verontrustende gloed. 'We zijn er,' kondigde hij aan. 'We zijn gearriveerd. Zo zou hij het gewild hebben.' Er hing een handgeschreven bericht op een fel oranje papier aan de buitenkant van het café. Daarop stond: *Vanavond.* KAROAKE. *Trap op.*

'Gezang,' zei Spider. Toen zei hij: 'Tijd voor de show.'

'Nee,' zei Fat Charlie. Hij bleef staan waar hij stond.

'Daar was hij dol op,' zei Spider.

'Ik zing niet. Niet in het openbaar. En ik ben dronken. En ik vind dit helemaal geen goed idee.'

'Het is een fántástisch idee.' Spiders glimlach was volstrekt overtuigend. Die glimlach kon, mits op de juiste manier ingezet, een heilige oorlog ontketenen. Fat Charlie was echter niet overtuigd.

'Kijk,' zei hij, terwijl hij de paniek uit zijn stem probeerde te weren. 'Er zijn dingen die mensen niet doen, nietwaar? Sommige mensen vliegen niet. Sommige mensen hebben geen seks in het openbaar. Sommige mensen gaan niet in rook op om weg te waaien. Die dingen doe ik allemaal niet, en ik zing ook niet.'

'Zelfs niet voor pa?'

'Al helemaal niet voor pa. Hij gaat me niet voor schut zetten, terwijl hij al in zijn graf ligt. Nou ja, niet erger dan hij al heeft gedaan.'

'Pardon,' zei een van de jongedames. 'Pardon, maar gaan we nog naar binnen? Want ik krijg het koud, en Sybilla moet plassen.'

'We gaan naar binnen,' zei Spider, en hij glimlachte tegen haar.

Fat Charlie wilde protesteren, voet bij stuk houden, maar werd voor hij er erg in had mee naar binnen gesleurd, en hij haatte zichzelf.

Op de trap haalde hij Spider in. 'Ik ga naar binnen,' zei hij. 'Maar ik zing niet.'

'Je bent al binnen.'

'Weet ik. Maar ik zing niet.'

'Vrij zinloos om te zeggen dat je niet naar binnen gaat, als je al binnen bent.'

'Ik kan niet zingen.'

'Bedoel je dat het muzikale talent ook al bij mij terecht is gekomen?'

'Ik bedoel dat ik moet overgeven als ik in het openbaar moet zingen.'

Spider gaf hem een geruststellend kneepje in zijn arm. 'Kijk maar hoe ik het doe,' zei hij.

Het jarige meisje en twee van haar vriendinnen stommelden het kleine podium op en gaven giechelend een vertolking van 'Dancing Queen'. Fat Charlie dronk een gin-tonic die iemand in zijn handen had gedrukt en kromp in elkaar bij elke valse noot, bij elke verandering van toonsoort waar ze naast zaten. Er werd geapplaudisseerd door de rest van de verjaardagsclub.

Een van de andere vrouwen beklom het podium. Het was de olijkerd die aan Fat Charlie had gevraagd waar ze heen gingen. De eerste akkoorden van 'Stand by Me' weerklonken en ze begon, in alle betekenissen van het woord, ernaast te zingen. Ze miste elke noot, viel bij elke regel te vroeg of te laat in, en las de tekst bijna altijd verkeerd. Fat Charlie had met haar te doen.

Ze klom van het podium en liep naar de bar. Fat Charlie wilde haar een hart onder de riem steken, maar ze glom van plezier. 'Dat was zó fantastisch,' zei ze. 'Ik bedoel, dat was echt gewéldig.' Fat Charlie bestelde een drankje voor haar, een grote wodka-jus. 'Dat was zó lachen,' vertelde ze hem. 'Ga jij ook? Kom op. Doe het gewoon. Wedden dat je lang niet zo waardeloos bent als ik?'

De manier waarop Fat Charlie zijn schouders ophaalde, suggereerde, naar hij hoopte, dat hij onvermoede dimensies van waardeloosheid in zich had.

Spider liep naar het kleine podium alsof hij door een schijnwerper werd bijgelicht.

'Wedden dat dit geweldig wordt,' zei de wodka-jus. 'Klopt het dat jij zijn broer bent?'

'Nee,' sputterde Fat Charlie, tamelijk lomp. 'Hij is míjn broer.'

Spider begon te zingen: 'Under the Boardwalk'.

Als Fat Charlie dat lied niet zo goed had gevonden, zou het niet zijn gebeurd. Toen Fat Charlie dertien was, vond hij 'Under the Boardwalk' het geweldigste lied dat er bestond (toen hij eenmaal een uitgebluste, levensmoeë veertienjarige was, werd het Bob Marley's 'No Woman No Cry'). En nu zong Spider zijn lied en hij zong het goed. Hij zong het zuiver, hij zong het alsof hij het meende. De mensen stopten met drinken, stopten met praten, en ze keken naar hem en luisterden.

Toen Spider klaar was met zingen, juichten ze. Als ze hoeden hadden gedragen, hadden ze die in de lucht gegooid.

'Ik snap wel waarom je niet wilt zingen,' zei de wodka-jus. 'Ik bedoel, dat doe je hem toch zeker niet na?'

'Nou...' zei Fat Charlie.

'Ik bedoel,' zei ze met een grijns, 'je kunt zien wie al het talent van jullie familie heeft geërfd.' Ze hield haar hoofd schuin toen ze dat zei, en stak haar kin naar voren. Het was het kingebaar dat het hem deed.

Fat Charlie zette koers naar het podium; in een indrukwekkend staaltje van fysieke behendigheid zette hij zijn ene voet voor zijn andere. Hij zweette.

De volgende minuten gingen in een waas voorbij. Hij praatte met de dj, koos een lied uit de lijst – 'Unforgettable' – wachtte een kleine eeuwigheid en kreeg een microfoon in zijn handen gedrukt.

Zijn mond was droog. Zijn hart ging als een bezetene tekeer.

Op het scherm verscheen zijn eerste woord: *Unforgettable...*

Kijk, Fat Charlie kon écht zingen. Hij had genoeg bereik en volume en expressie. Als hij zong, werd zijn hele lichaam een instrument.

De muziek begon. In Fat Charlies hoofd stond hij klaar om zijn mond te openen en te zingen. 'Unforgettable' zou hij zingen. Hij zou het zingen voor zijn dode vader en voor zijn broer en voor de nacht om iedereen te vertellen dat er dingen waren die hij nooit kon vergeten.

Maar het lukte hem niet. Er waren mensen die naar hem opkeken. Ongeveer vijfentwintig mensen, op de eerste verdieping van een café. Bijna allemaal vrouwen. Oog in oog met het publiek kon Fat Charlie zijn mond niet eens open krijgen.

Hij kon de muziek horen spelen, maar hij stond daar maar. Hij kreeg het erg koud. Het leek of zijn voeten een heel eind van hem verwijderd waren.

Hij dwong zichzelf zijn mond open te doen.

'Ik geloof,' zei hij, duidelijk hoorbaar in de microfoon boven de muziek uit, en hij hoorde zijn woorden uit alle hoeken van de zaal terugkaatsen. 'Ik geloof dat ik ga overgeven.'

Zijn aftocht van het podium was weinig eervol.

Daarna werd alles een beetje wazig.

Er zijn mythische plaatsen. Ze bestaan, elk op een andere manier. Sommige plaatsen liggen over de wereld heen; andere bevinden zich onder de wereld, als een verflaag waar later overheen is geschilderd.

Er zijn bergen. Dat zijn de rotsachtige plekken voordat je bij de kliffen komt die het eind van de wereld begrenzen, en er zijn grotten in die bergen, diepe grotten die bewoond werden, lang voordat de eerste mensen op de aarde rondliepen.

Ze worden nog steeds bewoond.

VIJF

Fat Charlie had dorst.

Fat Charlie had dorst en hoofdpijn.

Fat Charlie had dorst en hoofdpijn en een vieze smaak in zijn mond en ogen die uit zijn hoofd puilden en tanden die zeer deden en brandend maagzuur en rugpijn die rond zijn knieën begon en optrok naar zijn voorhoofd, en zijn hersenen waren vervangen door proppen watten en spelden en naalden, waardoor het pijn deed als hij probeerde na te denken, en zijn ogen puilden niet alleen uit zijn hoofd, maar moesten er vannacht uit zijn gerold en weer met daknagels zijn vastgespijkerd; en nu merkte hij dat alles wat meer geluid maakte dan de kalme brownse beweging van luchtmoleculen die zacht over elkaar schoven, boven zijn pijngrens lag. En bovendien wilde hij dat hij dood was.

Fat Charlie sloeg zijn ogen open, wat een vergissing was want nu viel het daglicht erin en dat deed pijn. Bovendien wist hij waar hij was (in zijn eigen bed, in zijn slaapkamer) en doordat hij pal in de wekker op zijn nachtkastje keek, wist hij dat het halftwaalf was.

Erger dan dit, dacht hij één woord per keer, kon het niet meer worden. Hij had het soort kater waarmee een oudtestamentische God de Midianieten zou hebben gestraft, en zodra hij Grahame

85

Coats zou zien, kreeg hij ongetwijfeld te horen dat hij ontslagen was.

Hij vroeg zich af of hij overtuigend ziek kon klinken door de telefoon, waarna hij bedacht dat het pas echt moeilijk was om níét ziek te klinken.

Hij wist niet meer hoe hij gisteravond thuis was gekomen.

Zodra hij zich het telefoonnummer kon herinneren, zou hij naar kantoor bellen. Hij zou zich verontschuldigen – geveld door een vierentwintiguursgriep, plat op zijn rug, kon niets doen...

'Weet je,' zei iemand naast hem in bed, 'ik geloof dat er aan jouw kant een fles water staat. Kan die even deze kant op komen?'

Fat Charlie wilde uitleggen dat er geen water aan zijn kant van het bed stond, dat hij voor water naar de badkamer moest, als hij de beker waarin zijn tandenborstel stond eerst had gedesinfecteerd, maar het drong tot hem door dat zich midden in zijn blikveld een fles bevond, een van de paar flessen water op het nachtkastje naast hem. Hij stak zijn hand uit en omsloot de fles met zijn vingers, die aanvoelden alsof ze van iemand anders waren. Daarna draaide hij zich, met een inspanning die mensen gewoonlijk reserveren voor de beklimming van de laatste meter van een steile rotswand, op zijn andere zij.

Het was de wodka-jus. En ze was naakt. Dat wil zeggen, de stukken die hij van haar kon zien waren naakt.

Ze pakte het water aan en trok het laken op tot over haar borst. 'Bedankt. Ik moest van hem doorgeven,' zei ze, 'als je wakker werd, dat je niet naar je werk hoeft te bellen om te zeggen dat je ziek bent. Ik moest van hem zeggen dat hij het al heeft geregeld.'

Fat Charlie was niet gerustgesteld. Zijn angst en bezorgdheid waren niet minder geworden, maar in zijn huidige toestand was er in zijn hoofd slechts ruimte om zich over één ding tegelijk zorgen te maken, en op dat moment maakte hij zich zorgen of hij op tijd de wc zou halen.

'Je hebt meer vocht nodig,' zei het meisje. 'Je moet je waterhuishouding op peil brengen.'

Fat Charlie was op tijd bij de wc. Daarna, omdat hij toch al in de badkamer was, ging hij onder de douche staan totdat de ruimte ophield met golven, en toen poetste hij zijn tanden zonder over te geven.

Toen hij terugkwam in de slaapkamer, was de wodka-jus er niet meer, tot opluchting van Fat Charlie, die hoopte dat ze een door de alcohol opgeroepen hallucinatie was geweest, in dezelfde orde als roze olifanten of het nachtmerrieachtige idee dat hij de vorige avond op het podium had gestaan om te zingen.

Hij kon zijn kamerjas niet vinden, dus trok hij een joggingpak aan om voldoende gekleed te zijn voor een bezoek aan de keuken, aan het eind van de gang.

Zijn telefoon ging en hij doorzocht zijn jasje, dat op de grond naast het bed lag, tot hij hem had en hij klapte hem open. Hij bromde iets, zo anoniem mogelijk, want misschien was het iemand van de Grahame Coats Agency die probeerde uit te vissen waar hij uithing.

'Met mij,' klonk Spiders stem. 'Alles is geregeld.'

'Heb je gezegd dat ik dood ben?'

'Nog beter. Ik heb gezegd dat ik jou ben.'

'Maar...' Fat Charlie probeerde helder te denken. 'Maar dat ben je niet.'

'Hé, dat weet ik wel. Ik heb alleen gezegd dat het zo was.'

'Je lijkt niet eens op me.'

'Broertje van me, je bederft mijn goede humeur. Alles is geregeld. Oeps. Moet gaan. De baas wil me spreken.'

'Grahame Coats? Luister, Spider...'

Maar Spider had de verbinding verbroken en het scherm was leeg.

Fat Charlies kamerjas kwam binnen. Er zat een meisje in. De kamerjas stond haar beduidend beter dan hij hem ooit had gestaan. Ze droeg een dienblad met een glas water en een bruisend Alka-Seltzertablet erin, en nog iets wat in een mok zat.

'Drink het allebei op,' zei ze. 'Eerst de mok. Gewoon achteroverslaan.'

'Wat zit erin?'

'Eigeel, worcestersaus, tabasco, zout, scheutje wodka en zo. Óf je gaat dood óf je knapt ervan op. Dus,' zei ze op een toon die geen tegenspraak duldde, 'Drink op.'

Fat Charlie dronk.

'O, mijn god,' kreunde hij.

'Ja,' zei ze instemmend. 'Maar je leeft nog.'

Dat wist hij niet zeker. Toch dronk hij de Alka-Seltzer op. Er schoot hem iets te binnen.

'Ahum,' zei Fat Charlie. 'Ahum. Gisteravond. Hebben we. Ahum.'

Ze keek hem uitdrukkingsloos aan.

'Hebben we wat?'

'Hebben we. Je weet wel. Het gedaan?'

'Wou je zeggen dat je het niet meer weet?' Haar gezicht betrok. 'Je zei dat het het beste was wat je ooit was overkomen. Dat het leek alsof je nooit eerder met een vrouw naar bed was geweest. Je had iets van een god en een beest en een onvermoeibare seksmachine...'

Fat Charlie wist niet waar hij moest kijken. Ze giechelde.

'Ik plaag je maar,' zei ze. 'Ik heb je broer geholpen je thuis te brengen, we hebben je opgefrist en daarna, je weet wel.'

'Nee,' zei hij. 'Dat weet ik niet.'

'Nou,' zei ze, 'je was volledig buiten westen en het is een groot bed. Ik weet niet precies waar je broer heeft geslapen. Hij heeft vast een ijzeren gestel. Bij het krieken van de dag was hij al op, fris en monter.'

'Hij is naar het werk gegaan,' zei Fat Charlie. 'Hij heeft gezegd dat hij mij was.'

'Zouden ze het verschil niet zien? Ik bedoel, jullie zijn niet wat je noemt een tweeling.'

'Blijkbaar niet.' Hij schudde zijn hoofd. Toen keek hij haar aan. Ze stak een erg roze tongetje naar hem uit.

'Hoe heet je?'

'Bedoel je dat je dat bent vergeten? Ik weet jóúw naam nog wel. Jij bent Fat Charlie.'

'Charles,' zei hij. 'Gewoon Charles is prima.'

'Ik ben Daisy,' zei ze, en ze stak haar hand uit. 'Aangenaam.'
Ze schudden plechtig handen.

'Ik voel me iets beter,' zei Fat Charlie.

'Dat zei ik,' merkte ze op. 'Óf je gaat dood óf je knapt ervan op.'

Spider had het reuze naar zijn zin op het kantoor. Hij werkte bijna nooit op een kantoor. Hij werkte bijna nooit. Alles was nieuw, alles was schitterend en onbekend, van de kleine lift, die hem met horten en stoten naar de vijfde verdieping bracht, tot de hokkerige kantoortjes van de Grahame Coats Agency. Gefascineerd bekeek hij de vitrine in de hal vol stoffige onderscheidingen. Hij zwierf door de kantoorruimten en als iemand hem vroeg wie hij was, zei hij: 'Ik ben Fat Charlie Nancy,' en hij zei het met zijn godenstem, waardoor alles wat hij zei bij benadering waar werd.

Hij vond de lunchroom en schonk zichzelf een paar koppen thee in. Die nam hij mee naar Fat Charlies bureau en stelde ze op een artistieke manier op. Hij begon met het computernetwerk te spelen. Het vroeg een wachtwoord. 'Ik ben Fat Charlie Nancy,' vertelde hij de computer, maar er waren nog steeds gebieden waar hij niet mocht komen, dus hij zei: 'Ik ben Grahame Coats,' en het netwerk ging voor hem open als een bloem.

Hij bekeek dingen in de computer tot hij zich ging vervelen.

Hij hield zich bezig met de inhoud van Fat Charlies ingekomen post en met Fat Charlies te behandelen post.

Het schoot hem te binnen dat Fat Charlie nu wel ongeveer wakker zou zijn, dus hij belde hem thuis op om hem gerust te stellen. Net toen hij het gevoel had dat hij een beetje opschoot, stak Grahame Coats zijn hoofd om de deur, streek met zijn vingers over zijn hermelijnachtige lippen en ontbood hem.

'Moet gaan,' zei Spider tegen zijn broer. 'De grote baas wil me spreken.' Hij legde de hoorn erop.

'Dat was een privételefoontje onder werktijd, Nancy,' constateerde Grahame Coats.

'Abso-verrek-lutief,' gaf Spider toe.

'En bedoelde je mij toen je het over de "grote baas" had?' vroeg Grahame Coats. Ze liepen de gang uit naar zijn kantoor.

'U bent toch de grootste,' zei Spider. 'En de bazigste.'

Grahame Coats keek onthutst. Hij vermoedde dat er de draak met hem werd gestoken, maar dat wist hij niet zeker en het zat hem niet lekker.

'Wel, zet je neder, zet je neder,' zei hij.

Spider zette zich neder.

Het was Grahame Coats' gewoonte om de doorstroming bij de Grahame Coats Agency vrij constant te houden. Sommige mensen kwamen en gingen. Anderen kwamen en bleven tot hun baan onder de een of andere vorm van arbeidsbescherming kwam te vallen. Fat Charlie was er langer geweest dan wie dan ook: een jaar en elf maanden. Nog één maand en dan zouden ontslagvergoedingen en beroepsprocedures een onderdeel van zijn leven kunnen worden.

Er was een toespraak die Grahame Coats hield voordat hij iemand ontsloeg. Hij was erg trots op die toespraak.

'In het leven,' begon hij, 'hebben we de wind soms mee en soms tegen. Maar achter de wolken schijnt de zon.'

'Het kan vriezen en het kan dooien,' deed Spider ook een duit in het zakje.

'Ach, ja, ja natuurlijk. Wel, terwijl we door dit aardse tranendal gaan, moeten we er bij stilstaan dat...'

'De eerste klap,' zei Spider, 'een daalder waard is.'

'Hè? O.' Grahame Coats probeerde zich te herinneren wat erna kwam. 'Geluk,' declameerde hij, 'is als een vlinder.'

'Of een vogel,' viel Spider hem bij.

'Precies. Mag ik even uitpraten?'

'Natuurlijk. Gaat uw gang,' zei Spider opgewekt.

'En het geluk van ieder levend wezen bij de Grahame Coats Agency is even belangrijk als mijn geluk.'

'U hebt geen idee,' zei Spider, 'hoe gelukkig me dat maakt.'

'Ja,' zei Grahame Coats.

'Nou, ik moet maar weer eens aan het werk,' zei Spider. 'Dat was me een hele uitbarsting. Als u weer uw hart wilt luchten, belt u me maar. U weet me te vinden.'

'Over geluk gesproken,' zei Grahame Coats. Zijn stem begon lichtelijk over te slaan. 'En wat ik me afvraag, Nancy, Charles, is dit: ben je gelukkig hier? En ben je het niet met me eens dat je elders gelukkiger zult zijn?'

'Dat is niet wat ik me afvraag,' zei Spider. 'Wilt u weten wat ík me afvraag?'

Grahame Coats zei niets. Zo was het nog nooit gegaan. Gewoonlijk betrokken hun gezichten op dit punt en raakten ze in een shock. Soms huilden ze. Grahame Coats had het nooit erg gevonden als ze huilden.

'Wat ik me afvroeg,' zei Spider, 'is waar de rekeningen op de Caymaneilanden voor dienen. Want weet u, het lijkt er een beetje op alsof het geld dat op de rekening van onze cliënten moet worden gestort, in plaats daarvan soms naar de Caymaneilanden gaat. En dat lijkt me een vreemde manier om financiën te beheren, dat het binnenkomende geld maar op die rekeningen blijft staan. Zoiets heb ik nog nooit gezien. Misschien kunt u me dat uitleggen.'

Grahame Coats was vaalwit geworden – een kleur die in verfcatalogussen wordt aangeduid met 'perkament' of 'magnolia'. Hij zei: 'Hoe ben je bij die rekeningen gekomen?'

'Computers,' zei Spider. 'Hebt u dat nou ook? Helemaal gek word ik ervan. Maar wat doe je eraan?'

Grahame Coats dacht een paar lange ogenblikken na. Hij had altijd het idee gekoesterd dat zijn financiële transacties zo ondoorzichtig waren dat zelfs áls de afdeling fraudebestrijding vaststelde dat er financiële malversaties waren gepleegd, ze de grootste moeite zouden hebben om een jury uit te leggen waaruit die bestonden.

'Het is niet illegaal om een offshore bankrekening te hebben,' zei hij zo nonchalant mogelijk.

'Illegaal?' zei Spider. 'Dat hoop ik niet. Ik bedoel, als ik iets illegaals zag, zou ik het aan de politie moeten doorgeven.'

Grahame Coats pakte een pen op van zijn bureau, legde hem

toen weer neer. 'Ach,' zei hij. 'Nou, hoe plezierig het ook is met je te praten, te converseren, tijd te spenderen of anderszins met je te verkeren, Charles, ik neem aan dat we allebei weer werk aan de winkel hebben. Het getij wacht op niemand. Van uitstel komt afstel.'

'Handen uit de mouwen,' opperde Spider, 'en voetjes van de vloer.'

'Zoiets.'

Fat Charlie begon zich weer een beetje mens te voelen. Hij had geen pijn meer; de langzame, diepe golven van misselijkheid spoelden niet meer over hem heen. Hoewel hij er nog niet van overtuigd was dat de wereld een mooie en plezierige plaats was, bevond hij zich niet langer in de negende kring van de katterige hel en dat was prettig.

Daisy was naar de badkamer vertrokken. Hij had het lopen van de kranen gehoord en daarna een tevreden gespetter.

Hij klopte op de badkamerdeur.

'Ik ben hier,' zei Daisy. 'Ik zit in het bad.'

'Dat weet ik,' zei Fat Charlie. 'Ik bedoel. Ik wist het niet, maar ik vermoedde het al.'

'Wat is er?' zei Daisy.

'Ik vroeg me af,' zei hij door de dichte deur. 'Ik vroeg me af waarom je mee bent gegaan? Gisteravond.'

'Nou,' zei ze. 'Je was er beroerd aan toe. En het leek me dat je broer wel hulp kon gebruiken. Ik heb vanmorgen vrij. Dus vandaar.'

'Vandaar,' zei Fat Charlie. Aan de ene kant had ze medelijden met hem. Aan de andere kant was ze werkelijk op Spider gesteld. Zijn broer was er nog geen dag en hij had al het gevoel dat de verhoudingen vast lagen. Spider was de coole gozer; hij was die ander.

Ze zei: 'Je hebt een prachtige stem.'

'Hè?'

'Je zong in de taxi onderweg naar huis. "Unforgettable." Het was prachtig.'

Op de een of andere manier had hij het karaoke-incident uit zijn hoofd kunnen zetten, het ondergebracht in de donkere regionen waar vervelende dingen worden opgeborgen. Nu kwam het boven en hij wou dat het niet zo was.

'Je was geweldig,' zei ze. 'Wil je straks voor me zingen?'

Fat Charlie dacht koortsachtig na, en werd van het koortsachtig nadenken gered door de deurbel.

'Er staat iemand voor de deur,' zei hij.

Hij ging naar beneden en opende de deur en dat maakte de zaak erger. Rosies moeder schonk hem een blik die broden in stenen had kunnen veranderen. Ze hield een grote witte envelop vast.

'Hallo,' zei Fat Charlie. 'Mevrouw Noah. Wat leuk. Ahum.'

Ze snoof en hield de envelop voor haar borst. 'O,' zei ze. 'Je bent thuis. Dus. Vraag je nog of ik binnen wil komen?'

Dat is waar, dacht Fat Charlie. *Mensen van uw slag moeten altijd uitgenodigd worden. Zeg gewoon nee, en dan moet ze wel weggaan.* 'Natuurlijk, mevrouw Noah. Komt u toch binnen.' *Zo pakken vampiers dat aan.* 'Wilt u een kopje thee?'

'Als je maar niet denkt dat je zo gemakkelijk van me af komt,' zei ze. 'Want dat is niet zo.'

'Eh. Juist.'

De smalle trap op en de keuken in. Rosies moeder keek rond en trok een vies gezicht, alsof ze wilde zeggen dat de keuken niet aan haar eisen op het gebied van hygiëne voldeed, omdat er eetbare voedingsmiddelen lagen. 'Koffie? Water?' *Geen kunstfruit zeggen.* 'Kunstfruit?' *Verdomme.*

'Ik hoorde van Rosie dat je vader onlangs is overleden,' zei ze.

'Ja, dat klopt.'

'Toen Rosies vader stierf, hebben ze een artikel van vier pagina's aan hem gewijd in *Kok en keuken.* Er stond in dat het zijn verdienste was dat hij de Caribische fusionkeuken in ons land heeft geïntroduceerd.'

'O,' zei hij.

'Het is niet zo dat hij me onverzorgd heeft achtergelaten. Hij had een levensverzekering en was mede-eigenaar van twee goedlopende restaurants. Ik ben in goeden doen. Als ik sterf, gaat alles naar Rosie.'

'Als we getrouwd zijn,' zei Fat Charlie, 'zal ik voor haar zorgen. Maakt u zich maar geen zorgen.'

'Ik zeg niet dat je alleen maar op Rosies geld uit bent,' zei Rosies moeder met een klank in haar stem waaruit bleek dat dat precies was wat ze dacht.

Fat Charlies hoofdpijn begon weer op te komen. 'Mevrouw Noah, wat kan ik voor u doen?'

'Ik heb met Rosie gesproken en we hebben besloten dat ik je ga helpen met je huwelijksvoorbereidingen,' zei ze stijfjes. 'Ik heb een lijst nodig van de mensen van jouw kant. Degenen die je van plan bent uit te nodigen. Naam, adres, e-mail en telefoonnummer. Ik heb een formulier voor je gemaakt dat je moet invullen. Ik dacht een postzegel te besparen door het zelf in de bus te gooien, omdat ik toch langs de Maxwell Gardens kwam. Ik had niet verwacht je thuis te treffen.' Ze overhandigde hem de grote witte envelop. 'Er komen in totaal negentig mensen op de bruiloft. Je mag acht familieleden uitnodigen en zes vrienden. De vrienden en vier familieleden zitten aan tafel h. De rest van jouw groep zit aan tafel c. Je vader zou bij ons aan het hoofd van de tafel hebben gezeten, maar omdat hij is overleden, hebben we zijn plaats aan Rosies tante Winifred toegewezen. Weet je al wie je als getuige neemt?'

Fat Charlie schudde zijn hoofd.

'Nou, als je hem maar duidelijk maakt dat hij geen grove taal mag gebruiken in zijn speech. Ik wil niets van jouw getuige horen wat ik niet ook in de kerk zou horen. Begrepen?'

Fat Charlie vroeg zich af wat Rosies moeder gewoonlijk in de kerk zou horen. Waarschijnlijk alleen kreten als: 'Weg! Vuil hellebeest!' gevolgd door uitroepen als 'Leeft het nog?' en zenuwachtig navragen of iemand eraan had gedacht de staken en hamers mee te nemen.

'Ik denk,' zei Fat Charlie, 'dat ik meer dan tien familieleden heb. Ik bedoel, neven en nichten en oudtantes en zo.'

'Wat je kennelijk niet beseft,' zei Rosies moeder, 'is dat een bruiloft geld kost. Ik heb honderdvijfenzeventig pond per persoon uitgetrokken voor de tafels a tot en met d, met tafel a als belangrijkste tafel, voor Rosies naaste familie en mijn vrouwenclub, en honderdvijfentwintig pond voor de tafels e tot en met g, die voor de verre familie zijn en de kinderen enzovoort.'

'U zei dat mijn vrienden aan tafel h zouden zitten,' zei Fat Charlie.

'Dat is een niveau lager. Ze moeten het doen zonder de avocado-garnaal vooraf of de trifle met sherry toe.'

'Toen Rosie en ik het er laatst over hadden, dachten we aan een algemeen West-Indisch thema voor het eten.'

Rosies moeder snoof. 'Ze weet soms niet wat ze wil, dat kind. Maar we zijn het nu helemaal met elkaar eens.'

'Kijk,' zei Fat Charlie. 'Misschien moet ik het allemaal eerst met Rosie bespreken en dan laat ik het u wel weten.'

'Vul gewoon de formulieren in,' zei Rosies moeder. Toen vroeg ze argwanend: 'Waarom ben je niet op je werk?'

'Ik. Ahum. Ben er niet. Dat wil zeggen, ben vrij vanmorgen. Vandaag. Ga ik. Niet.'

'Ik hoop dat je het Rosie hebt verteld. Ze zei dat ze een lunchafspraak met je wilde maken. Daarom kon ze niet bij mij komen lunchen.'

Fat Charlie verwerkte die informatie in stilte. 'Juist,' zei hij. 'Nou, leuk dat u even langs bent geweest, mevrouw Noah. Ik zal het met Rosie bespreken en...'

Daisy kwam de keuken in. Ze had een handdoek om haar hoofd gewikkeld en Fat Charlies kamerjas viel strak om haar vochtige lichaam. Ze vroeg: 'Er is toch nog sinaasappelsap? Ik heb het gezien toen ik daarnet wat rondkeek. Hoe is het met je hoofdpijn? Al iets beter?' Ze trok de koelkast open en schonk zichzelf een groot glas sinaasappelsap in.

Rosies moeder schraapte haar keel. Het klonk niet als het schrapen van een keel. Het klonk als ratelende kiezels op een strand.

'Hallo,' zei Daisy. 'Ik ben Daisy.'

De temperatuur in de keuken daalde dramatisch. 'O ja?' zei

Rosies moeder. Aan de a hing een ijspegel.

'Ik vraag me af,' vulde Fat Charlie de stilte op, 'of we ze sinaasappels hadden genoemd als ze niet rond waren geweest. Ik bedoel, als ze peervormig waren geweest, hoe zouden we ze dan hebben genoemd? Zouden we het dan over sinaasperen hebben? Zouden we dan sinaasperensap hebben gedronken?'

'Waar heb je het over?' vroeg Rosies moeder.

'Hemel, je zou jezelf eens moeten horen,' zei Daisy opgewekt. 'Juist. Nu maar eens kijken of ik mijn kleren ergens kan vinden. Leuk kennis met u te hebben gemaakt.'

Ze liep weg. Fat Charlie was gestopt met ademhalen.

'Wie,' zei Rosies moeder volmaakt kalm, 'Was. Dat.'

'Mijn zus... nichtje. Mijn nicht,' zei Fat Charlie. 'Is als een zus voor me. We zijn erg close, samen opgegroeid. Gisteravond kwam ze zomaar binnenvallen. Ze is een beetje een wilde meid. Nou ja. U zult haar op de bruiloft zien.'

'Ik zet haar aan tafel h,' zei Rosies moeder. 'Daar zal ze zich beter op haar gemak voelen.' Ze zei het op een toon waarop mensen meestal dingen zeiden als: 'Wil je snel dood of zal ik Mongo eerst zijn gang laten gaan?'

'Juist,' zei Fat Charlie. 'Nou,' zei hij. 'Leuk dat u er was. Nou ja,' zei hij, 'u zult het wel druk hebben. En,' zei hij, 'Ik moet naar mijn werk.'

'Ik dacht dat je een vrije dag had.'

'Ochtend. Ik had vanochtend vrij. En die zit er bijna op. En ik moet nu naar mijn werk, dus tot ziens.'

Met haar tas stevig tegen zich aan gedrukt stond ze op. Fat Charlie liep achter haar aan de gang in.

'Leuk dat u er was,' zei hij.

Ze knipperde met haar ogen zoals een python met zijn derde ooglid knipperde voor hij aanviel. 'Dag Daisy,' riep ze. 'Tot ziens op de bruiloft.'

Daisy, nu in een slipje en een beha en bezig een t-shirt aan te trekken, keek om de hoek van de deur. 'Sterkte ermee,' zei ze en ze verdween weer in Fat Charlies slaapkamer.

Rosies moeder zei niets meer toen Fat Charlie met haar de

trap af liep. Hij hield de voordeur voor haar open en toen ze hem passeerde, zag hij op haar gezicht iets afschuwelijks, iets wat de knoop in zijn maag nog strakker trok. Rosies moeder deed iets met haar lippen: haar mondhoeken vertrokken tot een afzichtelijke grimas, als een grijnzend doodshoofd. Rosies moeder glimlachte.

Hij deed de deur achter haar dicht en stond bevend in het trapportaal. Toen, als een man op weg naar de elektrische stoel, liep hij de trap op.

'Wie was dat?' vroeg Daisy, die nu bijna was aangekleed.

'De moeder van mijn verloofde.'

'Een vrolijk type, hè?' Daisy droeg dezelfde kleren als de avond ervoor.

'Ga je zo naar je werk?'

'O, hemel, nee. Ik ga naar huis om me te verkleden. Trouwens, dit soort kleren draag ik niet op mijn werk. Kun je een taxi voor me bestellen?'

'Waar moet je heen?'

'Hendon.'

Hij belde de plaatselijke taxicentrale. Toen ging hij op de grond in het halletje zitten en overdacht een aantal toekomstige scenario's, allemaal even onaanlokkelijk.

Iemand was naast hem komen staan. 'Ik heb een paar vitamine-B-pillen bij me,' zei ze. 'Of je kunt een lepel honing proberen. Bij mij werkt het niet, maar mijn huisgenote zweert erbij als ze een kater heeft.'

'Dat is het niet,' zei Fat Charlie. 'Ik heb haar verteld dat je mijn nicht bent. Zodat ze niet zou denken dat je mijn, dat we, je weet wel, een vreemde vrouw in mijn flat en zo.'

'Je nicht? Nou, maak je geen zorgen. Waarschijnlijk vergeet ze me, en zo niet, vertel haar maar dat ik het land op mysterieuze wijze heb verlaten. Ze zal me nooit meer zien.'

'Heus? Beloof je dat?'

'Je hoeft niet zo blij te klinken.'

Een auto toeterde buiten op straat. 'Dat zal mijn taxi zijn. Sta op en zeg me gedag.'

Hij stond op.

'Maak je geen zorgen.' Ze omhelsde hem.

'Ik geloof dat mijn leven voorbij is,' zei hij.

'Nee. Dat is niet zo.'

'Ik ben verdoemd.'

'Dank je wel,' zei ze. En ze boog zich naar hem toe en kuste hem op zijn lippen, langer en vuriger dan misschien gepast was voor iemand die hij nog maar net kende. Toen glimlachte ze en liep monter de trap af en liet zichzelf uit.

'Dit,' zei Fat Charlie hardop toen de deur dichtviel, 'gebeurt waarschijnlijk niet echt.'

Hij proefde nog haar smaak op zijn lippen, een en al sinaasappelsap en frambozen. Dat was een kus. Dat was een echte kus. Er zat een geestdrift in die kus zoals hij niet eerder had meegemaakt, zelfs niet bij...

'Rosie,' zei hij.

Hij klapte zijn telefoon open en belde haar via haar snelkeuzenummer.

'Dit is Rosies telefoon,' zei Rosies stem. 'Ik ben bezig, of ik ben mijn telefoon weer kwijt, en u staat op de voicemail. Bel me thuis of laat een bericht achter.'

Fat Charlie klapte de telefoon dicht. Toen trok hij zijn jas over zijn joggingpak aan en liep naar buiten, even in elkaar krimpend onder het genadeloze daglicht.

Rosie Noah maakte zich zorgen, wat ze op zichzelf zorgelijk vond. Het was, zoals zoveel dingen in Rosies wereld, al gaf ze het niet graag toe, de schuld van Rosies moeder.

Rosie was gewend geraakt aan een wereld waarin haar moeder gruwde van het idee dat ze met Fat Charlie Nancy ging trouwen. Ze beschouwde haar moeders verzet tegen het huwelijk als een teken uit de hemel dat ze er goed aan deed, zelfs al was ze er in haar eigen hart niet helemaal zeker van.

En ze hield van hem, natuurlijk. Hij was degelijk, betrouwbaar, verstandig...

Haar moeders ommekeer in de kwestie Fat Charlie had Rosie niet lekker gezeten, en haar moeders plotselinge enthousiasme voor de huwelijksvoorbereidingen had haar ernstige zorgen gebaard.

Ze had Fat Charlie de avond ervoor gebeld om de zaak met hem te bespreken, maar hij had zijn telefoons niet aangenomen. Rosie dacht dat hij misschien vroeg naar bed was gegaan. Daarom offerde ze haar lunchpauze op om met hem te praten.

De Grahame Coats Agency zetelde op de bovenste verdieping van een grijs victoriaans gebouw aan de Aldwych, vijf trappen op. Er was wel een lift, een antiek geval, die honderd jaar geleden door de toneelimpresario Rupert 'Binky' Butterworth was geïnstalleerd. Het was een buitengewoon kleine, langzame, schokkerige lift. De reden van het eigenaardige ontwerp en functioneren van de lift werd pas duidelijk als je wist dat Binky Butterworth de omvang en vorm van een stevig jong nijlpaard bezat en de vaardigheid om zich in kleine ruimtes te persen, en dat Binky Butterworth de lift zo had ontworpen dat hij er met een beetje wringen zelf in paste, samen met een ander, veel slanker persoon, een dansmeisje bijvoorbeeld of een dansjongen – Binky was niet kieskeurig. Voor Binky was het toppunt van geluk dat iemand die op zoek was naar een toneelimpresario, bij hem in de lift stapte, en dat ze samen een erg langzame en beverige reis langs alle zes etages omhoog maakten. Tegen de tijd dat ze de bovenste verdieping hadden bereikt, was Binky vaak zo bevangen door de spanningen van de tocht dat hij even moest gaan liggen, terwijl het dansmeisje of de dansjongen in de wachtkamer achterbleef en zich bezorgd afvroeg of het rood aangelopen hijgen en ongecontroleerd naar adem happen waarvan Binky bij de hoogste verdiepingen last had gehad, de tekenen waren van een soort vroeg-edwardiaanse bloedvatvernauwing.

De mensen stapten één keer met Binky Butterworth in de lift, maar daarna namen ze de trap.

Grahame Coats, die het restant van de Butterworth Agency ruim twintig jaar geleden van Binky's kleindochter had overgenomen, hield vol dat de lift bij de geschiedenis hoorde.

Rosie sloot met een klap de binnenste harmonicadeur, deed

de buitenste deur dicht en liep naar de receptie, waar ze de receptioniste vertelde dat ze Charles Nancy wilde spreken. Ze nam plaats onder de foto's van Grahame Coats met de mensen die hij had vertegenwoordigd – ze herkende Morris Livingstone, de komiek, een paar jongensbands die ooit beroemd waren geweest, en een reeks beroemde sporters die later 'persoonlijkheden' waren geworden – het slag dat alles uit het leven haalt wat er te halen valt tot ze aan een nieuwe lever toe zijn.

Er kwam een man de receptie in. Hij leek niet veel op Fat Charlie. Hij was donkerder en hij glimlachte alsof hij door alles erg geamuseerd werd – intens, gevaarlijk geamuseerd.

'Ik ben Fat Charlie Nancy,' zei de man.

Rosie liep naar Fat Charlie toe en gaf hem een kusje op de wang. Hij vroeg: 'Ken ik jou?' wat een gekke vraag was, en toen zei hij: 'Natuurlijk. Je bent Rosie. En je wordt met de dag mooier,' en hij kuste haar terug, waarbij zijn mond contact maakten met de hare. Hun lippen streken alleen vluchtig langs elkaar, maar Rosies hart begon te bonzen als dat van Binky Butterworth na een bijzonder schokkerige liftreis met een danseresje.

'Lunch,' bracht Rosie moeizaam uit. 'Was in de buurt. Dacht misschien kunnen we. Praten.'

'Prima,' zei de man van wie Rosie nu dacht dat het Fat Charlie was. 'Lunch.'

Hij sloeg gezellig een arm om Rosie heen. 'Waar wil je gaan lunchen?'

'O,' zei ze. 'Kies jij maar iets uit.' Het kwam door zijn geur, dacht ze. Waarom was haar niet eerder opgevallen dat hij zo heerlijk rook?

'We vinden wel iets,' zei hij. 'Zullen we de trap nemen?'

'Als het je niets uitmaakt,' zei ze, 'ga ik liever met de lift.'

Ze klapte de harmonicadeur open; langzaam en schokkerig daalden ze af naar het straatniveau, dicht tegen elkaar aan. Rosie kon zich niet heugen wanneer ze voor het laatst zo gelukkig was geweest.

Toen ze naar buiten liepen, piepte Rosies mobiel om aan te geven dat ze een telefoontje had gemist. Ze negeerde het.

Bij het eerste restaurant dat ze tegenkwamen, stapten ze naar binnen. De vorige maand was het nog een hightech sushirestaurant geweest, waar rauwe vishapjes, geprijsd volgens de kleur van het bord, op een transportband de hele zaal rondgingen. De Japanner was ermee gestopt en onmiddellijk vervangen, zoals dat met Londense restaurants gaat, door een Hongaars restaurant, dat de transportband had gehandhaafd als een geavanceerde aanvulling op de wereld van de Hongaarse keuken, zodat snel afkoelende schalen met goulash, paprika, en knoedels, en potten zure room plechtig hun ronde door de zaal deden.

Rosie dacht niet dat het concept zou aanslaan.

'Waar was je gisteravond?' vroeg ze.

'Ik was op stap, met mijn broer.'

'Je bent enig kind,' zei ze.

'Nee, ik blijk de helft van een duo te zijn.'

'Werkelijk? Is dat een staartje van je vaders erfenis?'

'Schat,' zei de man die ze voor Fat Charlie aanzag, 'je moest eens weten.'

'Nou ja,' zei ze, 'ik hoop dat hij op de bruiloft komt.'

'Ik denk dat hij die voor geen goud zou willen missen.' Hij vouwde zijn handen om de hare, en ze liet bijna haar goulashlepel vallen. 'Wat ga je de rest van de middag doen?'

'Niet zo veel. Het is een dooie boel op kantoor momenteel. Ik moet een paar bedeltelefoontjes doen, maar dat heeft geen haast. Is er, ahum. Was je, ahum. Waarom?'

'Het is prachtig weer. Zullen we gaan wandelen?'

'Dat,' zei Rosie, 'lijkt me enig.'

Ze liepen naar de Embankment en begonnen in noordelijke richting langs de Theems te wandelen, een langzame hand-in-handwandeling, terwijl ze over van alles en nog wat kletsten.

'En hoe zit het met jóúw werk?' vroeg Rosie, toen ze stilhielden om een ijsje te kopen.

'O,' zei hij. 'Het geeft niet. Ze hebben het waarschijnlijk niet eens door dat ik er niet ben.'

Fat Charlie rende de trap op naar de Grahame Coats Agency.

Hij nam altijd de trap. Om te beginnen was het gezonder en bovendien hoefde hij niet bang te zijn dat hij met iemand in de lift zat geprakt die te dichtbij was om genegeerd te worden.

Hij liep de receptie in, licht hijgend. 'Heb je Rosie gezien, Annie?'

'Ben je haar kwijtgeraakt?' vroeg de receptioniste.

Hij liep door naar zijn kantoor. Zijn bureau was opvallend netjes. De wanordelijke berg onbehandelde post was weg. Op zijn computerscherm zat een zelfklevend geel briefje met 'Kom naar mijn kantoor, CG'.

Hij klopte op de deur van Grahame Coats' kantoor. Deze keer zei een stem: 'Ja?'

'Ik ben het,' zei hij.

'Ja,' zei Grahame Coats. 'Treed binnen, heer Nancy. Pak een stoel. Ik heb goed nagedacht over ons gesprek van vanmorgen en ik geloof dat ik je verkeerd heb beoordeeld. Je werkt hier al, hoe lang...?'

'Bijna twee jaar.'

'Je hebt lang en hard gewerkt. En met het trieste overlijden van je vader...'

'Ik heb hem nooit goed gekend.'

'Ach. Kranig van je, Nancy. Aangezien het momenteel een slappe tijd is, wat zou je ervan zeggen als je een paar weken vrij kreeg? Die, voeg ik er ten overvloede aan toe, volledig worden doorbetaald.'

'Volledig doorbetaald?' herhaalde Fat Charlie.

'Volledig doorbetaald, maar ja, ik begrijp waar je heen wilt. Zakgeld. Je kunt vast wat extra zakgeld gebruiken.'

Fat Charlie probeerde erachter te komen in welk universum hij zich bevond. 'Ben ik ontslagen?'

Toen lachte Grahame Coats, als een wezel met een scherp botje in zijn keel. 'Absolutíéf niet. Integendeel. Ik geloof in feite,' zei hij, 'dat we elkaar nu uitstekend begrijpen. Je baan is gegarandeerd veilig. Zo veilig als een huis. Zolang je het toonbeeld van voorzichtigheid en discretie blijft.'

'Hoe veilig zijn huizen?' vroeg Fat Charlie.

'Buitengewoon veilig.'

'Maar ik heb gelezen dat de meeste ongelukken in huis gebeuren.'

'Dan,' zei Grahame Coats, 'is het dunkt me van het grootste belang zo spoedig mogelijk terug te keren naar huis.' Hij overhandigde Fat Charlie een rechthoekig stuk papier. 'Hier,' zei hij. 'Een bedankje voor twee jaar toegewijde dienst bij de Grahame Coats Agency.' Daarna, omdat hij dat altijd zei als hij mensen geld gaf: 'Niet in één klap uitgeven.'

Fat Charlie keek naar het stuk papier. Het was een cheque. 'Tweeduizend pond. Nee maar. Ik bedoel, dat zal ik niet doen.'

Grahame Coats glimlachte naar Fat Charlie. Als die glimlach iets triomfantelijks had, dan was Fat Charlie te verbijsterd, te geschokt, te onthutst om dat te zien.

'Het ga je goed,' zei Grahame Coats.

Fat Charlie liep terug naar zijn kantoor.

Grahame Coats stak zijn hoofd om de deur, terloops, zoals een mangoest terloops een kijkje neemt bij een slangenkuil. 'Zomaar een vraagje. Stel dat ik, terwijl jij ergens aan het genieten en ontspannen bent – en ik kan niet genoeg benadrukken dat je dat moet doen – stel dat ik in die tijd iets in je computer moet opzoeken, wat is dan eigenlijk je wachtwoord?'

'Volgens mij kunt u met uw eigen wachtwoord overal bij,' zei Fat Charlie.

'Ongetwijfeld,' stemde Grahame Coats monter in. 'Maar stel dat. Want je weet hoe dat met computers gaat.'

'Het is *meermin,*' zei Fat Charlie. 'm-e-e-r-m-i-n.'

'Uitstekend,' zei Grahame Coats. 'Uitstekend.' Hij wreef zich nog net niet in zijn handen.

Fat Charlie liep de trap af met een cheque van tweeduizend pond op zak, terwijl hij zich afvroeg hoe hij zich de afgelopen twee jaar zo in Grahame Coats kon hebben vergist.

Hij liep naar zijn bank om de hoek en stortte het geld op zijn rekening. Daarna liep hij naar de Embankment, om een frisse neus te halen en na te denken.

Hij was tweeduizend pond rijker. De hoofdpijn van die ochtend was helemaal weg. Hij voelde zich een succesvol en rijk. Hij vroeg zich af of hij Rosie kon overhalen om met hem op vakantie te gaan. Het was kort dag, maar toch...

En toen zag hij Spider en Rosie, hand in hand aan de overkant van de straat. Rosie had bijna haar ijsje op. Toen bleef ze staan, gooide het restje in een afvalbak, trok Spider naar zich toe en begon hem vol enthousiasme en hartstocht te kussen, haar mond nog vol ijs.

Fat Charlie voelde zijn hoofdpijn terugkomen. Hij was als verlamd.

Hij keek toe terwijl ze aan het zoenen waren. Vroeg of laat, dacht hij, zouden ze moeten stoppen om adem te halen, maar dat deden ze niet, dus hij liep terneergeslagen de andere kant uit tot hij bij de metro kwam.

En hij ging naar huis.

Tegen de tijd dat hij thuis was, voelde Fat Charlie zich behoorlijk ellendig, dus hij kroop in een bed dat vaag naar Daisy rook, en hij sloot zijn ogen.

De tijd verstreek, en nu liep Fat Charlie met zijn vader over een zandstrand. Ze waren op blote voeten. Hij was weer een kind en zijn vader was leeftijdloos.

Zo, zei zijn vader, *kunnen Spider en jij een beetje met elkaar opschieten?*

Dit is een droom, merkte Fat Charlie op, *en ik wil er niet over praten.*

Jongens toch, zei zijn vader hoofdschuddend. *Luister, ik moet je iets belangrijks vertellen.*

Wat?

Maar zijn vader gaf geen antwoord. Iets aan de vloedlijn had zijn aandacht getrokken en hij stak zijn hand uit om het op te rapen. Het had vijf puntige poten die zich langzaam kromden.

Een zeester, zei zijn vader peinzend. *Als je hem doormidden snijdt, worden het gewoon twee nieuwe zeesterren.*

Ik dacht dat je me iets belangrijks ging vertellen.

Zijn vader drukte zijn hand tegen zijn borst en hij zakte in elkaar op het strand en bewoog zich niet meer. Uit het zand kwamen wormen die hem in een paar tellen opaten. Er bleven alleen botten over.

Pa?

Fat Charlie werd wakker in zijn slaapkamer met wangen die nat van de tranen waren. Toen hield hij op met huilen. Er was geen reden om overstuur te zijn. Zijn vader was niet gestorven; het was maar een nachtmerrie.

Hij besloot Rosie morgenavond uit te nodigen. Ze zouden biefstuk eten. Hij zou koken. Alles zou goed komen.

Hij stond op en kleedde zich aan.

Twintig minuten later zat hij in de keuken een *Pot Noodle* leeg te scheppen toen hij bedacht dat, ook al was het voorval op het strand een droom geweest, zijn vader nog steeds dood was.

Aan het eind van de middag ging Rosie bij haar moeder langs in haar flat in de Wimpole Street.

'Ik heb je vriend vandaag gezien,' zei mevrouw Noah. Haar voornaam was Eutheria geweest, maar de afgelopen dertig jaar had niemand, behalve haar echtgenoot, die in haar bijzijn gebruikt en na zijn dood was de naam verschrompeld om de rest van haar leven waarschijnlijk niet meer gebruikt te worden.

'Ik ook,' zei Rosie. 'Mijn hemel, wat hou ik van die man.'

'Natuurlijk. Je gaat toch met hem trouwen?'

'Nou ja, ik bedoel, ik heb de hele tijd van hem gehouden, maar vandaag realiseerde ik me pas hoeveel. Ik vind alles aan hem even geweldig.'

'Weet je intussen waar hij gisteravond was?'

'Ja, dat heeft hij me haarfijn uitgelegd. Hij was uit met zijn broer.'

'Ik wist niet dat hij een broer had.'

'Hij had het ook nooit over hem. Ze waren niet erg close.'

Rosies moeder klakte met haar tong. 'Dat is een complete familiereünie geweest. Heeft hij het nog over zijn nichtje gehad?'

'Nichtje?'

'Of zijn zuster misschien. Daar liet hij zich niet duidelijk over uit. Knappe meid, op een ordinaire manier. Zag er een beetje Chinees uit. Nogal los van zeden, als je het mij vraagt. Maar dat is die hele familie.'

'Mam, je kent zijn familie niet eens.'

'Maar haar ken ik wel. Ze was vanmorgen in zijn keuken, liep nota bene bijna naakt door het hele huis. Schaamteloos. Als ze tenminste zijn nicht was.'

'Fat Charlie liegt niet.'

'Als hij een man is, liegt hij.'

'Mám!'

'En waarom was hij trouwens niet op zijn werk?'

'Hij was er wel. Hij was op zijn werk vandaag. We hebben samen geluncht.'

Rosies moeder bekeek haar lippenstift in een zakspiegeltje, streek toen met haar wijsvinger de rode vegen van haar tanden.

'Wat heb je verder tegen hem gezegd?' vroeg Rosie.

'We hebben het gewoon over de bruiloft gehad, dat ik niet wil dat zijn getuige zo'n schunnige speech houdt. Het leek of hij had gedronken. Je weet het, ik heb je gewaarschuwd dat je niet met een alcoholist moet trouwen.'

'Nou, hij mankeerde anders niets toen ik hem zag,' zei Rosie pinnig. Daarna: 'O, mam, we hebben zo genoten. We hebben gewandeld en gekletst en... o, heb ik je verteld hoe heerlijk hij rúíkt? En hij heeft zulke zachte handen.'

'Als je het mij vraagt,' zei haar moeder, 'zit er een luchtje aan. Weet je wat, vraag de volgende keer eens naar dat nichtje van hem. Ik laat even in het midden of ze echt zijn nicht is. Ik zeg alleen dat áls het zo is, dan heeft hij hoertjes en stripdanseressen en animeermeisjes in de familie, en is hij niet de juiste man voor je.'

Rosie voelde zich prettiger nu haar moeder weer kritiek op Fat Charlie had. 'Mam, ik wil er niets meer over horen.'

'Goed. Dan hou ik mijn mond. Ik ben het niet die met hem gaat trouwen. Ik ben het niet die mijn leven vergooit. Ik ben het niet die mijn kussen nat huilt omdat hij elke nacht aan het drinken is met zijn vriendinnen. Ik ben het niet die dag in dag uit, de ene na de andere eenzame nacht, op hem moet wachten tot hij uit de gevangenis komt.'

'Mam!' Rosie probeerde verontwaardigd te klinken, maar de gedachte aan Fat Charlie die in de gevangenis zat, was zo grappig, zo absurd, dat ze met moeite haar lachen inhield.

Rosies telefoon trilde. Ze nam hem aan. 'Ja,' en 'Graag. Dat lijkt me fantastisch.' Ze stopte haar telefoon weg.

'Dat was 'm,' zei ze tegen haar moeder. 'Morgenavond ga ik naar hem toe. Hij gaat voor me koken. Is dat niet schattig?' en toen: 'De gevangenis, laat me niet lachen.'

'Ik ben een moeder,' zei haar moeder, in haar voedselloze flat waar het stof niet durfde neer te dalen, 'en ik weet wat ik weet.'

Grahame Coats zat in zijn kantoor, terwijl de dag overging in de schemering, en hij staarde naar het computerscherm. Hij riep het ene document na het andere op, de ene spreadsheet na de andere. Sommige bestanden veranderde hij. De meeste wiste hij.

Die avond zou hij naar Birmingham gaan, waar een voormalig voetballer, een cliënt van hem, een nachtclub ging openen. Hij belde om zich te laten verontschuldigen: sommige dingen waren nu eenmaal onvermijdelijk.

Al snel was het buiten helemaal donker geworden. Grahame Coats zat in de koude gloed van het computerscherm en hij veranderde en schreef over en wiste.

Dit is een ander verhaal dat ze over Anansi vertellen.

Eens, lang, lang geleden legde Anansi's vrouw een veld met erwten aan. Het waren de mooiste, dikste, groenste erwten die er bestonden. Het water liep je in de mond als je ernaar keek.

Vanaf het moment dat Anansi het veld met erwten zag, wilde hij ze eten. En hij wilde er niet een paar, want Anansi was een man met enorme eetlust. Hij wilde ze niet delen. Hij wilde ze allemaal.

Dus Anansi lag in bed en hij zuchtte, lang en hard, en zijn vrouw en zijn zoons kwamen allemaal aanrennen. 'Ik ga dood,' zei Anansi met zijn iene-miene-iele stemmetje, 'en mijn leven is helemaal over en voorbij.'

Daarop begonnen zijn vrouw en zijn zoons hete tranen te vergieten.

Met zijn iene-miene-iele stemmetje zei Anansi: 'Op mijn sterfbed moeten jullie me twee dingen beloven.'

'Wat je maar wilt, wat je maar wilt,' zeiden zijn vrouw en zijn zoons.

'In de eerste plaats moeten jullie me beloven dat jullie me onder de grote broodboom begraven.'

'Bedoel je de grote broodboom bij het erwtenveld?' vroeg zijn vrouw.

'Natuurlijk, die bedoel ik,' zei Anansi. Toen zei hij met zijn iene-miene-iele stemmetje: 'En jullie moeten me nog iets beloven. Beloof me dat jullie ter nagedachtenis een vuurtje aan de voet van mijn graf laten branden. En dat jullie, om te laten zien dat jullie me niet vergeten, het vuur brandende houden en het nooit uit laten gaan.'

'Dat zullen we doen! Dat zullen we doen!' zeiden Anansi's vrouw en kinderen, jammerend en snikkend.

'En op dat vuur, als teken van jullie respect en liefde, wil ik een likkepot met zout water zien, om jullie allemaal te herinneren aan de zoute tranen die jullie bij mijn sterfbed hebben vergoten.'

'Dat zullen we doen! Dat zullen we doen!' huilden ze, en Anansi, hij sloot zijn ogen en hij ademde niet meer.

Nou, ze droegen Anansi naar de grote broodboom die naast het erwtenveld stond, en ze begroeven hem één meter tachtig onder de grond en aan de voet van zijn graf lieten ze een vuurtje branden en ze zetten er een pot met zout water naast.

Anansi wachtte de hele dag daar onder de grond, maar tegen de avond klom hij uit het graf en ging naar het erwtenveldje waar hij de dikste, zoetste, rijpste erwten plukte. Hij verzamelde ze en kookte ze in zijn pot en hij propte zich vol met erwten, tot zijn buik opzwol en zo strak was als een trommel.

Toen kroop hij, nog voor het licht werd, terug onder de grond en viel in slaap. Hij sliep toen zijn vrouw en zijn zoons ontdekten dat de erwten weg waren. Hij sliep toen ze zagen dat er geen water in de pot zat en hem bijvulden. Hij sliep door hun verdriet heen.

Elke nacht kwam Anansi uit zijn graf, dansend en zich verkneukelend over zijn eigen slimheid, en elke nacht vulde hij de pot met erwten en vulde zijn buik met erwten en at tot hij niets meer op kon.

De dagen gingen voorbij en Anansi's gezin werd magerder en magerder, want alles wat rijp werd, werd 's nachts door Anansi geplukt, en ze hadden niets te eten.

Anansi's vrouw keek naar de lege borden en zei tegen haar zoons: 'Wat zou je vader doen?'

Haar zoons dachten en dachten, en ze probeerden zich elk verhaal te herinneren dat Anansi hun ooit had verteld. Toen gingen ze op weg naar de teerputten en ze kochten voor zes stuivers aan teer, genoeg om vier grote emmers te vullen, en ze namen de teer mee naar het erwtenveld. En midden in het erwtenveld maakten ze een man van teer: gezicht, ogen, armen, vingers en borst, allemaal van teer. Het was een mooie man, zo zwart en trots als Anansi zelf.

Die nacht kroop de oude Anansi, zo dik als hij nog nooit in zijn hele leven was geweest, uit de grond, en kuierde hij weldoorvoed en goedgeluimd, met zijn buik rond als een trommel, naar het erwtenveld.

'Wie ben je?' vroeg hij aan de teerman.

De teerman sprak geen woord.

'Dit is mijn plek,' zei Anansi tegen de teerman. 'Het is mijn erwtenveld. Als ik jou was, zou ik maar gaan.'

De teerman zei geen woord en vertrok geen spier.

'Ik ben de sterkste, machtigste, krachtigste man die er is, was of ooit zal zijn,' zei Anansi tegen de teerman. 'Ik ben moediger dan Leeuw, sneller dan Luipaard, sterker dan Olifant, angstaanjagender dan Tijger.' Hij blies zichzelf op van trots over zijn macht en kracht en onverschrokkenheid, en hij vergat dat hij maar een kleine spin was. 'Huiver,' zei Anansi. 'Huiver en ga weg.'

De teerman huiverde niet en hij ging niet weg. In feite bleef hij gewoon staan.

Dus Anansi gaf hem een klap.

Anansi's vuist bleef vast zitten.

'Laat mijn hand los,' zei hij tegen de teerman. 'Laat mijn hand los, of ik geef je een klap in je gezicht.'

De teerman sprak geen woord en hij vertrok zelfs zijn kleinste spiertje niet, en Anansi gaf hem een klap, pats, midden in zijn gezicht.

'Oké,' zei Anansi, 'het is mooi geweest. Je kunt mijn handen wel vasthouden, maar ik heb nog vier handen en twee goede benen en je kunt ze niet allemaal houden. Als je me loslaat, zal ik je verder geen last bezorgen.'

De teerman liet Anansi's handen niet los en hij zei geen woord, dus Anansi sloeg hem met zijn vier handen en hij schopte hem met zijn twee voeten.

'Goed,' zei Anansi. 'Als je me niet los laat, bíjt ik je.' Het teer vulde zijn mond en bedekte zijn neus en gezicht.

Zo troffen zijn vrouw en zoons Anansi de volgende ochtend aan toen ze bij het erwtenveld naast de oude broodboom aankwamen: vastgekleefd aan de teerman en morsdood.

Ze keken er niet van op.

Vroeger trof je Anansi wel vaker zo aan.

HOOFDSTUK

ZES

WAARIN

FAT CHARLIE

ZELFS MET

EEN TAXI

NIET THUIS

KAN KOMEN

Daisy werd wakker van de wekker. Als een jong katje rekte ze zich uit in bed. Ze hoorde de douche aanstaan, wat betekende dat haar huisgenote al op was. Ze trok een gewatteerde roze duster aan en liep naar de gang.

'Wil je pap?' vroeg ze door de badkamerdeur.

'Niet echt, maar als jij het maakt, zal ik het eten.'

'Je weet het weer aardig te brengen, zeg.' Daisy liep naar het keukentje en zette de pap op.

Ze ging terug naar haar slaapkamer, trok haar werkkleren aan. Daarna bekeek ze zichzelf in de spiegel. Ze trok een lelijk gezicht. Ze bond haar haren bij elkaar tot een strak knotje achter op haar hoofd.

Haar huisgenote Carol, een blanke vrouw uit Preston met een smal gezicht, stak haar hoofd om de deur van de slaapkamer. Ze was fanatiek met een handdoek haar haren aan het drogen. 'De badkamer staat geheel tot je beschikking. Hoe staat het met de pap?'

'Die moet waarschijnlijk geroerd worden.'

'Waar was je gisteravond eigenlijk? Je zei dat je naar Sybilla's verjaardagsborrel ging, en ik heb je niet thuis horen komen.'

'Dat gaat je niks aan.' Daisy liep naar de keuken en roerde in de pap. Ze gooide er een snufje zout bij en roerde hem nog een

III

keer. Ze kwakte de pap in de kommen en zette ze op het barretje neer.

'Carol, de pap wordt koud.'

Carol kwam binnen, ging zitten, staarde naar de pap. Ze was nog maar half aangekleed. 'Da's toch geen echt ontbijt. Een echt ontbijt bestaat volgens mij uit gebakken eieren, worstjes, bloedworst en gegrilde tomaten.'

'Als jij het maakt,' zei Daisy, 'zal ik het eten.'

Carol strooide een schep suiker over haar pap. Ze keek ernaar. Toen deed ze er nog een schep bij. 'Nee, dat doe je verdorie niet. Je zegt dat je het opeet. Maar dan ga je zeuren over het cholesterolgehalte of wat vet eten met je nieren doet.' Ze nam een hapje van haar pap alsof die terug zou happen. Daisy gaf haar een kop thee. 'Jij en je nieren. Trouwens, dat zouden we ook eens kunnen eten. Wel eens niertjes gegeten, Daisy?'

'Eén keer,' zei Daisy. 'Als je het mij vraagt, kun je net zo goed een half pond lever bakken en er daarna overheen pissen.'

Carol snoof. 'Dat had nou ook niet gehoeven.'

'Eet je pap op.'

Ze aten hun pap en dronken hun thee. Ze zetten de kommen in de afwasmachine. Omdat hij nog niet vol was, lieten ze hem niet draaien. Toen reden ze naar hun werk. Carol, nu in uniform, zat achter het stuur.

Daisy liep naar haar bureau, door een ruimte vol lege bureaus.

Zodra ze zat, ging de telefoon. 'Daisy? Je bent te laat.'

Ze keek op haar horloge. 'Nee, inspecteur,' zei ze, 'dat ben ik niet. Is er verder nog iets van uw dienst vandaag?'

'Inderdaad. Je kunt een zekere Coats bellen. Hij is een vriend van de hoofdinspecteur. Een medesupporter van Crystal Palace. Vanochtend heeft-ie me al twee sms'jes gestuurd. Wie heeft de hoofdinspecteur geleerd te sms'en? Dat zou ik graag willen weten?'

Daisy noteerde de bijzonderheden en toetste het nummer in. Ze zette haar meest zakelijke en efficiënte stem op. 'Met agent Day. Waarmee kan ik u van dienst zijn?'

'Aha,' zei een mannenstem. 'Nou, ik heb het de hoofdinspecteur gisteravond verteld, aardige man, oude vriend van me. Goede vent. Hij stelde voor dat ik contact met iemand van uw bureau zou opnemen. Ik wil aangifte doen. Dat wil zeggen, ik weet niet zeker of er sprake van een misdrijf is. Waarschijnlijk is er een bevredigende verklaring voor. Maar er hebben zich bepaalde onregelmatigheden voorgedaan, en wel, om open kaart te spelen, ik heb mijn boekhouder een paar weken met verlof gestuurd; dat stelt mij in de gelegenheid uit te zoeken of hij misschien betrokken is geweest bij zekere, ahum, financiële malversaties.'

'Laat me eerst de gegevens noteren,' zei Daisy. 'Wat is uw volledige naam, meneer? En de naam van de boekhouder?'

'Mijn naam is Grahame Coats,' zei de man aan de andere kant van de lijn. 'Van de Grahame Coats Agency. Mijn boekhouder heet Nancy. Charles Nancy.'

Ze schreef beide namen op. Er ging geen belletje rinkelen.

Fat Charlie was van plan ruzie met Spider te maken zodra Spider thuiskwam. Hij had de ruzie in zijn hoofd gerepeteerd, keer op keer, en hem elke keer gewonnen, overtuigend en verpletterend.

Spider was gisteravond echter niet thuisgekomen, en Fat Charlie was ten slotte voor de tv in slaap gevallen terwijl hij met een half oog keek naar een platvloerse spelletjesshow voor op seks beluste slapeloosheidlijders, die *Laat me je kontje zien* heette.

Hij werd wakker op de bank toen Spider de gordijnen optrok. 'Het is prachtig weer,' zei Spider.

'Jij!' zei Fat Charlie. 'Jij stond met Rosie te zoenen. Ontken het maar niet.'

'Ik moest wel,' zei Spider.

'Wat bedoel je, ik moest wel. Dat moest je helemaal niet.'

'Ze dacht dat ik jou was.'

'Nou, je weet dat je mij niet bent. Je had haar niet mogen kussen.'

'Maar als ik had geweigerd haar te kussen, zou ze hebben gedacht dat jij het was die haar niet kuste.'

'Maar ik was het niet.'

'Dat wist ze niet. Ik wilde je alleen maar helpen.'

'Helpen,' zei Fat Charlie vanaf de bank, 'is iets wat normaal gesproken inhoudt dat je mijn verloofde níét kust. Je had kunnen zeggen dat je kiespijn had.'

'Dat,' zei Spider moralistisch, 'zou een leugen zijn geweest.'

'Maar het was al een leugen! Je deed alsof je mij was!'

'Nou, het zou de leugen in elk geval erger hebben gemaakt,' legde Spider uit. 'Die trouwens ontstond omdat jij niet in vorm was om naar je werk te gaan. Nee,' zei hij, 'ik kon niet nog meer liegen. Ik zou me afschuwelijk hebben gevoeld.'

'Nou, ik héb me afschuwelijk gevoeld. Ik moest toekijken terwijl je haar kuste.'

'Ach,' zei Spider. 'Maar ze dácht dat ze jóú kuste.'

'Wil je dat niet de hele tijd zeggen?'

'Je zou je gevleid moeten voelen,' zei Spider. 'Wil je niet lunchen?'

'Natuurlijk wil ik niet lunchen. Hoe laat is het?'

'Lunchtijd,' zei Spider. 'Je komt weer te laat op je werk. Maar goed dat ik niet opnieuw voor je inval, als ik toch stank voor dank krijg.'

'Geen probleem,' zei Fat Charlie. 'Ik heb twee weken vrij gekregen. En een vakantietoelage.'

Spider trok een wenkbrauw op.

'Kijk,' zei Fat Charlie, die het gevoel had dat het tijd werd om aan de tweede ronde van de woordenwisseling te beginnen, 'het is niet dat ik je kwijt wil of zo, maar ik vroeg me af, wanneer ben je van plan weg te gaan?'

Spider zei: 'Ik kwam met het idee een dag te blijven, of twee dagen. Lang genoeg om mijn broertje te zien, en dan zou ik weer opstappen. Ik ben een drukbezet man.'

'Dus je gaat vandaag weg.'

'Dat wás het plan,' zei Spider. 'Maar nu ik je heb ontmoet, kan ik me niet voorstellen dat we bijna een heel leven voorbij hebben laten gaan zonder van elkaars gezelschap te genieten, broertje.'

'Ik wel.'

'De banden van het bloed,' zei Spider, 'zijn sterker dan water.'

'Water is niet sterk,' bracht Fat Charlie ertegen in.

'Sterker dan wodka dan. Of vulkanen. Of... of ammoniak. Kijk, het punt is jou te mogen ontmoeten – wel, dat is een voorrecht. We zijn nooit samen opgetrokken, maar dat was gisteren. Laten we vandaag met een nieuw morgen beginnen. We zullen gisteren achter ons laten en een nieuwe band smeden – de broederband.'

'Je bent helemaal weg van Rosie,' zei Fat Charlie.

'Helemaal,' gaf Spider toe. 'Wat ben je van plan daaraan te doen?'

'Eraan te doen? Nou, ze is míjn verloofde.'

'Maak je geen zorgen. Ze denkt dat ik jou ben.'

'Wil je dat niet de hele tijd zeggen.'

Spider spreidde in een vroom gebaar zijn handen, maar bedierf het effect door zijn lippen af te likken.

'Dus,' zei Fat Charlie, 'wat wordt de volgende stap? Met haar trouwen en doen alsof je mij bent?'

'Trouwen?' Spider zweeg en dacht een poosje na. 'Wat. Een afschuwelijk. Idee.'

'Nou, ik keek er eigenlijk wel naar uit.'

'Spider trouwt niet. Ik ben geen type om te trouwen.'

'Dus mijn Rosie is niet goed genoeg voor jou, bedoel je dat?'

Spider gaf geen antwoord. Hij liep de kamer uit.

Fat Charlie had het gevoel dat hij ergens in de woordenwisseling punten had gescoord. Hij stond op van de bank, raapte de lege aluminiumbakjes op, waarin bami met kip en krokante gehaktballetjes hadden gezeten, en gooide ze in de vuilnisbak. Hij liep naar zijn slaapkamer, waar hij de kleren uittrok waarin hij had geslapen. Toen hij schone kleren wilde aantrekken, ontdekte hij dat hij geen schone had, omdat hij de was niet had gedaan, dus klopte hij de kleren van de vorige dag flink af, verwijderde een paar slierten bami en trok ze weer aan.

Hij liep naar de keuken. Spider zat aan de keukentafel te genieten van een biefstuk die groot genoeg was voor twee personen.

'Hoe kom je daaraan?' vroeg Fat Charlie, ook al wist hij vrijwel zeker het antwoord al.

'Ik vroeg toch of je wilde lunchen,' zei Spider vriendelijk.

'Waar heb je die biefstuk vandaan?'

'Die lag in de koelkast.'

'Dat,' zei Fat Charlie, met zijn vinger zwaaiend als een openbaar aanklager die de doodstraf eist, 'dát was de biefstuk die ik voor vanavond heb gekocht. Voor de maaltijd vanavond van Rosie en mij. De maaltijd die ik voor haar zou maken! En jij zit hier als een... als een man die biefstuk eet, en je eet maar en...'

'Het is geen probleem,' zei Spider.

'Hoezo geen probleem?'

'Nou,' zei Spider, 'ik heb Rosie vanmorgen al gebeld en ik ga vanavond met haar uit eten. Dus je had die biefstuk toch niet nodig.'

Fat Charlie deed zijn mond open. Hij deed hem weer dicht. 'Ik wil dat je weggaat,' zei hij.

'Het is goed voor iemands verlangen om zijn, hoe zeg je dat – bereik of horizon of zoiets – te verleggen, want waarom zou er anders een hemel zijn?' zei Spider opgewekt, tussen twee happen van Fat Charlies biefstuk door.

'Wat betekent dat in hemelsnaam?'

'Het betekent dat ik nergens heenga. Ik heb het hier naar mijn zin.' Hij sneed nog een plak van de biefstuk af, werkte hem naar binnen.

'Eruit,' zei Fat Charlie, en toen ging de telefoon. Fat Charlie zuchtte, liep de gang in en nam hem aan. 'Hallo?'

'Ach, Charles. Fijn dat ik je aan de lijn heb. Ik weet dat je momenteel geniet van je welverdiende rust, maar denk je dat het binnen je mogelijkheden ligt om morgenochtend even, een halfuurtje of zo, aan te wippen? Laten we zeggen, rond een uurtje of tien.'

'Ja, natuurlijk,' zei Fat Charlie. 'Geen probleem.'

'Fantastisch. Ik heb je handtekening onder een paar papieren nodig. Nou, tot dan.'

'Wie was dat?' vroeg Spider. Hij had zijn bord leeggegeten en veegde zijn mond af met keukenpapier.

'Grahame Coats. Hij wil dat ik morgen even langskom.'

Spider zei: 'Grahame Coats is een smeerlap.'

'Nou en? Jij bent een smeerlap.'

'Een ander soort smeerlap. Die man deugt niet. Je moet ander werk zoeken.'

'Ik ben dol op mijn werk!' Fat Charlie meende het nog ook. Hij was erin geslaagd helemaal te vergeten hoe verschrikkelijk hij zijn werk vond en de Grahame Coats Agency en de afschuwelijke achter-elke-deur-loerende aanwezigheid van Grahame Coats.

Spider stond op. 'Heerlijk biefstukje,' zei hij. 'Ik heb mijn spullen in de logeerkamer gezet.'

'Wát heb je gedaan?'

Fat Charlie liep haastig naar het eind van de gang, waar zich een kamer bevond die van zijn flat op papier een driekamerflat maakte. Er stonden een paar dozen met boeken, een kist met een zwaar verouderde Scalextric racebaan, een blikken trommel met modelautootjes (de meeste zonder banden) en een paar andere gehavende restanten uit Fat Charlies jeugd. Voor een tuinkabouter van normale afmetingen of een ondermaatse dwerg zou het een fatsoenlijke slaapkamer zijn geweest, maar voor ieder ander was het een kast met een raam erin.

Of liever gezegd, zo was het, maar nu niet meer.

Fat Charlie trok de deur open en stond paf. Er was een kamer, ja, wat dat betreft klopte het nog, maar het was een enorme kamer. Een schitterende kamer. Aan de andere kant van het vertrek zaten ramen, grote panoramaramen, die uitzicht gaven op wat een waterval leek te zijn. Achter de waterval stond een tropische zon laag aan de horizon, die over alles een gouden glans wierp. Er was een open haard, groot genoeg om er een span ossen in te braden, waarin drie houtblokken knisperden en knetterden. Er was een hangmat in de ene hoek, maar ook een volmaakt witte bank en een hemelbed. Naast de open haard stond iets waarvan Fat Charlie, die het alleen in tijdschriften had gezien, dacht dat het een soort jacuzzi was. Er lag een zebrahuid op de vloer, er hing een berenvel aan de muur en er stond het soort geavanceerde audioapparatuur dat voornamelijk bestaat uit een zwart plastic geval waar je naar wuift. Aan een muur hing een flatscreen-televisie ter breedte van de kamer die er oorspronkelijk had gezeten. En bovendien...

'Wat heb je gedaan?' vroeg Fat Charlie. Hij ging niet naar binnen.

'Wel,' zei Spider achter hem, 'als ik hier nog even blijf, dacht ik dat ik mijn spullen maar over moest laten komen.'

'Je spullen over laten komen? Bij "spullen" denk ik aan twee boodschappentassen met wasgoed, een paar computerspelletjes en een sprietige kamerplant. Dit is... dit is...' Hij kwam woorden te kort.

Spider klopte Fat Charlie op zijn schouder terwijl hij zich langs hem heen wrong. 'Als je me nodig hebt,' zei hij tegen zijn broer, 'ben ik op mijn kamer.' En hij trok de deur achter zich dicht.

Fat Charlie rammelde aan de deurknop. De deur zat nu op slot.

Hij ging naar de woonkamer, pakte de telefoon uit de gang en belde het nummer van mevrouw Higgler.

'Welke gek belt er zo vroeg in de ochtend?' vroeg ze.

'Ik ben het, Fat Charlie. Sorry.'

'Nou, waarvoor bel je?'

'Ik heb uw advies nodig. Weet u, mijn broer is me komen opzoeken.'

'Je broer.'

'Spider. U hebt verteld dat hij bestond. U zei dat ik het aan een spin moest vragen als ik hem wilde zien, en dat heb ik gedaan, en nu is hij hier.'

'Nou,' zei ze neutraal, 'dat is goed.'

'Dat is het niet.'

'Waarom niet? Hij is toch familie?'

'Luister, ik kan het nu niet uitleggen. Ik wil gewoon dat hij weggaat.'

'En als je het nu eens vriendelijk aan hem vraagt?'

'Die fase hebben we al achter de rug. Hij zegt dat hij niet weggaat. In mijn berghok heeft hij iets geïnstalleerd wat lijkt op het paleis der lusten van Koeblai Khan, en ik bedoel, voor dubbel glas heb je hier zelfs toestemming van de gemeente nodig. Hij heeft daarbinnen een soort waterval. Niet precies erin, maar aan de andere kant van het raam. En hij zit achter mijn verloofde aan.'

'Hoe weet je dat?'

'Dat zegt hij zelf.'

Mevrouw Higgler zei: 'Ik ben niet op m'n best als ik nog geen koffie op heb.'

'Ik hoef alleen maar te weten hoe ik hem weg kan krijgen.'

'Ik weet het niet,' zei mevrouw Higgler. 'Ik zal het met mevrouw Dunwiddy bespreken.' Ze hing op.

Fat Charlie liep naar het eind van de gang en klopte op de deur.

'Wat nu weer?'

'Ik wil met je praten.'

Met een klikje zwaaide de deur open. Fat Charlie ging naar binnen. Spider lag languit in het warme bad, naakt. Hij dronk iets uit een mat longdrinkglas wat min of meer de kleur van elektriciteit had. De grote panoramavensters stonden nu wijd open en het geraas van de waterval stond in schril contrast met de zachte, vloeiende jazz die uit de verborgen luidsprekers stroomde.

'Kijk,' zei Fat Charlie, 'je moet weten dat dit mijn huis is.'

Spider keek verbaasd. 'Dít' vroeg hij. 'Dít is jouw huis?'

'Nou, niet precies. Maar in principe komt het daarop neer. Ik bedoel, dit is mijn logeerkamer en jij bent mijn gast. Ahum.'

Spider nipte aan zijn drankje en dompelde zich nog iets dieper in het warme water. 'Het gezegde luidt: een gast en een vis blijven maar drie dagen fris.'

'Dat is waar,' zei Fat Charlie.

'Maar het is moeilijk,' zei Spider. 'Moeilijk als je je hele leven je broer niet hebt gezien. Moeilijk als hij niet eens weet dat je bestaat. Nog moeilijker als je hem eindelijk ziet en je hoort dat je, wat hem betreft, niet beter bent dan rotte vis.'

'Maar,' zei Fat Charlie.

Spider ging languit in de badkuip liggen. 'Ik zal je dit vertellen,' zei hij. 'Ik kan niet eeuwig blijven. Relax. Ik ben weg voordat je er erg in hebt. En wat mij betreft, ik zal nooit aan je denken als rotte vis. Ik besef dat we allebei onder druk staan. Dus laten we er geen woord meer aan vuil maken. Als je nou eens ergens ging lunchen – maar laat je huissleutel achter – en een filmpje pakt.'

Fat Charlie trok zijn jas aan en liep naar buiten. Hij legde zijn huissleutel naast de gootsteen. De frisse lucht deed hem goed, hoewel het een grijze dag was en er een fijne motregen viel. Hij kocht een krant om iets te lezen te hebben. Hij stopte bij de friettent en kocht een grote zak patat en een in deeg gefrituurde cervelaatworst als lunch. De motregen hield op, dus hij ging op een begraafplaats op een bankje zitten en las zijn krant en at zijn patat met cervelaatworst.

Hij had erg veel zin in een film.

Hij wandelde naar het Odeon, kocht een kaartje voor de eerste de beste voorstelling. Het was een actiefilm die al was begonnen toen hij naar binnen ging. Er vloog van alles de lucht in. Hij vond het prachtig.

Halverwege de film schoot het Fat Charlie te binnen dat er iets was wat hij zich niet meer kon herinneren. Het zat ergens in zijn hoofd, als jeuk een paar centimeter achter zijn ogen, en leidde hem de hele tijd af.

De film was afgelopen. Hoewel Fat Charlie van de voorstelling had genoten, was er niet veel van blijven hangen, realiseerde hij zich. Daarom kocht hij een grote zak popcorn en bekeek hem nog eens, van het begin tot het eind. De tweede keer vond hij hem zelfs beter.

En de derde keer.

Daarna dacht hij erover om naar huis te gaan, maar er was een late dubbelvertoning van *Eraserhead* en *True Stories*, en die had hij allebei nog niet gezien, dus hij bleef zitten. Tegen die tijd had hij honger gekregen, zodat hij aan het eind niet zou kunnen zeggen waar *Eraserhead* echt over ging, of wat de vrouw in de radiator deed; hij vroeg of hij de film nog een keer kon zien, maar het personeel begon geduldig uit te leggen, telkens weer, dat de bioscoop ging sluiten, en informeerde of hij soms dakloos was en of het geen tijd werd om naar bed te gaan?

Natuurlijk was hij niet dakloos en moest hij naar bed, al was hem dat even ontschoten. Dus hij liep terug naar Maxwell Gardens en was lichtelijk verbaasd dat het licht in zijn slaapkamer brandde.

Toen hij dichterbij kwam, werden de gordijnen dichtgetrokken. Maar daarachter zag hij schimmen; ze bewogen. Beide schimmen meende hij te herkennen.

Ze liepen naar elkaar toe, versmolten tot één schaduw.

Fat Charlie slaakte een diepe en huiveringwekkende kreet.

Mevrouw Dunwiddy's huis stond vol plastic dieren. Stof dwarrelde er langzaam door de lucht, alsof het gewend was aan de zonnestralen uit een rustiger tijdperk en niet op al dat snelle moderne licht was berekend. Er zat een doorzichtige plastic hoes om de bank, en de stoelen kraakten als je erop ging zitten.

Mevrouw Dunwiddy's huis had naar dennen geurend, keihard toiletpapier – gladde, oncomfortabele repen vetvrij papier. Mevrouw Dunwiddy geloofde in spaarzaamheid en naar dennen geurend hard toiletpapier was een van de pijlers van haar besparingsdrift. Je kon nog steeds hard toiletpapier krijgen, als je er lang genoeg naar zocht en bereid was er meer voor te betalen.

Het huis van mevrouw Dunwiddy rook naar viooltjeswater. Het was een oud huis. Men vergeet meestal dat de kinderen van de eerste bewoners van Florida al bejaard waren toen de strenge puriteinen bij Plymouth Rock aan land gingen. Zó oud was het huis niet; het was in de jaren twintig, toen er nieuwe gebieden werden ontgonnen, als modelwoning neergezet om kopers te lokken voor de hypothetische andere huizen, die uiteindelijk niet konden worden gebouwd op de van alligators vergeven moerasgrond die hun was aangesmeerd. Mevrouw Dunwiddy's huis had orkanen overleefd zonder één dakpan te verliezen.

Toen er werd aangebeld, was mevrouw Dunwiddy bezig een kleine kalkoen te vullen. Ze murmelde iets, waste haar handen en schuifelde toen naar haar voordeur, terwijl ze door haar dikke, dikke brillenglazen de wereld in tuurde en met haar linkerhand over het behang sleepte.

Ze zette de deur op een kiertje en tuurde naar buiten.

'Louella, ik ben het.' Het was Callyanne Higgler.

'Kom binnen.' Mevrouw Higgler liep achter mevrouw Dunwiddy naar de keuken. Mevrouw Dunwiddy hield haar handen onder de kraan, en begon opnieuw een handvol kleffe maïsbroodvulling in de kalkoen te duwen.

'Verwacht je gasten?'

Mevrouw Dunwiddy maakte een geluid dat van alles kon betekenen. 'Je kunt maar beter overal op voorbereid te zijn,' zei ze. 'Nou, ga je me nog vertellen wat er aan de hand is?'

'Nancy's zoon, Fat Charlie.'

'Wat is er met hem?'

'Ik heb hem over zijn broer verteld, vorige week, toen hij hier was.'

Mevrouw Dunwiddy trok haar hand uit de kalkoen. 'Dat is toch geen ramp,' zei ze.

'Ik heb hem verteld hoe hij contact met zijn broer kan krijgen.'

'Ach,' zei mevrouw Dunwiddy. Die ene lettergreep was genoeg om blijk te geven van haar afkeuring. 'En?'

'Hij is opgedoken in Hengeland. De jongen weet zich geen raad.'

Mevrouw Dunwiddy nam een grote hand vochtig maïsbrood en ramde het zo krachtig bij de kalkoen naar binnen dat het beest de tranen in zijn ogen waren gesprongen, als hij die nog had gehad. 'Kan hij hem niet weg krijgen?'

'Gaat niet.'

Felle ogen tuurden door dikke brillenglazen. Toen zei mevrouw Dunwiddy: 'Ik heb het één keer gedaan. Nog een keer gaat niet. Niet op die manier.'

'Weet ik. Maar we moeten iets doen.'

Mevrouw Dunwiddy zuchtte. 'Het is waar wat ze zeggen. Als je lang genoeg leeft, krijg je al je zonden weer op je eigen bord terug.'

'Is er geen andere manier?'

Mevrouw Dunwiddy was klaar met het vullen van de kalkoen. Ze pakte een spies; zette het losse vel vast. Toen wikkelde ze de vogel in aluminiumfolie.

'Ik denk,' zei ze, 'dat ik hem morgen aan het eind van de ochtend opzet. 's Middags is hij gaar. Dan warm ik hem aan het begin van de avond weer in de oven op zodat hij klaar is voor het avondeten.'

'Wie komen er eten?' vroeg mevrouw Higgler.

'Jij,' zei mevrouw Dunwiddy. 'Zorah Bustamonte, Bella Noles en Fat Charlie Nancy. Tegen de tijd dat die jongen hier is, zal hij echt honger hebben.'

Mevrouw Higgler zei: 'Komt hij dan?'

'Zeg meisje, luister je wel?' Alleen mevrouw Dunwiddy kon mevrouw Higgler 'meisje' noemen zonder dat het belachelijk klonk. 'Help me nu die kalkoen in de koelkast te zetten.'

Je kon zonder overdrijving stellen dat Rosie de avond van haar leven had: betoverend, perfect, prachtig. Ze kon niet ophouden met glimlachen, al zou ze het hebben gewild. Het eten was fantastisch geweest en na het eten had Fat Charlie haar mee uit dansen genomen. Het was een keurige dansgelegenheid, met een klein orkestje en mensen die in pastelkleurige kleren over de dansvloer gleden. Ze kreeg het gevoel alsof ze samen een tijdreis naar een gemoedelijker tijdperk hadden gemaakt. Rosie had vanaf haar vijfde dansles gehad, maar er was niemand geweest om mee te dansen.

'Ik wist niet dat je kon dansen,' had ze hem verteld.

'Er is nog zoveel wat je niet over me weet,' zei hij.

En dat maakte haar gelukkig. Binnenkort zou ze met deze man getrouwd zijn. Waren er dingen die ze niet wist? Uitstekend. Ze had de rest van haar leven de tijd om die te ontdekken. Allerlei soorten dingen.

Terwijl ze naast hem liep, viel het haar op hoe andere vrouwen, en andere mannen, naar Fat Charlie keken, en ze was er trots op de vrouw aan zijn arm te zijn.

Ze wandelden over Leicester Square, en Rosie kon de sterren aan de hemel zien staan; ondanks de felle straatverlichting fonkelden ze helder.

Even vroeg ze zich af waarom het nooit eerder zo was geweest als ze met Fat Charlie uitging. Soms had Rosie heimelijk gedacht dat ze alleen met Fat Charlie uitging omdat haar moeder zo'n hekel aan hem had; dat ze alleen maar *ja* had gezegd toen hij haar ten huwelijk vroeg omdat haar moeder wilde dat ze *nee* zei...

Fat Charlie had haar een keer mee uit genomen naar West End. Ze waren naar de schouwburg gegaan. Hij had haar willen verrassen voor haar verjaardag, maar er was verwarring over de kaartjes geweest, die, naar het bleek, eigenlijk voor de dag ervoor waren besteld. Het personeel was begripvol en buitengewoon behulpzaam geweest, en ze hadden voor Fat Charlie een plaats achter een pilaar in de stalles kunnen vinden, terwijl Rosie een stoel kreeg op het bovenste balkon achter een stel driftig giechelend meiden uit Norwich. Het was alles bij elkaar geen succes geweest.

Deze avond echter was betoverend. Veel perfecte momenten had Rosie in haar leven niet gekend, maar ongeacht het aantal was er zojuist één bijgekomen.

Ze genoot van het gevoel dat ze had als ze bij hem was.

En na het dansen, toen ze duizelig van het zwieren en de champagne de nacht in waren gestommeld, sloeg Fat Charlie – waarom denk ik aan hem als Fat Charlie, dacht ze, want hij is toch helemaal niet dik? – zijn arm om haar heen en zei: 'Zo, nu ga je met mij mee naar huis,' op een toon die zo diep en gemeend klonk dat ze vlinders in haar buik kreeg. En ze zei niet dat ze de volgende dag moest werken, niet dat er nog tijd genoeg voor dat soort dingen was als ze waren getrouwd, helemaal niets in feite. De hele tijd dacht ze alleen hoe graag ze wilde dat er geen eind aan deze avond kwam, en hoe heel erg graag ze wilde – de onweerstaanbare aandrang voelde – om deze man op zijn mond te kussen en te omhelzen.

En toen, omdat ze bedacht dat ze iets moest zeggen, zei ze *ja*. In de taxi naar zijn flat hielden ze elkaars handen vast, en ze lag tegen hem aan en keek naar hem, terwijl het licht van de voorbijgaande auto's en de straatlantarens zijn gezicht bescheen.

'Je hebt een gaatje in je oor,' zei ze. 'Waarom is het me niet eerder opgevallen dat je een gaatje in je oor hebt.'

'Hé,' zei hij glimlachend, zijn stem een diepe brommende bas, 'hoe is het voor mij, denk je, dat zoiets je niet eerder is opgevallen, ook al zijn we al hoe lang samen?'

'Achttien maanden,' zei Rosie.

'Al achttien maanden,' zei haar verloofde.

Ze lag tegen hem aan, ademde hem in. 'Je ruikt zo lekker,' vertelde ze hem. 'Heb je een geurtje op?'

'Dat ben ik zelf,' zei hij tegen haar.

'Je zou het in een flesje moeten doen.'

Ze betaalde de taxi, terwijl hij de voordeur opendeed. Samen liepen ze de trap op. Toen ze boven waren, leek het of hij wilde doorlopen naar de logeerkamer aan het eind van de gang.

'Weet je,' zei ze, 'de slaapkamer is hier, gekkie. Waar ga je heen?'

'Nergens. Dat wist ik wel,' zei hij. Ze gingen naar Fat Charlies slaapkamer. Ze trok de gordijnen dicht. Toen keek ze hem aan en ze voelde zich gelukkig.

'Nou,' zei ze na een poosje, 'ga je me nog kussen?'

'Ik geloof van wel.' Hij kuste haar. De tijd viel weg, duurde een eeuwigheid, kantelde. Het kon zijn dat ze hem even had gekust, of een uur, of een heel leven. En toen...

'Wat was dat?'

Hij zei: 'Ik heb niets gehoord.'

'Alsof iemand pijn had.'

'Vechtende katten misschien?'

'Nee, een mens.'

'Kan een stadsvos geweest zijn. Die klinken soms net als mensen.'

Met haar hoofd scheef bleef ze ingespannen luisteren. 'Het is opgehouden,' zei ze. 'Hmm. Zal ik je iets heel geks vertellen?'

'Hm-m,' zei hij, terwijl hij met zijn lippen langs haar hals gleed. 'Goed, vertel me eens iets heel geks. Maar ik heb gezorgd dat het weg is. Daar zul je geen last meer van hebben.'

'Het gekke is,' zei Rosie, 'dat het precies jouw stem was.'

Fat Charlie liep op straat, terwijl hij zijn gedachten probeerde te ordenen. Het lag het meest voor de hand om op zijn eigen voordeur te bonken tot Spider naar beneden kwam en hem binnenliet, waarna hij Spider en Rosie ervan langs zou geven. Dat was wat hij moest doen. Dat was absoluut, volkomen duidelijk.

Hij hoefde alleen naar zijn flat terug te gaan, de hele zaak aan Rosie uit te leggen en Spider zo beschaamd te maken dat hij hem met rust zou laten. Meer hoefde hij niet te doen. Dat kon toch niet zo moeilijk zijn.

Moeilijker dan het hoorde te zijn, dat stond vast. Hij wist niet hoe het kwam dat hij zo'n eind uit de buurt van zijn flat was. Hij wist nog minder hoe hij de weg terug moest vinden. Het leek of de straten die hij kende, of meende te kennen, zich opnieuw hadden gegroepeerd. Hij merkte dat hij doodlopende straatjes in liep, talloze blinde steegjes verkende en door de doolhof van een nachtelijke Londense woonwijk liep.

Soms zag hij de hoofdstraat liggen. Daar waren stoplichten en de lichten van snackbars. Als hij eenmaal in de hoofdstraat was, zou hij de weg naar huis terug kunnen vinden, maar elke keer als hij die kant uit liep, kwam hij heel ergens anders uit.

Fat Charlies voeten begonnen pijn te doen. Zijn maag rammelde. Hij was boos, en onder het lopen werd hij steeds bozer.

Door de boosheid klaarde zijn hoofd op. De spinnenwebben, die zijn gedachten hadden vertroebeld, verdwenen. Het web van straten waar hij doorheen liep, werd overzichtelijker. Hij sloeg een hoek om en stond in de hoofdstraat, naast het nachtrestaurant New Jersey Fried Chicken. Hij bestelde een gezinsportie kip en ging zitten en at alles op zonder hulp van zijn gezin. Toen dat gebeurd was, bleef hij op de stoep staan tot hij het vriendelijke oranje onbezet-lampje boven op een officiële taxi in het oog kreeg, en hij hield de taxi aan. Die stopte en het raampje werd omlaag gedraaid.

'Waarheen?'

'Maxwell Gardens,' zei Fat Charlie.

'Is dat een geintje of zo?' vroeg de taxichauffeur. 'Dat is hier om de hoek.'

'Als u me erheen brengt, krijgt u vijf pond extra. Echt waar.'

De taxichauffeur ademde hoorbaar in tussen zijn opeen geklemde tanden: het geluid dat een monteur maakt voordat hij vraagt of je om nostalgische redenen erg aan je auto gehecht bent. 'Je moet het zelf weten,' zei de chauffeur. 'Spring er maar in.'

Fat Charlie sprong erin. De chauffeur trok op, wachtte tot het licht op groen sprong, sloeg de hoek om.

'Waar wilde u ook alweer heen?' vroeg de chauffeur.

'Maxwell Gardens,' zei Fat Charlie. 'Nummer vierendertig, naast de slijter.'

Hij droeg de kleren van gisteren en dat vond hij vervelend. Zijn moeder had hem altijd op het hart gedrukt schoon ondergoed te dragen voor het geval hij een auto-ongeluk kreeg, en zijn tanden te poetsen voor het geval ze hem aan de hand van zijn gebitsgegevens moesten identificeren.

'Ik weet waar het is,' zei de taxichauffeur. 'Het is vlak voor Park Crescent.'

'Dat klopt,' zei Fat Charlie. Hij begon in slaap te vallen op de achterbank.

'Waarschijnlijk heb ik de verkeerde afslag genomen,' zei de chauffeur. Het klonk geïrriteerd. 'Ik zet de meter stil, goed? We houden het op vijf pond.'

'Prima,' zei Fat Charlie, en hij nestelde zich op de achterbank van de taxi en sliep. De taxi reed verder door de nacht en bleef proberen de hoek om te slaan.

Agent Day, die voor een jaar als rechercheur bij de afdeling fraudebestrijding was gedetacheerd, kwam om halftien aan op het

kantoor van de Grahame Coats Agency. Grahame Coats wachtte haar bij de receptie op en nam haar mee naar zijn werkkamer.

'Wilt u koffie, thee?'

'Nee, dank u.' Ze haalde haar zakboekje tevoorschijn en keek
hem vol verwachting aan.

'Ik kan niet genoeg benadrukken dat u discretie voorop moet
stellen bij uw onderzoek. De Grahame Coats Agency heeft een
reputatie van eerlijkheid en onkreukbaar handelen. Bij de Grahame Coats Agency is het geld van de cliënt in vertrouwde handen. U moet weten dat ik mijn eerste vermoedens over Charles
Nancy van me af heb gezet als iets wat zo'n rechtschapen en
hardwerkende man niet verdiende. Als u me een week geleden
had gevraagd hoe ik over Charles Nancy dacht, zou ik gezegd
hebben dat hij een sieraad voor de samenleving was.'

'Dat neem ik zonder meer aan. Dus wanneer drong het tot u
door dat er misschien gesjoemeld was met het geld van uw cliënten?'

'Nou, dat is nog niet zeker. Ik wil niet graag met modder gooi-
en, wat dat betreft, of de eerste steen werpen. Oordeelt niet, opdat gij niet geoordeeld wordt.'

Op tv, dacht Daisy, zeiden ze: 'Alleen de feiten graag.' Ze wou
dat ze het kon zeggen, maar ze deed het niet.

Ze mocht deze man niet.

'Ik heb hier een uitdraai van alle afwijkende transacties,' zei
hij. 'Zoals u ziet, zijn ze allemaal afkomstig uit Nancy's computer. Ik moet opnieuw benadrukken dat discretie hier van het
grootste belang is. Onder de cliënten van de Grahame Coats
Agency bevindt zich een aantal prominente figuren, en, zoals ik
tegen uw leidinggevende heb gezegd, ik zou het bijzonder op
prijs stellen als deze zaak zo geruisloos mogelijk werd behandeld. Discretie moet uw motto zijn. Ingeval we de heer Nancy
kunnen overhalen het onterecht verkregen geld terug te storten,
zou de zaak wat mij betreft naar tevredenheid afgehandeld zijn.
Van mij hoeft hij niet per se vervolgd te worden.'

'Ik doe mijn best, maar uiteindelijk, als we alle informatie hebben, dragen we de zaak over aan het Openbaar Ministerie.' Ze

vroeg zich af hoeveel invloed hij werkelijk op de hoofdinspecteur had. 'Dus waardoor begon u argwaan te krijgen?'

'Ach, ja. Als ik heel eerlijk ben, kwam het door bepaalde gedragsveranderingen. De hond die 's nachts niet blaft. Hoe diep de peterselie in de boter is gezakt. Wij speurders zien in het minste geringste aanwijzingen. Dat is toch zo, rechercheur Day?'

'Eh, het is agent Day. Dus als u me die uitdraaien kunt geven,' zei ze, 'en alle andere stukken, bankafschriften en zo. Misschien moeten we zijn computer meenemen om de harde schijf te controleren.'

'Absolutief,' zei hij. De telefoon op zijn bureau ging over, en met een zijdelings 'Mag ik even?' nam hij hem aan. 'Is hij er? Mijn hemel. Nou, zeg maar dat hij bij de receptie op me moet wachten. Ik kom er zo aan.' Hij legde de hoorn erop. 'Dat,' zei hij tegen Daisy, 'is, geloof ik, wat ze in politiekringen een kat in 't bakkie noemen.'

Ze trok een wenkbrauw op.

'Dat is de bewuste Charles Nancy zelf, die me wil spreken. Zal ik hem hier laten komen? Als u wilt, mag u hem op mijn kantoor ondervragen. Ik weet zeker dat ik ergens een bandrecorder heb.'

Daisy zei: 'Dat is niet nodig. Eerst zal ik de papieren in orde moeten maken.'

'Okido,' zei hij. 'Dom van me. Ahum, zou u... wilt u hem niet even zien?'

'Ik zou niet weten waar dat voor nodig is,' zei Daisy.

'O, ik vertel hem niet dat u een onderzoek naar hem instelt,' stelde Grahame Coats haar gerust. 'Anders is hij 'm al naar de *costa-del-zonde* gesmeerd voordat we *prima-facie-bewijs* hebben. Eerlijk gezegd beschouw ik mezelf als iemand die buitengewoon veel begrip heeft voor de problemen van het huidige politiewerk.'

Daisy betrapte zich op de gedachte het niet zo heel erg te vinden als iemand geld van deze man had gestolen, maar ze wist ook dat een politieagent zoiets niet mocht denken.

'Ik zal u uitlaten,' zei hij tegen haar.

In de wachtkamer zat een man. Hij zag eruit alsof hij in zijn kleren had geslapen. Hij had zich niet geschoren, en maakte een nogal verwarde indruk. Grahame Coats stootte Daisy zacht aan en knikte in de richting van de man. Hij zei luid: 'Charles, lieve help, kijk nou eens hoe je erbij loopt. Je ziet er beroerd uit.'

Fat Charlie keek hem wazig aan. 'Ben gisteravond niet thuis geweest. Er was gedoe met de taxi.'

'Charles,' zei Grahame Coats, 'dit is rechercheur Day, van het Londense politiekorps. Ze is hier voor een routinebezoekje.'

Het drong tot Fat Charlie door dat er nog iemand was. Hij keek goed, zag de keurige kleding die iets weg had van een uniform. Toen zag hij het bijbehorende gezicht. 'Eh,' zei hij.

'Goedemorgen,' zei Daisy. Dat was wat haar mond zei. In haar hoofd ging het de hele tijd van *okut okut okut okut*.

'Aangenaam,' zei Fat Charlie verbijsterd. Hij deed iets wat hij nog nooit eerder had gedaan: hij stelde zich een agente in burgerkleding voor, maar dan zonder kleren aan, en dat leverde een tamelijk nauwkeurige voorstelling op van de jonge vrouw die naast hem in bed had gelegen op de ochtend nadat hij om zijn vader had gerouwd. Het keurige pakje maakte dat ze er iets ouder uitzag, strenger en afschrikwekkender, maar ze was het inderdaad.

Zoals alle denkende wezens was Fat Charlie uitgerust met een graadmeter voor gekke gebeurtenissen. Al een paar dagen was de naald naar abnormaal uitgeslagen en af en toe zelfs schoksgewijs tegen de rand gestoten. Nu brak de meter. Vanaf dit moment, dacht hij, kon niets hem meer verbazen. Gekker kon het niet meer worden. Hij had het allemaal gehad.

Daarin vergiste hij zich natuurlijk.

Fat Charlie keek Daisy na, en hij volgde Grahame Coats naar zijn kantoor.

Grahame Coats trok de deur stevig dicht. Toen leunde hij met zijn achterste tegen zijn bureau en glimlachte als een wezel die net heeft ontdekt dat hij per ongeluk een nacht in een kippenhok zit opgesloten.

'Laten we er geen doekjes om winden,' zei hij. 'Open kaart spelen. Niet om de hete brij heen draaien. Laten we,' ging hij met veel omhaal van woorden verder, 'laten we het beestje bij zijn naam noemen.'

'Prima,' zei Fat Charlie. 'Laten we dat doen. U wilde me iets laten tekenen?'

'Dat is niet langer meer van kracht. Vergeet dat maar. Nee, laten we iets bespreken waar je me een paar dagen geleden op hebt gewezen. Je attendeerde me erop dat er bepaalde ongebruikelijke transacties hadden plaatsgevonden.'

'O ja?'

'Dat spelletje, Charles, kan ik, zoals ze zeggen, ook meespelen. Mijn eerste reactie was natuurlijk om de zaak te onderzoeken. Vandaar het bezoek van rechercheur Day. En wat ik heb ontdekt, zal geen verrassing voor je zijn.'

'O nee?'

'Nee, inderdaad. Zoals je zelf naar voren hebt gebracht, zijn er duidelijke aanwijzingen dat er financiële onregelmatigheden hebben plaatsgevonden, Charles. Maar helaas wijst de grillige vinger van de verdenking feilloos één kant op.'

'Is dat zo?'

'Dat is zo.'

Fat Charlie had geen flauw idee. 'Waarheen?'

Grahame Coats probeerde bezorgd te kijken, of tenminste de indruk te wekken dat hij bezorgd keek, waarbij hij een gezicht trok dat bij baby's betekende dat ze een boertje moesten laten. 'Naar jou, Charles. De politie verdenkt jou.'

'Ja,' zei Fat Charlie. 'Natuurlijk. Zo'n dag is het vandaag.'

En hij ging naar huis.

Spider opende de voordeur. Het was gaan regenen en daar stond Fat Charlie, verkreukeld en nat.

'En,' zei Fat Charlie. 'Mag ik nu binnenkomen?'

'Ik hou je niet tegen,' zei Spider. 'Het is immers jouw huis. Waar was je vannacht?'

'Dat weet je best. Het lukte me niet om thuis te komen. Ik weet niet wat voor soort magische betovering je op me hebt losgelaten.'

'Het was geen magie,' zei Spider beledigd. 'Het was een wonder.'

Fat Charlie duwde hem opzij en stommelde de trap op. Hij liep naar de badkamer, deed de stop in het bad en zette de kranen open. Toen stak hij zijn hoofd om de hoek van de deur. 'Het kan me niet schelen hoe je het noemt. Wat het ook is, je doet het in mijn huis en gisteravond heb je ervoor gezorgd dat ik niet thuis kon komen.'

Hij trok de kleren van eergisteren uit. Toen stak hij weer zijn hoofd om de deur. 'En op mijn werk loopt een politieonderzoek naar me. Heb jij Grahame Coats verteld dat er financiële onregelmatigheden waren?'

'Natuurlijk heb ik dat verteld,' zei Spider.

'Ha! Nou, hij verdenkt mij, dat is alles.'

'O, ik denk niet dat hij jou verdenkt,' zei Spider.

'Dan ben je slecht op de hoogte,' zei Fat Charlie. 'Ik heb hem gesproken. De politie is ingeschakeld. En dan hebben we Rosie nog. En jij en ik gaan een heel lang gesprek over Rosie hebben als ik uit het bad ben. Maar eerst ga ik in het bad. Ik heb gisteren de hele avond rondgezworven. De enige slaap die ik vannacht heb gehad, was op de achterbank van een taxi. Toen ik wakker werd, was het vijf uur 's ochtends en was mijn taxichauffeur in Travis Bickle veranderd. Hij was bezig aan een monoloog. Ik zei dat hij beter kon ophouden de Maxwell Gardens te zoeken, omdat het blijkbaar niet de goede nacht voor de Maxwell Gardens was, en uiteindelijk was hij het met me eens, dus we gingen ontbijten in zo'n tent waar taxichauffeurs ontbijten. Eieren en bonen en worstjes en toast en thee zo sterk dat je lepel er rechtop in blijft staan. Toen hij de andere taxichauffeurs vertelde dat hij de hele nacht naar de Maxwell Gardens had gezocht, nou, toen dacht ik dat er bloed zou vloeien. Dat was niet zo. Maar het scheelde niet veel.'

Fat Charlie zweeg om adem te halen. Spider keek schuldig.

'Hierná,' zei Fat Charlie. 'Ná mijn bad.' Hij sloot de badkamerdeur.

Hij klom in het bad.

Hij kreunde.

Hij klom uit het bad.

Hij draaide de kranen dicht.

Hij wikkelde een handdoek om zijn middel en opende de badkamerdeur. 'Geen warm water,' zei hij veel, veel te rustig. 'Heb je enig idee waarom we geen warm water hebben?'

Spider stond nog in de gang. Hij had zich niet bewogen. 'Mijn warme bad,' zei hij. 'Het spijt me.'

Fat Charlie zei: 'Nou, Rosie in elk geval niet. Ik bedoel, ze zou niet...' En toen zag hij de uitdrukking op Spiders gezicht.

Fat Charlie zei: 'Ik wil dat je weggaat. Uit mijn leven. Uit Rosies leven. Eruit.'

'Ik heb het hier naar mijn zin,' zei Spider.

'Je ruïneert verdomme mijn leven.'

'Pech.' Spider liep de gang door en opende de deur van Fat Charlies logeerkamer. Het tropische gouden zonlicht viel even in de gang, toen ging de deur dicht.

Fat Charlie waste zijn haar met koud water. Hij poetste zijn tanden. Hij doorzocht de inhoud van zijn wasmand tot hij een spijkerbroek en een T-shirt had gevonden die, omdat ze onder in de mand hadden gezeten, praktisch weer schoon waren. Hij trok ze aan, en ook een paarse trui met een teddybeer, die hij ooit van zijn moeder had gehad en nooit had gedragen, maar toch niet weg had kunnen doen.

Hij liep naar het eind van de gang.

Het boem-tsjakke-boem van een basgitaar en drums drong door de deur heen.

Fat Charlie rammelde aan de deurkruk. Die gaf niet mee. 'Als je de deur niet opendoet,' zei hij, 'breek ik hem open.'

Zonder voorafgaande waarschuwing zwaaide de deur open, en Fat Charlie vloog naar binnen, in het lege hok aan het eind van de gang. Het raam keek uit op de achterkant van het huis erachter, voor zover je iets kon zien door de regen die nu tegen het vensterglas kletterde.

Toch klonk ergens anders vandaan, met slechts een dun wandje ertussen, het geluid van een veel te harde geluidsinstallatie: alles in het hok trilde mee met het boem-tsjakke-boem in de kamer ernaast.

'Juist,' zei Fat Charlie doodgemoedereerd. 'Je snapt natuurlijk dat dit oorlog betekent.' Dat was de traditionele oorlogskreet van het konijn als het wordt getergd. In sommige streken geloven de mensen dat Anansi een listig konijn is. Ze vergissen zich natuurlijk: hij is een spin. Misschien denk je dat die twee schepsels gemakkelijk uit elkaar te houden zijn, maar ze worden vaker door elkaar gehaald dan je zou verwachten.

Fat Charlie liep naar zijn slaapkamer. Hij haalde zijn paspoort uit de la van zijn nachtkastje. Hij zocht zijn portemonnee en vond hem in de badkamer.

Hij liep naar de hoofdstraat, in de regen, en hield een taxi aan.

'Waarheen?'

'Heathrow,' zei Fat Charlie.

'Komt in orde,' zei de chauffeur. 'Welke terminal?'

'Geen idee,' zei Fat Charlie, die wist dat hij het eigenlijk zou moeten weten. Het was immers nog maar een paar dagen geleden. 'Waar is de vertrekhal voor Florida?'

Grahame Coats was al met de voorbereidingen voor zijn vertrek uit de Grahame Coats Agency begonnen onder het premierschap van John Major. Aan alles komt een eind. Vroeg of laat, zoals Grahame Coats zelf al te graag beweerde, moest ook de kip met de gouden eieren worden geslacht. Hoewel hij het goed had geregeld – voor het geval hij genoodzaakt was halsoverkop weg te gaan – en hij besefte dat de gebeurtenissen zich als donkere wolken aan de horizon opstapelden, wilde hij het moment van vertrek zo lang mogelijk uitstellen.

Het was belangrijk, had hij lang geleden geconcludeerd, dat hij niet zozeer vertrok, als wel verdween, ongemerkt, geruisloos en zonder een spoor achter te laten.

In de geheime kluis in zijn kantoor – een inloopkast waarop hij bijzonder trots was – op een plank die hij zelf had opgehangen, en onlangs opnieuw had moeten ophangen toen hij van de muur was losgeraakt, stond een leren koffertje met twee paspoorten erin, het ene op naam van Basil Finnegan, het andere op naam van Roger Bronstein. Beide mannen waren, net als Grahame Coats, ongeveer vijftig jaar geleden geboren, maar ze waren in hun eerste levensjaar gestorven. De pasfoto's in beide paspoorten waren van Grahame Coats. De koffer bevatte ook twee portefeuilles, elk met een eigen verzameling creditkaarten en een identiteitsbewijs op naam van een van de namen van de paspoorthouders. Elk van de twee namen had een doorsluisrekening op de Caymaneilanden, waarvan het geld weer werd doorgesluisd naar bankrekeningen op de Britse Maagdeneilanden, in Zwitserland en Liechtenstein.

Grahame Coats was van plan op zijn vijftigste verjaardag voorgoed te vertrekken, over ruim een jaar, en hij piekerde over de kwestie Fat Charlie.

Hij verwachtte niet echt dat de politie Fat Charlie zou arresteren of gevangennemen, hoewel hij zich tegen geen van beide scenario's hevig zou verzetten. Hij wilde hem gewoon bang maken, in diskrediet brengen en wegjagen.

Grahame Coats vond het echt heerlijk om zijn cliënten geld afhandig te maken en hij was er goed in. Hij was aangenaam verrast geweest toen hij ontdekte dat, mits hij zijn clientèle met zorg koos, de beroemdheden en artiesten die hij vertegenwoordigde, erg weinig verstand van geld hadden en opgelucht waren iemand te vinden die hen vertegenwoordigde en hun financiële zaken beheerde en ervoor zorgde dat zij zich geen zorgen hoefden te maken. En als afschriften of cheques soms te laat aankwamen, of als ze niet altijd waren wat de cliënten ervan verwachtten, of als er niet nader gespecificeerde bedragen van hun rekening werden afgeschreven, nou ja, er was veel personeelsverloop bij Grahame Coats, vooral op de boekhoudafdeling, en er was niets wat niet gemakkelijk kon worden afgeschoven op de incompetentie van een gewezen werknemer, of, wat zelden voorkwam, hersteld kon worden met een kistje champagne en een royale cheque als goedmakertje.

Niet dat ze Grahame Coats aardig vonden of hem vertrouwden. Zelfs de mensen die hij vertegenwoordigde, vonden hem een gluiperd. Maar ze dachten dat hij hún gluiperd was, en daarin vergisten ze zich. Grahame Coats was zijn eigen gluiperd.

De telefoon op zijn bureau ging en hij nam hem op. 'Ja?'

'Meneer Coats? Ik heb Maeve Livingstone aan de lijn. Ik weet dat ik haar eigenlijk naar Fat Charlie moet doorverbinden, maar die is deze week vrij dus ik wist niet goed wat ik haar moest vertellen. Zal ik zeggen dat u er niet bent?'

Grahame Coats dacht na. Voordat een plotselinge hartaanval hem had geveld, was Morris Livingstone, eens Engelands meest geliefde kleine komiek uit Yorkshire, de ster in televisieseries als *Short Back and Sides* en in zijn eigen zaterdagavond-amusementsspelletjesshow *Morris Livingstone, I presume.* In de jaren tachtig had hij zelfs een hit gescoord met de meezinger 'Buiten is 't mooi (maar ik zou 'm binnen houden)'. Een aimabele, gemoedelijke man, die niet alleen al zijn financiële zaken in handen van de Grahame Coats Agency had gelegd, maar bovendien Grahame Coats, op eigen instigatie, had benoemd tot bewindvoerder over de erfenis.

Zo'n kans kon hij natuurlijk niet laten lopen.

En dan was er Maeve Livingstone. Eerlijk gezegd had Maeve Livingstone, zonder het te weten, al jaren een hoofd- of bijrol vervuld in Grahame Coats' meest gekoesterde heimelijke fantasieën.

Grahame Coats zei: 'Verbind haar maar door,' en toen gretig: 'Maeve, wat enig dat je belt. Alles goed met je?'

'Dat weet ik eigenlijk niet,' zei ze.

Maeve Livingstone was balletdanseres geweest toen ze Morris leerde kennen en ze had altijd boven de kleine man uitgetorend. Die twee waren dol op elkaar geweest.

'Nou, vertel het me maar.'

'Een paar dagen geleden sprak ik Charles. Ik vroeg me af. Nou, de bankdirecteur vroeg zich af. Het geld uit de nalatenschap van Morris. Er is ons verteld dat we er nu iets van zouden zien.'

'Maeve,' zei Grahame Coats, met wat hij beschouwde als zijn donker fluwelen stem waarvoor vrouwen zo gevoelig waren, 'het probleem is niet dat het geld er niet is – het is louter een kwestie van liquiditeit. Zoals ik je heb verteld, heeft Morris aan het eind van zijn leven een paar onverstandige investeringen gedaan, en hoewel hij, op mijn aanraden, ook een paar verstandige heeft gedaan, hebben de goede tijd nodig om te rijpen. We kunnen daar niet uitstappen zonder bijna alles te verliezen. Maar wees niet bezorgd, wees niet bezorgd. Voor een goede cliënt doen we alles. Ik schrijf uit eigen middelen een cheque voor je uit, zodat je genoeg geld tot je beschikking hebt. Hoeveel wil de bankdirecteur hebben?'

'Hij zegt dat hij genoodzaakt is mijn cheques te weigeren,' zei ze. 'En van de bbc hoorde ik dat ze geld hebben gestort voor het uitgeven van de oude shows op dvd. Dát is toch niet belegd?'

'Zegt de bbc dat? Nee maar, terwijl wíj hun achter de broek zitten dat ze geld moeten overmaken. Maar ik zal niet alle schuld op de bbc worldwide schuiven. Onze boekhouder is in verwachting en de dingen zijn helemaal in het honderd gelopen. En Charles Nancy, die je hebt gesproken, heeft zijn hoofd er niet bij. Zijn vader is overleden, en hij is veel het land uit geweest...'

'De laatste keer,' bracht ze naar voren, 'was je bezig met de invoering van een nieuw computersysteem.'

'Dat is helemaal waar, en laat ik mijn mond maar houden over boekhoudprogramma's. Wat zeggen ze ook al weer – vergissen is menselijk, maar om de boel goed in de soep te laten lopen, heb je een computer nodig? Zoiets. Ik zal dit grondig uitzoeken, als het moet handmatig, op de ouderwetse manier, en je geld zal zijn weg naar je weten te vinden. Zo zou Morris het gewild hebben.'

'Mijn bankdirecteur zegt dat hij onmiddellijk tienduizend pond nodig heeft om te voorkomen dat de cheques worden geweigerd.'

'Die tienduizend pond komen eraan. Ik ben onder het praten al bezig een cheque uit te schrijven.' Hij tekende een cirkel op zijn kladblok, met een opgaande lijn aan de bovenkant. Het leek een beetje op een appel.

'Daarvoor ben ik je erg dankbaar,' zei Maeve, en Grahame

Coats zette een hoge borst op. 'Ik hoop dat je me niet lastig vindt.'

'Je bent niet lastig,' zei Grahame Coats. 'Helemaal niet lastig.' Hij legde de hoorn neer. Het was zo grappig, dacht Grahame Coats altijd, dat het komische alter ego van Morris een nuchter mannetje uit Yorkshire was geweest, dat er prat op ging precies te weten hoeveel geld er in zijn portemonnee zat.

Het was mooi geweest, dacht Grahame Coats, terwijl hij de appel een paar ogen en oren gaf. Daardoor leek hij nu, concludeerde hij, min of meer op een kat. Over niet al te lange tijd zou hij het uitmelken van veeleisende beroemdheden verruilen voor een leven van zonneschijn, zwembaden, lekker eten, goede wijn, en, zo mogelijk, een enorme hoeveelheid orale seks. Grahame Coats was ervan overtuigd dat de beste dingen in het leven allemaal te koop waren.

Hij gaf de kat een bek, die hij vulde met scherpe tanden, zodat de kat een beetje op een poema leek, en onder het tekenen begon hij te zingen met een schrille tenor.

Toen ik jong was moest ik steeds buiten spelen.
't Is mooi weer, zei mijn vader. Je gaat je binnen vervelen.
Nu ben ik ouder en roepen alle vrouwen:
Buiten is 't mooi, maar ik zou 'm binnen houden...

Morris Livingstone had Grahame Coats' penthouse aan de Copacabana gefinancierd, en de aanleg van zijn zwembad op het eiland Saint Andrews, dus je moest niet denken dat Grahame Coats niet dankbaar was.

'*Buiten is 't mooi, maar ik zou 'm binnen hou-ouwe...*'

Spider voelde zich raar.

Er was iets aan de hand: een vreemd gevoel had zich als mist in zijn leven genesteld en bedierf zijn dag. Hij kon het niet thuisbrengen en hij vond het vervelend.

Als er één gevoel was dat hij beslist níét had, was het schuldgevoel. Dat paste gewoon niet bij hem. Spider voelde zich cool.

Hij voelde zich niet schuldig. Hij zou zich nog niet eens schuldig hebben gevoeld als hij op heterdaad was betrapt bij een bankoverval.

En toch was het er, een vaag onbehagen.

Tot nu toe had Spider geloofd dat goden anders waren: ze hadden geen geweten en hadden dat ook niet nodig. Een god verhield zich tot de wereld, zelfs als hij zelf in die wereld rondliep, met ongeveer evenveel emotionele betrokkenheid als een speler van computerspelletjes die ze allemaal al een keer had gedaan en alles foefjes beheerste om de zaak naar zijn hand te zetten.

Spider zorgde dat hij zichzelf amuseerde. Dat was wat hij deed. Daar ging het om. Schuld was een gevoel dat hij niet herkende, zelfs niet met een geïllustreerde handleiding erbij waarin alle onderdelen afzonderlijk werden benoemd. Het was niet zo dat hij karakterloos was, eerder dat hij niet in de buurt was op de dag dat karakters werden uitgedeeld. Maar er was iets veranderd – in hem of om hem heen, dat wist hij niet precies – en dat zat hem dwars. Hij schonk zichzelf nog een drankje in. Hij zwaaide met zijn hand en zette de muziek harder. Hij stapte van Miles Davis over op James Brown. Het hielp allemaal niet.

In zijn hangmat lag hij in de tropische zonneschijn naar de muziek te luisteren, zichzelf feliciterend dat het zo verschrikkelijk cool was om Spider te zijn... en voor het eerst was zelfs dat op de een of andere manier niet genoeg.

Hij klom uit de hangmat en liep naar de deur. 'Fat Charlie?'

Er kwam geen antwoord. De flat voelde leeg aan. Buiten door de ramen van de flat was het een grijze dag en het regende. Spider vond de regen fijn. Het paste bij zijn stemming.

De telefoon ging, fel en veelbelovend. Spider nam hem aan.

Rosie zei: 'Ben jij het?'

'Hallo Rosie.'

'Gisteravond,' zei ze. Toen zei ze niets meer. Toen zei ze: 'Was het voor jou even geweldig als voor mij?'

'Ik weet het niet,' zei Spider. 'Het was voor mij best wel geweldig. Dus, ik bedoel, dat is een soort ja.'

'Mm,' zei ze.

Ze zeiden niets.

'Charlie,' zei Rosie.

'Hm-m?'

'Ik vind het zelfs fijn om niets te zeggen, alleen maar te weten dat je aan de andere kant van de lijn bent.'

'Ik ook,' zei Spider.

Ze genoten een poosje langer van het niets-zeggen, koesterden het, lieten het zo lang mogelijk duren.

'Heb je zin vanavond bij mij te komen?' vroeg Rosie. 'Mijn huisgenoten zijn naar de Cairngorms.'

'Dat,' zei Spider, 'ga ik nomineren als de mooiste zin uit de Engelse taal. *Mijn huisgenoten zijn naar de Cairngorms.* Perfecte poëzie.'

Ze giechelde. 'Grapjas. Ahum, neem je tandenborstel mee.'

'O, ó. Oké.'

En na een paar minuten 'leg jij neer' en 'nee, jíj moet eerst neerleggen', wat een paar hormoongestoorde vijftienjarigen niet zou hebben misstaan, werd de hoorn eindelijk neergelegd.

Spider glimlachte als een heilige. Een wereld met Rosie erin was de best denkbare wereld. De mist was opgetrokken, de wereld lachte hem toe.

Het kwam niet bij Spider op zich af te vragen waar Fat Charlie naartoe was gegaan. Waarom zou hij zich over zoiets onbelangrijks druk maken? Rosies huisgenoten waren naar de Cairngorms en vanavond? Wel, vanavond zou hij zijn tandenborstel meenemen.

Fat Charlies lichaam zat in het vliegtuig naar Florida. Het zat beknekd in een stoel in het midden van een rij van vijf mensen en was diep in slaap. Dat was maar goed ook. Zodra het vliegtuig was opgestegen, spoelden de toiletten in de staart niet meer door en hoewel het personeel een bordje met BUITEN WERKING op de deuren had gehangen, hielp dat niet om de stank te verminderen die zich als beginnende luchtverontreiniging door de achterkant van het vliegtuig verspreidde. Baby's huilden en volwassenen mopperden en kinderen jengelden. Een aantal passagiers op weg naar Walt Disney World, die vonden dat hun vakantie begon zodra ze aan boord van het vliegtuig waren, hadden zich nog niet geïnstalleerd of ze hieven een lied aan. Ze zongen 'Bibbidi-Bobbidi-Boo' en 'The Wonderful Thing About Tigers' en 'Under the Sea' en 'Heigh-Ho, Heigh-Ho, It's Off To Work We Go' en zelfs, omdat ze dachten dat het ook een Disneyliedje was: 'We're Off to See the Wizard'.

Toen het vliegtuig eenmaal in de lucht was, bleek dat er door een bevoorradingsfout geen lunches voor de tweede klas aan boord waren. In plaats daarvan was er voor het ontbijt ingeslagen, pakjes met cornflakes en voor elke passagier een banaan, dingen die ze met een plastic mes en vork moesten eten omdat er helaas geen lepels waren, maar dat was niet zo erg omdat de melk voor de cornflakes al gauw op was.

Het was een gruwelijke vlucht en Fat Charlie sliep erdoorheen.

In Fat Charlies droom is hij in een enorme zaal en draagt hij een jacquet. Naast hem staat Rosie in een witte bruidsjurk en naast haar op het podium staat Rosies moeder, die, en dat is een beetje verwarrend, ook een bruidsjurk draagt, hoewel die bedekt is met stof en spinnenwebben. In de verte, aan de horizon, aan de andere kant van de zaal, zijn mensen bezig geweren af te schieten en met witte vlaggen te zwaaien.

'*Het zijn de mensen van tafel* H *maar*', *zegt Rosies moeder*. '*Let er maar niet op*.'

Fat Charlie kijkt naar Rosie. Ze glimlacht naar hem met haar zachte, lieve glimlach, daarna likt ze haar lippen af.

'*Taart*,' *zegt Rosie in zijn droom.*

Dit is voor het orkest het teken te gaan spelen. Het is een jazzorkest in New Orleansstijl, dat een rouwmars speelt.

Het koksmaatje is een politieagente. Ze houdt een paar handboeien vast. De kok rolt de taart naar het podium.

'*Nu*,' *zegt Rosie tegen Fat Charlie in zijn droom*, '*snij de taart aan*.'

De mensen aan tafel B *— het zijn eigenlijk geen mensen maar te-*

kenfilmfiguren, muizen en ratten en boerderijdieren van menselijk formaat, die feest vieren – beginnen liedjes uit Disneyfilms te zingen. Fat Charlie weet dat ze verwachten dat hij meezingt. Zelfs in zijn slaap raakt hij in paniek bij het idee dat hij in het openbaar moet zingen; zijn knieën knikken, zijn lippen worden kurkdroog.

'Ik kan niet meezingen,' *zegt hij, wanhopig een uitvlucht verzinnend.* 'Ik moet de taart aansnijden.'

Daarop wordt het doodstil in de zaal. En in die stilte komt de kok binnen, die een klein karretje voortduwt met iets erop. De kok heeft het gezicht van Grahame Coats, en op het karretje staat een buitensporige witte bruidstaart, een barok baksel met een heleboel etages. Een piepklein bruidje en een piepkleine bruidegom prijken angstvallig op de bovenste etage van de taart, als twee mensen die zich met moeite staande houden op een geglazuurd Chryslergebouw.

Rosies moeder steekt haar hand onder de tafel en trekt een lang mes tevoorschijn met een houten handvat – een soort machete – en een roestig lemmet. Ze geeft het aan Rosie, die Fat Charlies rechterhand op de hare legt, en samen zetten ze het roestige mes in de dikke witte glazuurlaag van de bovenste etage van de taart, drukken het tussen de bruid en bruidegom in omlaag. De taart biedt eerst weerstand aan het lemmet, en Fat Charlie drukt harder, zet zijn volle gewicht op het mes. Hij voelt dat de taart mee begint te geven. Hij drukt nog harder.

Het lemmet glijdt door de bovenste etage van de bruidstaart. Het glijdt en snijdt dwars door de taart, door elke glazuurlaag en etage, terwijl de taart openspringt...

In zijn droom denkt Fat Charlie dat de taart met zwarte kralen is gevuld, kralen van zwart glas of geslepen git, maar dan, terwijl ze uit de taart rollen, dringt het tot hem door dat er aan de kralen poten zitten, aan elke kraal acht behendige poten, en ze komen als een zwarte golf uit de taart zetten. De spinnen stormen naar voren en bedekken het witte tafelkleed; ze bedekken Rosies moeder en Rosie zelf, waardoor hun witte jurken zo zwart als ebbenhout worden. Dan, alsof ze door een machtige en kwaadaardige geest worden bestuurd, stormen ze met honderden tegelijk op Fat Charlie af. Hij draait zich om en wil wegrennen, maar zijn voeten zitten verstrikt in een soort elastisch vliegenpapier, en hij valt op de grond.

Nu zitten ze op hem, hun pootjes kruipen over zijn blote huid. Hij probeert op te staan, maar hij wordt overspoeld door spinnen.

Fat Charlie wil schreeuwen, maar zijn mond zit vol spinnen. Ze bedekken zijn ogen en zijn wereld wordt donker...

Fat Charlie sloeg zijn ogen open en zag niets dan zwartheid, en hij schreeuwde en hij schreeuwde en hij schreeuwde. Toen besefte hij dat het licht uit was en de rolgordijnen dicht waren omdat de mensen naar een film zaten te kijken.

Het was al een gruwelijke vlucht, maar Fat Charlie had het nog iets erger gemaakt voor zijn medepassagiers.

Hij stond op en probeerde de andere mensen in de rij te passeren. In het voorbijgaan struikelde hij over benen en daarna, toen hij bijna bij het gangpad was, strekte hij zijn rug en stootte zich aan het bagagevak, waardoor het deurtje openviel en de tas van iemand op zijn hoofd terechtkwam.

De mensen in de buurt, degenen die het zagen, moesten lachen. Het was een schitterend staaltje slapstick en ze kikkerden er allemaal reuze van op.

ZEVEN

De immigratieambtenaar tuurde naar Fat Charlies Amerikaanse paspoort alsof ze het jammer vond dat hij niet het soort buitenlander was dat ze de toegang tot het land kon weigeren. Daarna gebaarde ze met een zucht dat hij door mocht lopen.

Wat zou hij doen, vroeg hij zich af, als hij eenmaal door de douane was. Een auto huren waarschijnlijk. En iets eten.

Hij stapte uit de tram, liep door de beveiliging, en kwam uit op het grote winkelplein van Orlando Airport. Toen hij mevrouw Higgler daar zag staan, terwijl ze met haar enorme koffiemok in haar hand de gezichten van de zojuist gearriveerde reizigers bekeek, was hij niet eens zo verbaasd. Ze kregen elkaar min of meer gelijktijdig in het oog. Mevrouw Higgler liep naar hem toe.

'Heb je honger?' vroeg ze.

Hij knikte.

'Goed,' zei ze. 'Ik hoop dat je van kalkoen houdt.'

Fat Charlie vroeg zich af of mevrouw Higglers donkerbruine stationcar nog dezelfde was als hij zich van vroeger herinnerde. Hij vermoedde van wel. Eens was ook deze wagen nieuw geweest, dat sprak vanzelf. Alles was per slot van rekening eens nieuw geweest. Het leer van de stoelen was gebarsten en afgebladderd;

het dashboard was bekleed met stoffig fineerhout.

Een bruine papieren boodschappenzak stond tussen hen in op de stoel.

Er zat geen bekerhouder in mevrouw Higglers oeroude wagen, en onder het rijden klemde ze de reusachtige mok koffie tussen haar dijen. De wagen dateerde uit de tijd van voor de airconditioning, en ze reed met de raampjes open. Fat Charlie vond het niet erg. Na de vochtige kilte van Engeland vond hij de Floridase hitte een zegen. Mevrouw Higgler koerste zuidwaarts naar de tolweg. Ze praatte onder het rijden. Ze vertelde over de laatste orkaan, en dat ze haar neefje Benjamin naar SeaWorld en Walt Disney World had meegenomen, en dat geen enkele toeristenplaats meer was wat het vroeger was geweest, over de bouwvoorschriften, de gasprijzen, wat ze precies tegen de dokter had gezegd toen hij een nieuwe heup voorstelde, waarom toeristen de alligators bleven voeren, en waarom nieuwkomers hun huis op het strand bouwden en altijd verbaasd waren als het strand of het huis was verdwenen of de alligators hun hond hadden opgegeten. Fat Charlie liet het allemaal over zich heen komen. Het was maar gebabbel.

Mevrouw Higgler minderde vaart en pakte het kaartje dat ze nodig had voor de tolweg. Ze hield op met praten. Het leek of ze nadacht.

'Zo,' zei ze, 'dus je hebt je broer ontmoet.'

'Weet u,' zei Fat Charlie, 'u had me kunnen waarschuwen.'

'Ik heb je gewaarschuwd dat hij een god is.'

'U hebt me niet verteld wat een stuk verdriet hij is.'

Mevrouw Higgler snoof. Ze nam een teug koffie uit haar mok.

'Kunnen we ergens stoppen om een hapje te eten?' vroeg Fat Charlie. 'In het vliegtuig hadden ze alleen cornflakes en bananen. Geen lepels. En de melk was op voordat mijn rij aan de beurt was. Ze boden hun excuses aan en ter compensatie kregen we allemaal een tegoedbon.'

Mevrouw Higgler schudde haar hoofd.

'Ik had met mijn tegoedbon een hamburger op het vliegveld moeten nemen.'

'Ik vertel je net,' zei mevrouw Higgler, 'dat Louella Dunwiddy een kalkoen aan het braden is. Hoe zal zij zich voelen, denk je, als we aankomen en je hebt je al volgegeten bij McDonald's en je hebt geen honger meer. Hè?'

'Maar ik rámmel van de honger. En we zijn nog ruim twee uur onderweg.'

'Niet,' zei ze gedecideerd, 'als ik achter het stuur zit.'

En prompt drukte ze het gaspedaal in. Terwijl de donkerbruine stationcar over de snelweg denderde, kneep Fat Charlie regelmatig zijn ogen stevig dicht en trapte tegelijkertijd met zijn linkervoet op een denkbeeldig rempedaal. Het was hondsvermoeiend.

In beduidend minder dan twee uur waren ze bij de uitrit van de tolweg en draaiden een plaatselijke verkeersweg op. Ze reden voorbij Barnes and Noble en het Office Depot. Ze kwamen langs huizen ter waarde van iets met zes nullen met veiligheidshekken eromheen. Ze reden door oudere woonstraten, die er in Fat Charlies herinnering vroeger veel verzorgder uit hadden gezien. Ze reden eerst langs het West-Indische afhaalrestaurant, daarna langs het restaurant met de Jamaicaanse vlag voor het raam en de handgeschreven bordjes waarmee ze hun ossenstaart, rijstspecialiteiten, zelfgebrouwen gemberbier en kipkerrie aanprezen.

Het water liep Fat Charlie in de mond; zijn maag begon te knorren.

Een schok en een bonk. De huizen werden ouder en nu kwam alles hem bekend voor.

De roze plastic flamingo's waren nog steeds opvallende verschijningen in de voortuin van mevrouw Dunwiddy, hoewel ze in de loop der tijd door de zon bijna wit waren geworden. Er stond ook een glazen spiegelbol en toen Fat Charlie die zag, voelde hij even een ongekende angst opkomen.

'Hoe erg is het met Spider?' vroeg mevrouw Higgler, terwijl ze naar mevrouw Dunwiddy's voordeur liepen.

'Laat ik het zo stellen,' zei Fat Charlie. 'Ik denk dat hij met mijn verloofde naar bed gaat. Dat is mij nog nooit gelukt.'

'Aha,' zei mevrouw Higgler. 'Tjonge.' En ze drukte op de bel.

Het had iets weg van *Macbeth*, dacht Fat Charlie een uur later. Als de heksen in feite vier oude vrouwtjes waren geweest die, in plaats van in ketels te roeren en dreigende spreuken op te zeggen, Macbeth gewoon hadden verwelkomd, hem een maaltijd hadden voorgezet van kalkoen en rijst en erwten, opgediend op wit porseleinen borden op een rood met wit geblokt plastic tafelkleed – en niet te vergeten zoete aardappelen en pittige kool – en hem hadden aangespoord een tweede portie te nemen, en een derde, en toen Macbeth had verkondigd dat hij voorwaar zo verzadigd was dat hij bijna op knappen stond en zwoer dat hij geen hap meer door zijn keel kon krijgen, hem hun speciale rijstpudding van het eiland hadden opgedrongen en een grote plak van mevrouw Bustamontes beroemde omgekeerde ananascake, was het precies *Macbeth* geweest.

'En,' zei mevrouw Dunwiddy, terwijl ze een kruimel van de omgekeerde ananastaart uit haar mondhoek streek, 'wat hoor ik? Heeft je broer je opgezocht?'

'Ja, ik heb met een spin gepraat. Dus het zal mijn eigen schuld wel zijn. Ik dacht niet dat er iets zou gebeuren.'

Een koor van *tuttut* en *tja* en *tjonge* steeg van de tafel op terwijl mevrouw Higgler en mevrouw Dunwiddy en mevrouw Bustamonte en juffrouw Noles met hun tong klakten en hun hoofd schudden. 'Hij heeft altijd gezegd dat jij de domste van de twee was,' zei juffrouw Noles. 'Dat wil zeggen, je vader. Ik heb hem nooit geloofd.'

'Maar hoe kon ik dat nou weten?' protesteerde Fat Charlie. 'Mijn ouders hebben nooit gezegd: "Hoor eens even, zoon, je hebt nog een broer die je niet kent. Nodig hem uit en hij zorgt ervoor dat je door de politie wordt ondervraagd, hij gaat met je verloofde naar bed, hij trekt niet alleen bij je in, maar installeert een compleet nieuw huis in je logeerkamer. Hij zal je hersenspoelen en ervoor zorgen dat je naar de bioscoop gaat en er de hele nacht over doet om thuis te komen en..." ' Hij zweeg. Dat kwam door de manier waarop ze hem aankeken.

Er steeg een zucht van de tafel op. Hij golfde van mevrouw Higgler naar juffrouw Noles naar mevrouw Bustamonte en toen naar mevrouw Dunwiddy. Het was bijzonder verontrustend en griezelig, maar mevrouw Bustamonte liet een boer en bedierf het effect.

'Dus wat wil je?' vroeg mevrouw Dunwiddy. 'Zeg op.'

Fat Charlie dacht erover na wat hij wilde, in mevrouw Dunwiddy's kleine eetkamer. Buiten trok het daglicht weg en het begon voorzichtig te schemeren.

'Hij heeft mijn leven tot een hel gemaakt,' zei Fat Charlie. 'Ik wil dat jullie ervoor zorgen dat hij weggaat. Gewoon weg. Kunnen jullie dat?'

De drie jongere vrouwen hielden hun mond. Ze keken naar mevrouw Dunwiddy.

'Eigenlijk kunnen we dat niet,' zei mevrouw Dunwiddy. 'We hebben al...' en ze onderbrak zichzelf. 'Nou, we hebben er al alles aan gedaan, weet je.'

Het strekte Fat Charlie tot eer dat hij niet deed wat hij misschien heimelijk wilde, in tranen uitbarsten of jammeren of instorten als een ingewikkelde soufflé. Hij knikte alleen. 'Nou ja, dan spijt het me dat ik jullie heb lastiggevallen. Bedankt voor het eten.'

'We kunnen je broer niet weg krijgen,' zei mevrouw Dunwiddy; haar oude bruine ogen bijna zwart achter haar jampotglazen. 'Maar we kunnen je naar iemand toe sturen die dat wel kan.'

Het was vroeg in de avond in Florida, dus in Londen was het middernacht. In Rosies grote bed, waar Fat Charlie nooit was geweest, lag Spider te rillen.

Rosie drukte zich dicht tegen hem aan, huid tegen huid. 'Charles,' vroeg ze, 'voel je je wel goed?' Ze kon het kippenvel op zijn armen voelen.

'Niets aan de hand,' zei Spider. 'Kreeg opeens zo'n akelig gevoel.'

'Er liep iemand over je graf,' zei Rosie.

Hij trok haar naar zich toe en kuste haar.

Ondertussen zat Daisy in de kleine zitkamer van het huis in

Hendon, in een lichtgroene nachtjapon en donzige, felroze pantoffels aan haar voeten. Ze zat hoofdschuddend achter de computer en klikte met haar muis.

'Ga je nog lang door?' vroeg Carol. 'Je weet dat ze daar een heel computerteam voor hebben. Dus dat hoef jij niet te doen.'

Daisy maakte een geluid. Het was geen ja en geen nee. Het klonk als ik-weet-dat-je-iets-tegen-me-zei-en-als-ik-geluid-maak-hoepel-je-misschien-op.

Carol had dat geluid eerder gehoord.

'Hé, jij daar,' zei ze, 'met je dikke reet. Ga je nog lang door? Ik wil mijn weblog bijwerken.'

Daisy registreerde dat er iets werd gezegd. Twee woorden drongen tot haar door. 'Zei je dat ik een dikke reet heb?'

'Nee,' zei Carol. 'Ik zei dat het laat is en dat ik mijn weblog wil bijwerken. Ik ga hem een nummertje laten maken met een topmodel in het toilet van een niet nader aangeduide Londense nachtclub.'

Daisy zuchtte. 'Goed,' zei ze. 'Maar de zaak stinkt.'

'Wat stinkt?'

'Grootscheepse zwendel, denk ik. Goed, ik heb uitgelogd. De computer staat geheel tot je beschikking. Je weet dat je problemen kunt krijgen als je je uitgeeft voor een lid van het koninklijk huis?'

'Rot op.'

Carol gaf een weblog uit, die zogenaamd uit de koker kwam van iemand van de Britse koninklijke familie, een jonge, vrijgevochten man. De kranten waren verdeeld over de vraag of de blog echt was; wat ze schreef was immers alleen bekend aan iemand die lid van het koninklijk huis was, of aan iemand die de glossy roddelbladen las.

Daisy stond op van de computer, maar ze bleef piekeren over de financiële verwikkelingen bij de Grahame Coats Agency.

In de slaapkamer van zijn grote, maar beslist niet protserige huis in Purley lag Grahame Coats vast te slapen. Als er op aarde rechtvaardigheid bestond, had hij door nachtmerries gekweld in zijn slaap moeten kreunen en zweten, terwijl hij door de furiën van zijn geweten met schorpioenen werd gegeseld. Het spijt me dan ook om te moeten toegeven dat Grahame Coats sliep als een weldoorvoede, naar melk ruikende baby, en dat hij helemaal nergens over droomde.

Ergens in het huis van Grahame Coats sloeg een staande klok twaalf afgemeten slagen. In Londen was het middernacht. In Florida was het zeven uur 's avonds.

Hoe dan ook, het was het heksenuur.

Mevrouw Dunwiddy haalde het geplastificeerde rood met wit geblokte tafelkleed weg en borg het op.

Ze vroeg: 'Wie heeft de zwarte kaarsen?'

Juffrouw Noles zei: 'Ik heb de kaarsen.' Er stond een boodschappentas aan haar voeten en ze rommelde erin, waarna ze er vier kaarsen uithaalde. Ze waren hoofdzakelijk zwart. Er was één lange onversierde kaars bij. De andere drie stelden een zwartgele tekenfilmpinguïn voor en er stak een pit uit hun kop. 'Het was alles wat ze hadden,' zei ze verontschuldigend. 'En ik heb drie winkels af moeten gaan voor ik ze vond.'

Mevrouw Dunwiddy zei niets, maar schudde haar hoofd. Ze plaatste de vier kaarsen op de vier hoeken van de tafel; de enige niet-pinguïnvormige kaars aan het hoofd van de tafel waar ze zelf zat. Alle kaarsen stonden op plastic picknickbordjes. Mevrouw Dunwiddy pakte een grote bus koosjer zout en ze opende de tuit en strooide een berg zoutkorrels op de tafel. Toen keek ze grimmig naar het zout en vormde er bergjes en cirkels van door er met haar verschrompelde wijsvinger in te porren.

Juffrouw Noles kwam uit de keuken met een grote glazen schaal, die ze in het midden van de tafel zette. Ze schroefde de dop van een fles sherry en schonk een royale hoeveelheid drank in de schaal.

'En nu,' zei mevrouw Dunwiddy, 'het duivelsgras, de sint-janswortel en de kattenstaarten.'

Mevrouw Bustamonte rommelde in haar boodschappentas en haalde er een glazen potje uit. 'Gemengde kruiden,' legde ze uit. 'Ik dacht dat dat ook wel kon.'

'Gemengde kruiden!' zei mevrouw Dunwiddy. 'Gemengde kruiden!'

'Waarom niet?' zei mevrouw Bustamonte. 'Dat doe ik altijd als ik een recept heb met een beetje basilicum en een snufje oregano. Dat vind ik altijd zo'n gedoe. Als je het mij vraagt, komt het allemaal op hetzelfde neer.'

Mevrouw Dunwiddy zuchtte. 'Gooi er maar in,' zei ze.

Een half potje gemengde kruiden werd over de sherry uitgestrooid. De gedroogde blaadjes bleven op de vloeistof drijven.

'En nu,' zei mevrouw Dunwiddy, 'de vier soorten aarde. Ik hoop,' zei ze, haar woorden zorgvuldig kiezend, 'dat niemand me gaat vertellen dat er geen vier soorten aarde te krijgen zijn en dat we ons daarom moeten behelpen met een kiezel, een dode kwal, een koelkastmagneet en een stuk zeep.'

'Ik heb de aarde,' zei mevrouw Higgler. Ze haalde een bruine boodschappenzak tevoorschijn en trok er vier plastic ritszakjes uit, elk in een andere kleur. Ze gooide de zakjes stuk voor stuk leeg op een van de vier hoeken van de tafel.

'Fijn dat er nog iemand oplet,' zei mevrouw Dunwiddy.

Juffrouw Noles stak de kaarsen aan, en ze maakte iedereen erop attent hoe gemakkelijk de pinguïns aangingen, hoe vertederend en grappig ze waren.

Mevrouw Bustamonte verdeelde het restant van de sherry over vier glazen, voor elke vrouw een glas.

'Krijg ik niet?' vroeg Fat Charlie, hoewel hij het niet erg vond. Hij hield niet van sherry.

'Nee,' zei mevrouw Dunwiddy resoluut, 'jij niet. Jij moet je hoofd erbij houden.' Ze stak haar hand in haar tas en haalde er een goudkleurig pillendoosje uit.

Mevrouw Higgler deed het licht uit. Ze zaten met hun vijven bij kaarslicht om de tafel.

'Wat nu?' vroeg Fat Charlie. 'Zullen we elkaars hand vasthouden en contact maken met geesten?'

'Geen sprake van,' fluisterde mevrouw Dunwiddy. 'En ik wil geen woord meer van je horen.'

'Sorry,' zei Fat Charlie, en wou dat hij ook dat niet had gezegd.

'Luister,' zei mevrouw Dunwiddy. 'Je gaat ergens heen waar ze je misschien kunnen helpen. Maar wat er ook gebeurt, je mag niets van jezelf weggeven en niets beloven. Begrepen? En als je iemand iets moet geven, moet je zorgen dat je iets van gelijke waarde terugkrijgt. Ja?'

Fat Charlie had bijna 'ja' gezegd, maar hij bedacht zich net op tijd en knikte alleen.

'Dan is het goed.' Daarna begon mevrouw Dunwiddy eentonig te neuriën; haar oude stem beefde en haperde.

Juffrouw Noles begon ook te neuriën, veel melodieuzer. Haar stem was hoger en krachtiger.

Mevrouw Bustamonte neuriede niet. In plaats daarvan siste ze, een onophoudelijk, slangachtig sissen. Het paste zich aan bij het ritmische neuriën en vlocht zich daar doorheen en onderdoor.

Mevrouw Higgler begon, en ze neuriede niet, en ze siste niet. Ze zoemde, als een vlieg tegen het raam. Met haar tong en haar tanden bracht ze een ongelooflijk vreemd geluid voort dat klonk alsof ze een zwerm boze bijen in haar mond hield die naar buiten wilde.

Fat Charlie vroeg zich af of hij geacht werd ook iets te doen, maar hij had geen idee wat voor geluid hij moest maken, dus concentreerde hij zich op het gewoon daar zitten zonder gek te worden van al die geluiden.

Mevrouw Higgler gooide een beetje rode aarde in de schaal met sherry en gemengde kruiden. Mevrouw Bustamonte gooide er een beetje gele aarde in. Juffrouw Noles gooide bruine aarde erin, terwijl mevrouw Dunwiddy zich tergend langzaam vooroverboog en er een kluitje zwarte modder in liet vallen.

Mevrouw Dunwiddy nam een slokje sherry. Daarna wroette ze met haar reumatische vingers in het pillendoosje, pakte er iets uit dat ze in de kaarsvlam gooide. Even rook de kamer naar citroen en toen rook je alleen een schroeilucht.

Juffrouw Noles begon op het tafelblad te trommelen. Ze ging door met neuriën. Het kaarslicht flakkerde, zodat hun schaduwen levensgroot op de muren dansten. Mevrouw Higgler begon ook op het tafelblad te trommelen; haar vingers sloegen een andere maat dan die van juffrouw Noles, sneller, nadrukkelijker; de twee roffels vermengden zich tot een nieuw ritme.

In Fat Charlies beleving versmolten alle geluiden tot één vreemd geluid: het neuriën en het sissen en het zoemen en het roffelen. Hij kreeg een licht gevoel in zijn hoofd. Alles was raar. Alles was onwaarschijnlijk. In het geluid van de vrouwen hoorde hij de dieren in het bos, het knetteren van reusachtige vuren. Zijn vingers leken uitgerekt en van elastiek, zijn voeten bevonden zich een heel eind verder.

Toen leek het of hij iets boven de anderen zweefde, een stukje erboven, terwijl er onder hem vijf mensen aan tafel zaten. Een van de vrouwen gebaarde en gooide iets in de schaal midden op tafel, en er volgde een lichtflits die Fat Charlie tijdelijk verblindde. Hij sloot zijn ogen, hoewel hij merkte dat het helemaal niet hielp. Zelfs dat deed pijn aan zijn ogen.

Hij wreef in zijn ogen; het was klaarlichte dag. Hij keek om zich heen.

Achter hem verhief zich de steile rotswand van een berghelling. Voor hem bevond zich een steile afgrond: daar liepen de kliffen loodrecht naar beneden. Hij ging naar de rand van het klif en wierp voorzichtig een blik omlaag. Eerst dacht hij dat de witte dingen die hij zag, schapen waren, tot hij besefte dat het wolken waren; grote witte donzige wolken, heel diep onder hem. En onder die wolken was er niets. Hij zag de blauwe lucht en dacht dat als hij bleef kijken, hij misschien de zwarte ruimte kon zien en daarachter de kille twinkeling van de sterren.

Hij stapte weg van de rand van het klif.

Toen draaide hij zich om en liep in de richting van de bergen die zich steeds hoger verhieven, zo hoog dat hij de toppen niet kon zien, zo hoog dat hij zeker wist dat ze zouden omvallen en hem voorgoed bedelven. Hij dwong zichzelf weer omlaag te kijken, zijn blik naar de grond te richten, en toen ontdekte hij dat er een eindje boven de grond gaten in de rots zaten; het leek op de ingang van natuurlijke holen.

Het terrein waar hij stond, tussen de berghelling en de kliffen, was naar schatting niet breder dan vierhonderd meter: een met keien overdekt zandpad, begroeid met struiken en hier en daar een stoffige bruine boom. Het pad leek evenwijdig te lopen met de berghelling tot het in de wazige verte verdween. *Iemand houdt me in de gaten*, dacht Fat Charlie. 'Hallo,' riep hij, weer opkijkend. 'Is daar iemand?'

Uit de dichtstbijzijnde grotopening kwam een man tevoorschijn met een veel donkerder huid dan Fat Charlie, veel donkerder zelfs dan Spider, maar zijn lange haar was bruinachtig geel en omlijstte zijn gezicht als manen. Hij droeg een gehavende gele leeuwenhuid om zijn middel; van achteren stak er een leeuwenstaart uit en met die staart sloeg hij een vlieg van zijn schouders.

De man knipperde met zijn gouden ogen.

'Wie ben je?' gromde hij. 'En wie heeft je toestemming gegeven hier te komen?'

'Ik ben Fat Charlie Nancy,' zei Fat Charlie. 'Anansi de spin was mijn vader.'

Het imposante hoofd knikte. 'En wat doe je hier, Compé Anansi's kind?'

Fat Charlie wist niet beter dan dat ze daar alleen op de rotsen waren, maar toch had hij het gevoel dat er een heleboel mensen meeluisterden, een heleboel stemmen zwegen, een heleboel oren gespitst waren. Fat Charlie praatte hard, zodat iedereen die meeluisterde het kon horen. 'Mijn broer. Hij maakt me het leven zuur. Ik krijg hem niet weg.'

'Dus je roept onze hulp in?' vroeg de leeuw.

'Ja.'

'En die broer. Is hij een kind van Anansi, net als jij?'

'Hij lijkt niet op mij,' zei Fat Charlie. 'Hij is een van jullie.'

Een soepele gouden beweging; de leeuwman sprong lichtvoetig en zonder enige inspanning uit de grotopening over de grijze stenen en had in een paar tellen vijftig meter overbrugd. Nu stond hij naast Fat Charlie. Zijn staart zwiepte ongeduldig heen en weer.

Met de armen over elkaar keek hij op Fat Charlie neer en zei:

'Waarom los je het zelf niet op?'

Fat Charlie had een droge mond gekregen. Zijn keel voelde verschrikkelijk stroef aan. Het schepsel tegenover hem was groter dan een mens, en het rook niet naar een mens. De punten van zijn hoektanden rustten op zijn onderlip.

'Kan ik niet,' piepte Fat Charlie.

Een enorme man stak zijn hoofd uit de opening van de volgende grot. Zijn huid was bruinachtig grijs, vol plooien en rimpels, en hij had ronde, ronde benen. 'Als je broer en jij ruzie hebben,' zei hij, 'moet je het aan je vader voorleggen. Hij is het hoofd van het gezin dus zijn wil is wet.' Hij gooide het hoofd in de nek en maakte een geluid achter in zijn neus en keel, een krachtig trompetterend geluid, en toen wist Fat Charlie dat hij naar Olifant keek.

Fat Charlie slikte. 'Mijn vader is dood,' zei hij, en nu klonk zijn stem opeens helder, helderder en harder dan hij had verwacht. Het geluid weerkaatste tegen de wand van het klif, kwam als echo bij hem terug vanuit honderd grotopeningen, honderd vooruitstekende rotsformaties. Dood *dood* dood *dood* dood, riep de echo. 'Daarom ben ik hier.'

Leeuw zei: 'Ik voel geen sympathie voor Anansi de spin. Eens, lang geleden, bond hij me aan een houtblok, en een ezel sleepte me door het stof naar de zetel van Mawu, die alle dingen maakt.' Hij gromde bij de herinnering, en Fat Charlie wou dat hij ergens anders was.

'Loop maar door,' zei Leeuw. 'Misschien is er iemand die je wil helpen, maar ik niet.'

Olifant zei: 'Ik ook niet. Je vader bedroog me en at mijn buikvet op. Hij zei dat hij schoenen voor me zou maken, en hij kookte het en hij lachte terwijl hij zich volpropte. Dat vergeet ik niet.'

Fat Charlie liep door.

In de volgende grotopening stond een man in een keurig groen pak en op zijn hoofd droeg hij een vlotte hoed met een band van slangenleer. Hij droeg laarzen van slangenleer en een riem van slangenleer. Hij siste toen Fat Charlie voorbij kwam. 'Loop maar door, zoon van Anansi,' zei Slang, zijn stem een droog geratel.

'Die hele vervloekte familie van jou is niets dan ellende. Ik ben niet van plan in jouw puinhoop verzeild te raken.'

De vrouw in de volgende grotopening was erg mooi; haar ogen waren zwarte druppels olie en haar snorharen staken sneeuwwit af tegen haar huid. Op haar bovenlichaam had ze twee rijen borsten.

'Ik heb je vader gekend,' zei ze. 'Lang geleden. Poehpoeh.' Ze schudde haar hoofd bij die herinnering, en Fat Charlie had het gevoel alsof hij een brief las die niet voor hem was bestemd. Ze blies Fat Charlie een kushandje toe, maar toen hij dichterbij wilde komen, schudde ze haar hoofd.

Hij liep door. Voor hem stak een dode boom uit de grond als een staketsel van oude grijze botten. De schaduwen werden langer nu de zon langzaam aan de eindeloze hemel onderging, achter de rand waar de kliffen loodrecht afdaalden naar het einde van de wereld. Het oog van de zon was een reusachtige geeloranje bal, en de witte wolkjes eronder waren gehuld in een gouden en purperen gloed.

De Assyriër kwam aanstormen als een wolf op de kudde, dacht Fat Charlie. Het was een dichtregel uit een ver weggezakte Engelse les, die hem te binnen schoot. *En zijn cohorten blonken in purper en goud.* Hij probeerde zich te herinneren wat een *cohort* was, tevergeefs. Hij nam aan dat het een soort strijdwagen was.

Dicht bij zijn elleboog bewoog iets en hij besefte dat wat hij eerst had aangezien voor een bruine rots onder de dode boom, in werkelijkheid een rossige man was, met vlekken op zijn rug als een luipaard. Hij had erg lang en erg zwart haar, en als hij lachte, had hij de tanden van een grote kat. Hij glimlachte even, zonder warmte of vreugde of vriendschap. Hij zei: 'Ik ben Tijger. Je vader heeft me honderd keer pijn gedaan en hij heeft me duizend keer beledigd. Tijger vergeet dat niet.'

'Het spijt me,' zei Fat Charlie.

'Ik loop met je mee,' zei Tijger. 'Een klein eindje. Zei je dat Anansi dood is?'

'Ja.'

'Nee maar! Wat heeft hij me vaak voor de gek gehouden. Vroeger was alles van mij – de verhalen, de sterren, alles. Hij heeft het allemaal van me afgepakt. Nu hij dood is, houden de mensen misschien op met die stomme verhalen van hem. Met me uit te lachen.'

'Dat weet ik wel zeker,' zei Fat Charlie. 'Ik heb je nooit uitgelachen.'

Ogen in de kleur van geslepen smaragden lichtten op in het gezicht van de man. 'Bloed is bloed,' was het enige wat hij zei. 'Anansi's bloedlijn is Anansi.'

'Ik ben mijn vader niet,' zei Fat Charlie.

Tijger ontblootte zijn tanden. Ze waren erg scherp. 'Je hoort mensen niet aan het lachen te maken,' legde Tijger uit. 'Het is daar een grote, ernstige wereld; er valt niets te lachen. Nooit. Je moet kinderen leren om bang te zijn. Leer ze te beven. Leer ze om wreed te zijn. Leer ze gevaarlijk te zijn in het donker. Zich te verbergen in de schaduwen, dan uithalen of aanvallen of springen of zich laten vallen, en altijd doden. Weet je waar het in het leven om draait?'

'Ahum,' zei Fat Charlie. 'Dat we van elkaar houden?'

'Waar het in het leven om draait, is het warme bloed van je prooi op je tong proeven, het vlees tussen je tanden verscheuren, het kadaver van je vijand in de zon laten liggen zodat de aaseters je werk af kunnen maken. Dát is leven. Ik ben Tijger en ik ben sterker dan Anansi ooit is geweest, groter, gevaarlijker, machtiger, wreder, wijzer...'

Fat Charlie wilde weg, wilde niet meer met Tijger praten. Het was niet dat Tijger gek was; eerder dat hij er zulke serieuze overtuigingen op na hield en dat al zijn overtuigingen even onaangenaam waren. Bovendien deed hij Fat Charlie aan iemand denken, en al wist hij niet zo gauw wie, het was iemand die hij niet mocht. 'Help je me om van mijn broer af te komen?'

Tijger kuchte, alsof er een veertje, of misschien een hele vogel, in zijn keel stak.

'Zal ik water voor je halen?' vroeg Fat Charlie.

Tijger bekeek Fat Charlie wantrouwig. 'De vorige keer dat Anansi me water aanbood, draaide het erop uit dat ik de maan uit een vijver probeerde te vissen en verdronk.'

'Ik wilde alleen maar helpen.'

'Dat zei hij ook.' Tijger boog zich naar Fat Charlie toe, keek hem strak in de ogen. Van dichtbij zag hij er verre van menselijk uit – zijn neus was te plat, zijn ogen stonden op een andere manier in zijn gezicht en hij rook naar een dierentuinkooi. Zijn stem was een grauwend gerommel. 'Ik zal je vertellen hoe je me gaat helpen, Anansi's kind. Jij en je hele familie. Jullie blijven bij mij uit de buurt. Begrepen? Als je tenminste vlees op je botten wilt houden.' Toen likte hij zijn lippen af met een tong die zo rood was als vers geslacht vlees en langer dan de langste menselijke tong.

Fat Charlie deinsde achteruit. Hij wist zeker dat hij Tijgers tanden in zijn nek zou voelen als hij zou rennen. Er was in de verste verte niets menselijks meer aan het schepsel. Het was even groot als een echte tijger. Het was het toonbeeld van de grote kat die in een menseneter was veranderd, van de tijger die iemands nek breekt met het gemak waarmee de huiskat een muis dood mept. Dus hij keek Tijger strak aan terwijl hij achteruit week, en al snel kuierde het schepsel terug naar zijn dode boom en strekte zich uit op de rotsen en verdween in de gevlekte schaduwen; alleen het ongeduldige zwiepen van zijn staart verried waar hij lag.

'Trek je van hem maar niets aan,' zei een vrouw vanuit een grotopening. 'Kom hier.'

Fat Charlie wist niet of hij haar aantrekkelijk of monsterlijk lelijk moest vinden. Hij liep naar haar toe.

'Tijger blaast wel hoog van de toren, maar hij is doodsbang voor zijn eigen schaduw. En nog banger voor je vaders schaduw. Hij heeft geen kracht in zijn kaken.'

Haar gezicht had iets van een hond. Nee, niet van een hond...

'Neem mij bijvoorbeeld,' zei ze toen hij bij haar was, 'ik verbrijzel het bot. Daar zit het lekkerste verstopt. Daar zit het meest malse vlees verstopt, en ik ben de enige die dat weet.'

'Ik zoek iemand die me van mijn broer kan afhelpen.'

De vrouw legde haar hoofd in haar nek en lachte, een schallende lach, hard, lang en krankzinnig, en toen wist Fat Charlie wie ze was.

'Hier vind je niemand die je wil helpen,' zei ze. 'Ze hebben er allemaal van langs gehad als ze zich tegen je vader keerden. Tijger haat jou en je familie meer dan wie dan ook, maar zelfs hij zal niets doen zolang je vader nog op de wereld rondloopt. Luister: loop dit pad af. Als je het mij vraagt, en ik heb een profetische blik, zul je geen hulp krijgen voordat je bij een lege grot komt. Ga naar binnen. Praat met wie je daar aantreft. Begrepen?'

'Ik denk het wel.'

Ze lachte. Het was geen prettige lach. 'Wil je even binnen komen? Ik ben een hele ervaring. Je weet wat ze zeggen – niets beniger, gemener en obscener dan Hyena.'

Fat Charlie schudde zijn hoofd en liep door, voorbij de holen in de rotswanden aan het eind van de wereld. Elke keer als hij langs een donkere grot kwam, wierp hij een blik naar binnen. Hij zag mensen in allerlei vormen en maten, kleine en grote mensen, mannen en vrouwen. Terwijl hij voorbijliep, zag hij ze soms in de schaduw, dan weer in het licht, en ze hadden flanken of schubben, horens of klauwen.

Sommige wezens schrokken toen hij langskwam en trokken zich achter in de grot terug. Anderen kwamen juist naar buiten om hem agressief of nieuwsgierig aan te staren.

Er buitelde iets door de lucht. Het had zich van de rotswand boven een grotopening laten vallen en streek naast Fat Charlie op de grond neer. 'Hallo,' zei het buiten adem.

'Hallo,' zei Fat Charlie.

De nieuweling was opgewonden en harig. Zijn armen en benen zaten op de verkeerde plaats. Fat Charlie probeerde hem thuis te brengen. De andere mensdieren waren tegelijk dierlijk en menselijk, en daar was niets vreemds of tegenstrijdigs aan – hun dierlijkheid en menselijkheid liepen als vanzelfsprekend in elkaar over, zoals de strepen van een zebra, en die combinatie maakte hen tot iets speciaals. Dit wezen was tegelijkertijd menselijk en bijna menselijk, een merkwaardige mix waarvan Fat

Charlie de kriebels kreeg. Toen wist hij het.

'Aap,' zei hij. 'Jij bent Aap.'

'Heb je een perzik,' vroeg Aap. 'Heb je een mango? Een vijg?'

'Helaas niet,' zei Fat Charlie.

'Geef me iets te eten,' zei Aap. 'Dan ben ik je vriend.'

Mevrouw Dunwiddy had hem gewaarschuwd. *Geef niets weg,* dacht hij. *Beloof niets.*

'Ik ga je niets geven, sorry.'

'Wie ben je?' vroeg Aap. 'Wie ben je? Je lijkt op de helft van iets. Ben je van hier of van daar?'

'Anansi was mijn vader,' zei Fat Charlie. 'Ik zoek hulp. Ik wil van mijn broer af. '

'Dan wordt Anansi misschien kwaad,' zei Aap. 'Erg slecht idee. Wie Anansi kwaad maakt, kom nooit meer in zijn verhalen voor.'

'Anansi is dood,' zei Fat Charlie.

'Dood daar,' zei Aap. 'Kan zijn. Maar dood hier? Dat is heel andere koek.'

'Bedoel je dat hij hier kan zijn?' Fat Charlie bekeek de bergwand aandachtiger. Het idee dat hij in een van die grotopeningen zijn vader kon aantreffen, in een krakende schommelstoel, zijn groene gleufhoed achter op zijn hoofd, terwijl hij een slokje bruin bier nam en een geeuw achter zijn citroengele handschoenen smoorde, was inderdaad verontrustend.

'Wie? Wat zeg je?'

'Denk je dat hij hier is?'

'Wie?'

'Mijn vader?'

'Je vader?'

'Anansi.'

Aap sprong doodsbang boven op een rots, drukte zich tegen de stenen aan, terwijl zijn ogen van links naar rechts schoten alsof hij bedacht was op een onverwachte orkaan. 'Anansi. Is hij hier?'

'Dat vroeg ik aan jou,' zei Fat Charlie.

Aap zwaaide opeens rond tot hij ondersteboven aan zijn voeten hing, met zijn ondersteboven gezicht pal voor dat van Fat Charlie. 'Soms ga ik naar de wereld,' zei hij. 'Daar zeggen ze: "Aap, slimme Aap, kom, kom. Kom de perziken opeten die we voor je hebben. En de noten. En de larven. En de vijgen." '

'Is mijn vader hier?' vroeg Fat Charlie geduldig.

'Hij heeft geen grot,' zei Aap. 'Ik zou het weten als hij een grot had, denk ik. Misschien heeft hij een grot en ben ik het vergeten. Als je me een perzik geeft, weet ik het weer.'

'Ik heb niets bij me,' zei Fat Charlie.

'Geen perziken?'

'Niets, helaas.'

Aap slingerde zich omhoog naar de punt van zijn rots, en weg was hij.

Fat Charlie liep verder over het rotsachtige pad. Nu stond de zon zo laag dat hij op gelijke hoogte was met het pad en hij verspreidde een diep oranje gloed. Het late licht scheen recht de grotten in en hij zag dat elke grot bewoond was. Die daar met het grijze vel moest Neushoorn zijn, die bijziend naar buiten tuurde. Daar, met de kleur van een half vergane boomstam in ondiep water en ogen zwart als glas, was Krokodil.

Achter hem klonk het geluid van knerpende stenen. Fat Charlie draaide zich met een ruk om. Aap keek naar hem op, zijn knokkels schuurden over het pad.

'Ik heb echt geen fruit,' zei Fat Charlie. 'Anders had ik je wel iets gegeven.'

Aap zei: 'Kreeg medelijden met je. Misschien moet je naar huis gaan. Dit is een slecht slecht slecht slecht slécht idee. Ga je?'

'Nee,' zei Fat Charlie.

'Ach,' zei Aap. 'Goed dan. Goed goed goed goed góéd.' Hij bleef staan, toen maakte hij plotseling vaart, beende met grote soepele sprongen Fat Charlie voorbij en bleef een eindje verder voor een grot staan.

'Niet naar binnen gaan,' zei hij. 'Slechte plek.' Hij wees naar de grotopening.

'Waarom?' vroeg Fat Charlie. 'Wie is daar?'

161

'Er is niemand,' zei Aap triomfantelijk. 'Dus je hoeft er ook niet te kijken.'

'Ja,' zei Fat Charlie. 'Juist wel.'

Aap kwetterde en stuiterde, maar Fat Charlie liep hem voorbij en klom langs de rots omhoog tot hij bij de opening van de lege grot was, terwijl de bloedrode zon verdween achter de kliffen aan het einde van de wereld.

Als je over het pad loopt langs de rand van bergen aan het begin van de wereld (maar het eind van de wereld als je vanaf de andere kant komt), dan ziet het er allemaal vreemd en onwerkelijk uit. Deze bergen en grotten zijn gemaakt uit de stof van de oudste verhalen (lang voor de komst van de mens; hoe kom je erbij dat mensen de eerste wezens waren die verhalen vertelden?) en toen hij van het pad af de grot in stapte, kreeg Fat Charlie het gevoel alsof hij in een totaal andere werkelijkheid binnenstapte. Het was een diepe grot; de grond was bespikkeld met witte vogelpoep. Er lagen ook veren op de grond, en hier en daar, als een verlepte, vergeten plumeau, lag een dode vogel, geplet en uitgedroogd.

Achter in de grot heerste diepe duisternis.

Fat Charlie riep: 'Hallo?' En de echo van zijn stem keerde vanuit het binnenste van de grot naar hem terug. *Hallo hallo hallo hallo.*

Hij bleef doorlopen. Nu was de duisternis in de grot bijna tastbaar, alsof er een dun en donker vlies voor zijn ogen zat. Hij liep langzaam, stap voor stap, zijn armen voor zich uit gestrekt.

Er bewoog iets.

'Hallo?'

Zijn ogen begonnen te wennen aan het beetje licht dat er was en vaag kon hij in het donker iets onderscheiden. *Het is niets. Vodden en veren. Dat is alles.* Nog een stap, en de wind bewoog de veren en deed de vodden op de grond van de grot wapperen.

Er fladderde iets om hem heen, fladderde door hem heen, geselde de lucht als het geklapper van duiven.

Een werveling. Stof prikte in zijn ogen en zijn gezicht. Hij knipperde vanwege de koude wind en week achteruit toen het voor hem opdook, een wervelwind van stof en vodden en veren.

Toen ging de wind liggen, en op de plaats van de wapperende veren verscheen een menselijke gedaante, die een hand uitstak en Fat Charlie gebaarde dichterbij te komen.

Hij wilde achteruitdeinzen, maar het pakte hem bij zijn mouw. De aanraking was licht en onpersoonlijk, en het trok hem dichterbij...

Hij deed een stap naar voren in de grot.

En het stond in de open lucht op een boomloze, koperkleurige vlakte onder een hemel met de kleur van zure melk.

Elk wezen heeft andere ogen. De ogen van een mens (in tegenstelling tot bijvoorbeeld die van een kat of een inktvis) zijn erop berekend om maar één versie van de werkelijkheid tegelijk te zien. Fat Charlie zag iets met zijn ogen en hij zag iets anders met zijn geest. In de kloof tussen die twee dingen lag de waanzin op de loer. Hij voelde een wilde paniek opkomen, zoog zijn longen vol lucht en hield zijn adem in, terwijl zijn hart in zijn borstkas bonkte. Hij dwong zichzelf om zijn ogen te geloven en niet zijn geest.

Hoewel het leek of hij een vogel zag met een waanzinnige blik in de ogen, met voddige veren, groter dan de grootste adelaar, groter dan een struisvogel, zijn snavel het wrede verscheurende wapen van een roofvogel, zijn veren de kleur van leisteen met een olieachtige glans in de paarse en groene tinten van een donkere regenboog, zag hij dat eigenlijk maar heel even, in zijn gedachten. Wat hij met zijn ogen zag was een vrouw met ravenzwart haar; ze stond op de plek waar hij een vogel meende te hebben gezien. Ze was niet jong en niet oud en keek hem strak aan met een gezicht dat uit lavaglas leek gesneden, toen de wereld nieuw was.

Ze keek hem aan en ze bewoog zich niet. Wolken joegen voort langs de zuremelklucht.

'Ik ben Charlie,' zei Fat Charlie. 'Charlie Nancy. Sommige mensen, nou ja, de meeste mensen noemen me Fat Charlie. Als je wilt, mag je dat ook doen.'

Geen antwoord.

'Anansi was mijn vader.'

Nog niets. Geen trilling, geen ademhaling.

'Ik wil dat je me helpt mijn broer weg te sturen.'

Daarop hield ze haar hoofd schuin. Genoeg om te laten zien dat ze luisterde, genoeg om te laten zien dat ze leefde.

'Ik kan het niet alleen. Hij heeft magische krachten en zo. Ik praat met een spin, en voordat ik er erg in heb, duikt mijn broer op. Nu krijg ik hem niet meer weg.'

Toen ze sprak, was haar stem schor en diep als van een kraai.

'Wat wil je dat ik daaraan doe?'

'Me helpen,' opperde hij.

Ze leek na te denken.

Later probeerde Fat Charlie zich tevergeefs te herinneren wat ze aan had gehad. Soms dacht hij dat het een mantel van veren was geweest; andere keren meende hij dat het vodden waren geweest, of misschien een gerafelde regenjas, zo eentje als ze aanhad toen hij haar later op Piccadilly zag, toen het allemaal de verkeerde kant uit ging. Ze was in elk geval niet naakt geweest; dat wist hij bijna zeker. Als ze naakt was geweest, had hij het zich toch zeker wel herinnerd?

'Je helpen,' echode ze.

'Helpen om van hem af te komen.'

Ze knikte. 'Je wilt dat ik je help om van Anansi's bloedlijn af te komen.'

'Ik wil gewoon dat hij weggaat en me met rust laat. Niet dat je hem pijn doet of zoiets.'

'Beloof me dan dat ik Anansi's bloedlijn krijg.'

Fat Charlie stond op een uitgestrekte koperkleurige vlakte, die zich ergens, wist hij, in een grot in de bergen aan het eind van de wereld bevond, die zich op zijn beurt min of meer in mevrouw Dunwiddy's naar viooltjes geurende voorkamer bevond, en hij probeerde te begrijpen wat er van hem werd gevraagd.

'Ik mag niets weggeven. En ik mag niets beloven.'

'Je wilt dat hij weggaat. Zeg op. Mijn tijd is kostbaar.' Ze sloeg haar armen over elkaar en staarde hem aan met een waanzinnige blik. 'Ik ben niet bang voor Anansi.'

Hij herinnerde zich de woorden van mevrouw Dunwiddy.

'Ahum,' zei Fat Charlie. 'Ik mag niets beloven. En ik moet iets vragen wat van gelijke waarde is. Ik bedoel, voor wat hoort wat.'

De vogelvrouw keek ontstemd, maar ze knikte. 'Dan zal ik je iets van gelijke waarde teruggeven. Dat beloof ik.' Ze legde haar hand op de zijne, alsof ze hem iets gaf, kneep toen zijn hand dicht. 'Zeg op.'

'Ik geef je Anansi's bloedlijn,' zei Fat Charlie.

'Zo is het goed,' zei een stem en daarna viel ze letterlijk uit elkaar.

Waar eens een vrouw had gestaan, was nu een vlucht vogels; alsof er een schot was gelost, stoven ze alle kanten uit. Opeens was de lucht vol vogels, meer vogels dan Fat Charlie ooit bij elkaar had gefantaseerd, bruine vogels en zwarte, die rondcirkelden, vlogen en fladderden als een zwarte rookwolk die groter was dan iemand kon bevatten, als een zwerm muggen zo groot als de hele wereld.

'Zorg je wel dat hij weggaat?' riep Fat Charlie; zijn stem ging verloren in de donker wordende, melkachtige lucht. De vogels zweefden en gleden door de lucht. Elke vogel schoof een klein beetje op terwijl ze bleven doorvliegen, maar plotseling keek Fat Charlie naar een gezicht dat aan de hemel stond, een gezicht samengesteld uit de warrelende vogels. Het was erg groot.

In het krijsen en kraaien en kwetteren van wel duizenden vogels riep het zijn naam; lippen zo groot als torenflats vormden de woorden in de lucht.

Toen ging het gezicht op in de waanzin en de chaos, en de vogels waaruit het was samengesteld, kwamen vanuit die bleke lucht recht op hem af vliegen. Hij sloeg zijn handen voor zijn gezicht om zich te beschermen.

Er volgde een felle en onverwachte pijn in zijn wang. Hij dacht even dat een van de vogels hem had gepikt, zijn snavel en klauwen in zijn wang had gezet. Toen zag hij waar hij was.

'Hou op!' zei hij. 'Ik ben terug. Jullie hoeven me niet te slaan!'

De pinguïns op tafel waren half opgebrand; hun kop en schouders waren weg en het vlammetje flakkerde in de vormloze wit-met-zwarte klomp waar eerst hun buik had gezeten, hun voeten stonden in gestolde plassen zwart kaarsvet. Drie oude vrouwen zaten hem aan te staren.

Juffrouw Noles plensde een glas water in zijn gezicht. 'Dat is nergens voor nodig,' zei hij. 'Ik ben er toch?'

Mevrouw Dunwiddy kwam de kamer in. Ze hield triomfantelijk een bruin glazen flesje vast. 'Vlugzout,' verklaarde ze. 'Ik wist dat ik het ergens moest hebben. Dit flesje heb ik in '67 of '68 gekocht. Ik weet niet of het nog goed is.' Ze tuurde naar Fat Charlie; haar gezicht betrok. 'Hij is wakker. Wie heeft hem wakker gemaakt?'

'Hij haalde geen adem meer,' zei mevrouw Bustamonte. 'Dus ik heb hem een klap gegeven.'

'En ik heb water over hem heen gegooid,' zei juffrouw Noles, 'zodat hij sneller bij zijn positieven kwam.'

'Ik hoef geen reukzout,' zei Fat Charlie. 'Ik ben al nat en geblesseerd.' Maar met haar bejaarde handen had mevrouw Dunwiddy de dop van het flesje geschroefd en ze hield het onder zijn neus. Hoewel hij wegdook, ademde hij een golf ammoniak in. Zijn ogen traanden en het leek of hij een klap op zijn neus had gehad. Het water droop van zijn gezicht.

'Zo,' zei mevrouw Dunwiddy. 'Voel je je al wat beter?'

'Hoe laat is het?' vroeg Fat Charlie.

'Bijna vijf uur in de ochtend,' zei mevrouw Higgler. Ze nam een slok koffie uit haar gigantische mok. 'We hebben ons grote zorgen gemaakt. Vertel maar wat er is gebeurd.'

Fat Charlie deed zijn best het terug te halen. Niet dat het was vervluchtigd, zoals bij dromen gebeurt. Het leek eerder alsof de ervaringen van de afgelopen paar uur een ander waren overkomen en niet hem, en dat hij langs tot dusver onbekende telepathische wegen met die persoon in contact moest komen. Het was een warboel in zijn hoofd, terwijl de felgekleurde betovering van die andere plaats verbleekte tot de sepiatinten van de werkelijkheid. 'Er waren grotten. Ik vroeg om hulp. Er waren daar een heleboel dieren. Dieren die mensen waren. Niemand wilde me helpen. Ze waren allemaal bang voor mijn vader. Toen zei een van hen dat ze me zou helpen.'

'Ze?' zei mevrouw Bustamonte.

'Er waren mannen en er waren vrouwen,' zei Fat Charlie. 'Dit was een vrouw.'

'Weet je wie het was? Krokodil? Hyena? Muis?'

Hij haalde zijn schouders op. 'Misschien had ik het geweten als jullie me niet hadden geslagen en water over me heen hadden gegooid en dingen onder mijn neus hadden gestopt. Daardoor vergeet je de dingen.'

Mevrouw Dunwiddy zei: 'Heb je nog gedacht aan wat ik je hebt verteld? Niets weggeven. Alleen ruilen?'

'Ja,' zei hij, lichtelijk trots op zichzelf. 'Ja. Er was een aap die wilde dat ik hem dingen gaf, en ik zei nee. Hoor eens, ik geloof dat ik iets moet drinken.'

Mevrouw Bustamonte pakte een glas met onbestemde inhoud van tafel. 'We dachten wel dat je dorst zou hebben. Dus we hebben de sherry door de zeef gegooid. Misschien zitten er nog gemengde kruiden in, maar niet veel.'

Zijn handen lagen in zijn schoot. Hij had ze tot vuisten gebald en om het glas van de oude vrouw aan te nemen ontspande hij zijn rechterhand. Toen bleef hij verstijfd zitten. Keek alleen maar.

'Hè?' vroeg mevrouw Dunwiddy. 'Wat is er?'

In de palm van Fat Charlies hand, zwart en verfomfaaid en nat van het zweet, lag een veer. Toen wist hij het weer. Hij herinnerde zich alles.

'Het was de vogelvrouw,' zei hij.

Een grijze dageraad brak aan toen Fat Charlie plaatsnam in de passagiersstoel van mevrouw Higglers stationcar.

'Heb je slaap?' vroeg ze hem.

'Niet echt. Ik voel me alleen zo raar.'

'Waar zal ik je heenbrengen? Mijn huis? Het huis van je vader? Een motel?'

'Ik weet het niet.'

Ze startte en de auto schoot de straat op.

'Waar gaan we heen?'

Ze gaf geen antwoord. Ze slurpte koffie uit haar reuzemok. Toen zei ze: 'Misschien is het goed wat we vannacht hebben gedaan, misschien niet. Soms kun je familiekwesties beter aan de familie overlaten. Jij en je broer lijken te veel op elkaar. Ik denk dat jullie daarom met elkaar overhoop liggen.'

'Ik neem aan dat "op elkaar lijken" cryptisch West-Indisch taalgebruik is voor "water en vuur zijn"?'

'Ga me niet de les zitten lezen. Ik weet wat ik zeg. Jij en hij, jullie zijn uit hetzelfde hout gesneden. Ik herinner me dat je vader tegen me zei, Callyanne, mijn jongens zijn stommer dan – je weet wel, het doet er niet toe wat hij precies zei, maar het punt is, hij bedoelde jullie allebei.' Er viel haar iets in. 'Hé, toen je naar de plaats van die oude goden ging, heb je daar je vader gezien?'

'Ik geloof het niet. Dan zou ik het me wel herinneren.'

Ze knikte en reed zwijgend verder.

Toen parkeerde ze de auto. Ze stapten uit.

Het was kil in de Floridase ochtendschemering. De begraafplaats had iets weg van een film: er hing een lage grondmist die alles in een zachte waas hulde. Mevrouw Higgler opende het kleine hek en ze liepen over de begraafplaats.

Waar eerst alleen verse aarde zijn vaders graf had bedekt, lagen nu graszoden, en aan het uiteinde van het graf was een metalen gedenkplaat met een daarop gemonteerde metalen vaas, en in de vaas stond één gele zijden roos.

'Heer, ontferm u over de zondaar in dit graf,' zei mevrouw Higgler vol gevoel. 'Amen, amen, amen.'

Ze hadden toehoorders: de twee kraanvogels, die Fat Charlie tijdens zijn vorige bezoek had gadegeslagen, struinden op hen af; ze wiegden met hun rode koppen als een paar aristocratische gevangenisbezoekers.

'Kst!' zei mevrouw Higgler. De vogels keken ongeïnteresseerd op en gingen niet weg.

De ene vogel dook met zijn kop in het gras, kwam weer omhoog met een kronkelende hagedis in zijn snavel. Met een slikbeweging en een rilling was de hagedis een verdikking in de nek van de vogel.

Het ochtendkoor zette zijn lied in: buiten de begraafplaats, in de vrije natuur, bezongen de beo's, de troepialen en de spotlijsters de nieuwe dag. 'Het zal fijn zijn weer thuis te zijn,' zei Fat Charlie. 'Met een beetje geluk heeft ze gezorgd dat hij weg is tegen de tijd dat ik aankom. Dan komt alles weer goed. Ik kan het met Rosie allemaal in orde maken.' Een vlaag van voorzichtig optimisme maakte zich van hem meester. Het zou een mooie dag worden.

In de oude verhalen woonde Anansi, net als jij en ik, in een huis. Hij is inhalig natuurlijk, en wellustig en listig en zit vol leugens. En hij heeft een goed hart en veel geluk en soms is hij zelfs eerlijk. Soms is hij goed, soms is hij slecht. Hij is nooit kwaadaardig. Meestal sta je aan Anansi's kant. Dat komt doordat alle verhalen van Anansi zijn. Mawu gaf de verhalen aan hem, vroeger in de allervroegste dagen, nam ze af van Tijger en gaf ze aan Anansi, en hij spint er zo prachtig een web van.

In de verhalen is Anansi een spin, maar hij is ook een man. Het is niet moeilijk om twee dingen tegelijk in gedachten te houden. Dat kan zelfs een kind.

Anansiverhalen worden verteld door oma's en tantes aan de westkust van Afrika en in het hele Caribische gebied en overal ter wereld. De verhalen zijn in kinderboeken terechtgekomen: de grote oude lachende Anansi die overal zijn vrolijke streken uithaalt. Het probleem is dat oma's en tantes en kinderboekenschrijvers geneigd zijn dingen weg te laten. Sommige Anansiverhalen zijn niet meer geschikt voor kleine kinderen.

Hier komt een verhaal dat je in geen enkel kinderboek zult vinden. Het heet:

ANANSI EN VOGEL

Anansi hield niet van Vogel, want als Vogel honger had, at ze een heleboel dingen, onder andere spinnen, en Vogel had altijd honger.

Ze waren vrienden geweest, maar ze waren niet langer vrienden.

Op een dag was Anansi aan het wandelen, en hij zag een kuil in de grond en dat bracht hem op een idee. Hij legde hout onder in de kuil, stookte een vuur, zette een kookpot in de kuil en gooide er wortels en kruiden in. Toen begon hij om de pot te rennen, en hij bleef maar rennen en dansen en roepen en schreeuwen: 'Ik voel me goed. Ik voel me zóóóó goed. Tjonge, al mijn klachten en kwalen zijn over en ik heb me in mijn hele leven nog niet zo goed gevoeld!'

Vogel hoorde het lawaai. Vogel kwam uit de lucht omlaagvliegen om te zien waar al die drukte om begonnen was. Ze vroeg: 'Waarom zing je? Waarom gedraag je je als een idioot, Anansi?'

Anansi zong: 'Ik had pijn in mijn nek maar die is over. Ik had pijn in mijn buik, maar nu niet meer. Mijn gewrichten kraakten, maar nu ben ik zo soepel als een jonge palmboom, zo lenig als Slang op de ochtend dat ze haar huid heeft afgegooid. Ik ben ontzettend gelukkig; nu zal ik volmaakt zijn, want ik ken het geheim en niemand anders.'

'Welk geheim?' vroeg Vogel.

'Mijn geheim,' zei Anansi. 'Iedereen moet me een favoriet voorwerp geven, het dierbaarste wat ze bezitten, om mijn geheim te horen. Joepie! Wat voel ik me goed!'

Vogel hipte een beetje dichterbij en hield haar hoofd schuin. Toen vroeg ze: 'Mag ik je geheim weten?'

Anansi keek naar Vogel met een argwanende blik op zijn gezicht, en hij stelde zich op voor de pot in de kuil, die stond te pruttelen.

'Ik denk het niet,' zei Anansi. 'Anders kom ik misschien te kort. Doe maar geen moeite.'

Vogel zei: 'Nou Anansi, ik weet dat we niet altijd aardig voor elkaar zijn geweest, maar laat ik je dit vertellen: als je mij je geheim vertelt, beloof ik je dat geen één vogel ooit nog een spin zal eten. We zullen tot aan het einde der tijden vrienden zijn.'

Anansi krabde aan zijn kin en schudde zijn hoofd.

'Het is een geweldig groot geheim,' zei hij, 'dat mensen jong maakt en energiek en levenslustig en vrij van pijn.'

Vogel streek haar veren glad. Vogel zei: 'O, Anansi, je weet best dat ik je altijd een bijzonder knappe vent heb gevonden. Waarom gaan we niet even in de berm liggen? Ik weet zeker dat ik je alle bezwaren om mij je geheim te vertellen, kan laten vergeten.'

Dus ze gingen in de berm liggen knuffelen en lachen en dollen, en toen Anansi had gekregen wat hij wilde, vroeg Vogel: 'Nou, Anansi, wat is je geheim?'

Anansi zei: 'Wel, ik was niet van plan het aan iemand te vertellen, maar voor jou maak ik een uitzondering. Het is een kruidenbad in deze kuil in de grond. Kijk, ik gooi er wat bladeren en wortels in. Iedereen die in dat bad gaat, blijft eeuwig leven en zal geen pijn hebben. Ik heb een bad genomen en ben weer fris als een hoentje. Maar ik denk niet dat ik iemand anders in het bad laat.'

Vogel keek naar het pruttelende water en razendsnel glipte ze de pot in.

'Het is erg heet, Anansi,' zei ze.

'Het moet heet zijn, anders kunnen de kruiden hun heilzame werking niet uitoefenen,' zei Anansi. Daarna pakte hij het deksel en deed dat op de pot. Het was een zwaar deksel en Anansi legde er een steen bovenop om het nog zwaarder te maken.

Bing! Bang! Bong! klonk het vanuit de kookpot.

'Als ik je er nu uit laat,' riep Anansi, 'gaat het hele effect van het bubbelbad verloren. Ontspan je en voel dat je steeds fitter wordt.'

Maar misschien dat Vogel hem niet hoorde of niet geloofde, want het bonken en porren in de kookpot ging nog een tijdje door. En toen hield het op.

Die avond aten Anansi en zijn gezin een overheerlijke soep van gekookte Vogel. Het duurde dagen voordat ze weer honger hadden.

Sindsdien eten vogels spinnen zodra ze de kans krijgen, en worden spinnen en vogels nooit meer vrienden.

Er is een andere versie van dit verhaal waarin Anansi ook in de kookpot terechtkomt. Hoewel de verhalen allemaal van Anansi zijn, komt hij er niet altijd goed van af.

ACHT

Als er aan werd gewerkt om Spider weg te krijgen, dan merkte Spider daar niets van. Integendeel, Spider vond het heerlijk
om Fat Charlie te zijn. Hij had het zelfs zo naar zijn zin dat hij
zich begon af te vragen waarom hij niet eerder Fat Charlie was
geweest. Het was nog leuker dan een ton met apen.*

Wat Spider het leukste vond aan zijn leven als Fat Charlie was
Rosie.

Tot nog toe had Spider vrouwen beschouwd als onderling min
of meer inwisselbaar. Natuurlijk gaf je ze nooit je echte naam op,
of een adres dat langer dan een week geldig was, of iets anders
dan een tijdelijk mobiel nummer. Vrouwen waren er voor je plezier en voor de sier, fantastische attributen waarvan er altijd genoeg voorhanden waren. Zoals de schalen goulash die op een
transportband voorbijkwamen: als je er eentje op had, hoefde je
alleen maar de volgende te pakken en er zure room doorheen te
scheppen.

* Een paar jaar geleden was Spider enorm teleurgesteld geweest in een ton
met apen. Hij had het niet echt amusant gevonden. Eerst hadden ze nog
een paar grappige geluiden gemaakt, maar toen de geluiden waren gestopt
en de apen helemaal niets meer deden – behalve misschien op organisch niveau – had hij er zich in het holst van de nacht van moeten ontdoen.

Maar Rosie...

Rosie was anders.

Hij kon niet uitleggen in welk opzicht ze anders was. Hij had het tevergeefs geprobeerd. Het kwam gedeeltelijk door hoe hij zich voelde als hij bij haar was: alsof hij, wanneer hij zichzelf door haar ogen bekeek, een beter mens werd. Daar had het mee te maken.

Spider vond het een prettig idee dat Rosie wist waar ze hem kon vinden. Het gaf hem een veilig gevoel. Hij genoot van haar weelderige vormen, van haar goede inborst, van de manier waarop ze lachte. Alles aan Rosie beviel hem, behalve de tijd die hij zonder haar moest doorbrengen, en natuurlijk was daar het minpuntje van Rosies moeder. Deze bewuste avond, terwijl Fat Charlie op een vliegveld zevenduizend kilometer daarvandaan op het punt stond om naar de eerste klas te worden opgewaardeerd, bevond Spider zich in de flat van Rosies moeder in Wimpole Street, waar de kennismaking bepaald onaangenaam verliep.

Spider was gewend de werkelijkheid een beetje te verdraaien, een heel klein beetje, maar dat was altijd genoeg. Je hoefde de werkelijkheid alleen maar te laten zien wie er de baas was, dat was alles. Dat nam niet weg dat hij nog nooit iemand had ontmoet die zich zo stevig in haar eigen werkelijkheid verschanste als Rosies moeder.

'Wie is dat?' vroeg ze wantrouwig toen ze binnenkwamen.

'Ik ben Fat Charlie Nancy,' zei Spider.

'Hoe kom je erbij?' vroeg Rosies moeder. 'Wie ben je?'

'Fat Charlie Nancy, uw toekomstige schoonzoon, en u vindt me aardig,' zei Spider vol overtuiging.

Rosies moeder weifelde, knipperde met haar ogen en keek hem aan. 'Het kan zijn dat je Fat Charlie bent,' zei ze onzeker, 'maar ik vind je niet aardig.'

'Wel,' zei Spider, 'dat hoort anders wel. Ik ben bijzonder aardig. Er zijn maar weinig mensen zo aardig als ik. Mijn aardigheid is eerlijk gezegd grenzeloos. Er zijn openbare bijeenkomsten waar mensen bespreken hoe aardig ze me vinden. Ik heb een paar prijzen gekregen en een medaille van een klein land in Zuid-Amerika als onderscheiding voor mijn aardige gedrag en mijn algehele voortreffelijkheid. Die heb ik niet meegenomen, natuurlijk. Ik bewaar mijn medailles in mijn sokkenla.'

Rosies moeder snoof. Ze wist niet precies wat er aan de hand was, maar in elk geval beviel het haar niet. Tot nu toe had ze Fat Charlie aardig onder de duim gehad. In het begin had ze de zaak een beetje verkeerd aangepakt. Rosie had zich misschien niet zo enthousiast aan Fat Charlie gehecht als haar moeder na de eerste kennismaking met Fat Charlie niet zo openlijk voor haar mening was uitgekomen. Hij was een sukkel, had Rosies moeder gezegd, want angst kon ze ruiken zoals een haai van verre bloed ruikt, maar ze had Rosie niet zover kunnen krijgen dat ze hem de bons gaf. Haar strategie bestond nu vooral uit het regisseren van de hele bruiloft, Fat Charlie het leven zo zuur mogelijk maken en met grimmige voldoening de landelijke scheidingsstatistieken volgen.

Maar nu gebeurde er iets heel anders en dat vond ze helemaal niet leuk. Fat Charlie was geen kwetsbaar figuur meer. Deze nieuwe, welbespraakte man bracht haar in de war.

En Spider zelf moest alle zeilen bijzetten.

De meeste mensen letten niet op anderen. Rosies moeder wel. Ze merkte alles op. Nu nipte ze van haar warme water uit een porseleinen kopje. Ze wist dat ze zojuist een schermutseling had verloren, al zou ze niet kunnen zeggen wat de inzet van de strijd was geweest. Voor haar volgende aanval koos ze daarom hoger gelegen terrein.

'Beste Charles,' zei ze, 'hoe zit het toch met je nichtje Daisy? Ik zit erover in dat jouw familie onvoldoende vertegenwoordigd is. Wat vind je ervan als ik haar een grotere rol in het bruiloftsfeest geef?'

'Wie?'

'Daisy,' zei Rosies moeder zoetsappig. 'De jongedame die ik gisterochtend bij jou heb ontmoet en er zo schaars gekleed bij liep. Als het tenminste je nichtje was.'

'Moeder! Als Charlie zegt dat het zijn nicht is...'

'Laat hem voor zichzelf praten, Rosie,' zei haar moeder en ze nam nog een slokje warm water.

'Juist,' zei Spider. 'Daisy,' zei Spider.

In gedachten ging hij terug naar de nacht van wijn, vrouwen en gezang. Hij had het knapste en leukste meisje mee naar de flat genomen, nadat hij haar eerst had wijsgemaakt dat het haar idee was, en ze hem had geholpen de half bewusteloze Fat Charlie als een zoutzak de trap op te dragen. Omdat hij in de loop van de avond van de attenties van een paar andere vrouwen had genoten, had hij het leuke kleintje beschouwd als een extraatje, een pepermuntje na het eten, maar eenmaal thuis, toen ze een opgefriste Fat Charlie naar bed hadden gebracht, had hij ontdekt dat hij geen trek meer had. Dat meisje dus.

'Mijn dierbare nichtje Daisy,' zei hij, zonder dat hij een stilte had laten vallen. 'Ik weet zeker dat ze dolgraag een aandeel in de bruiloft zou hebben, als ze in het land is. Helaas werkt ze bij een koeriersdienst. Zit nu eens hier, dan weer in Moermansk om een vertrouwelijk stuk af te leveren.'

'Heb je haar adres? Of haar telefoonnummer?'

'Laten we haar samen zoeken, u en ik,' viel Spider bij. 'Laten we de hele wereld rondreizen. Ze komt en ze gaat.'

'In dat geval,' zei Rosies moeder, op een toon waarop Alexander de Grote indertijd had bevolen een Perzisch stadje te plunderen en met de grond gelijk te maken, 'moet je haar uitnodigen zodra ze in het land is. Ik vond het een leuk meisje en ik weet zeker dat Rosie haar graag wil ontmoeten.'

'Ja,' zei Spider. 'Dat doe ik. Dat doe ik echt.'

Iedereen die leeft, heeft geleefd of zal leven, heeft een eigen lied. Dat lied is niet door iemand anders geschreven. Het heeft een eigen melodie, het heeft eigen woorden. Weinig mensen komen eraan toe hun eigen lied te zingen. De meesten van ons zijn bang dat hun stem niet tot zijn recht komt, of dat hun woorden nergens op slaan of te eerlijk zijn of te ongewoon. In plaats daarvan léven de mensen daarom hun lied.

Neem Daisy bijvoorbeeld. Het lied dat ze bijna haar hele leven in haar achterhoofd had, bezat een geruststellend marsritme, de woorden gingen over het beschermen van de zwakkeren en het refrein begon met 'Boeven, pas op!' dat veel te raar was om ooit hardop te zingen. Maar soms neuriede ze het onder de douche, als ze zich aan het inzepen was.

En dat is zo'n beetje alles wat er over Daisy te vertellen valt. De rest is bijzaak.

Daisy's vader was in Hongkong geboren. Haar moeder was afkomstig uit een rijke Ethiopische familie van tapijtexporteurs, die een huis in Addis Abeba bezat, en nog een huis en landerijen even buiten Nazret. Daisy's ouders hadden elkaar in Cambridge ontmoet – hij studeerde computerkunde, lang voordat het een vak voor carrièrejagers werd, en zij verdiepte zich grondig in moleculaire scheikunde en internationaal recht. Ze waren jong, allebei even ijverig, verlegen en doorgaans slecht op hun gemak. Allebei hadden ze heimwee, maar naar verschillende dingen, en allebei speelden ze schaak. Ze kwamen elkaar voor het eerst tegen op een woensdagmiddag op de schaakclub. Omdat ze allebei nieuw waren, moesten ze tegen elkaar spelen, en Daisy's moeder won het eerste spelletje met gemak van Daisy's vader.

Dat zat Daisy's vader zo dwars dat hij de volgende woensdag verlegen om een revanche vroeg, en alle daarop volgende woensdagen van de twee jaar erna (behalve tijdens vakanties en feestdagen).

Naarmate hun sociale vaardigheid toenam en haar moeder beter Engels sprak, zagen ze elkaar vaker. Ze hielden elkaars hand vast terwijl ze als schakels in een menselijke keten tegen het transport van raketten protesteerden. Samen reisden ze in groepsverband naar Barcelona om te demonstreren tegen de onstuitbare opmars van het kapitalisme en een krachtig protest te laten horen aan het adres van de grote concerns. Daar maakten ze ook kennis met door de autoriteiten verspreid traangas, en meneer Day verzwikte zijn pols toen hij door de Spaanse politie opzij werd geduwd.

Op een woensdag aan het begin van hun derde jaar in Cambridge versloeg Daisy's vader voor het eerst Daisy's moeder met schaak. Hij was zo blij, zo uitgelaten dat hij haar, overmoedig geworden door zijn overwinning, ten huwelijk vroeg. En Daisy's moeder, die diep in haar hart bang was geweest dat hij niet meer geïnteresseerd zou zijn als hij van haar had gewonnen, zei natuurlijk ja.

Ze bleven in Engeland wonen en vertoefden in academische kringen en kregen een dochter. Ze noemden haar Daisy, omdat ze in die tijd een tandem van dat merk bezaten (en, wat Daisy later erg vermakelijk vond, er ook echt mee reden). Ze trokken heel Groot-Brittannië door, van de ene naar de andere universiteit. Hij gaf les in computerkunde, terwijl zijn vrouw boeken schreef over multinationals, die niemand wilde lezen, en boeken over schaken, schaakstrategieën en de geschiedenis van het schaak, die erg populair waren, zodat zij in een goed jaar meer geld verdiende dan het beetje dat hij inbracht. In de loop der jaren nam hun politieke betrokkenheid af en toen ze de middelbare leeftijd hadden bereikt, waren ze een gelukkig echtpaar dat, behalve in elkaar, geen andere interesses had dan schaken, hun dochter en het reconstrueren en repareren van verouderde besturingssystemen.

Allebei begrepen ze Daisy niet, zelfs niet een beetje.

Ze verweten zichzelf dat ze Daisy's fascinatie voor het politieapparaat niet in de kiem hadden gesmoord toen die voor het eerst aan het licht kwam, omstreeks de tijd dat ze begon te praten. Daisy legde hetzelfde enthousiasme voor politiewagens aan de dag als andere meisjes voor pony's. Op haar zevende verjaardag werd er een verkleedfeestje gehouden, omdat ze zo graag haar nieuwe agentenuniformpje wilde dragen, en in een doos op zolder bij haar ouders liggen nog foto's van een volmaakt gelukkige zevenjarige die stralend naar haar verjaardagstaart kijkt, met daarop zeven felblauwe zwaailichten in plaats van kaarsjes.

Daisy was een ijverige, intelligente, opgewekte tiener, die tot groot plezier van haar ouders aan de Londense universiteit rechten en computerkunde ging studeren. Haar vader fantaseerde over een wetenschappelijke carrière, haar moeder koesterde de droom dat haar dochter advocaat of misschien wel rechter werd en met het wetboek in de hand de macht van de multinationals zou breken. En toen gooide Daisy roet in het eten door zich aan te melden bij de politie. Het politiekorps nam haar maar al te graag aan. In de eerste plaats om aan de richtlijnen te voldoen dat er meer diversiteit in het corps moest komen. In de tweede plaats omdat computermisdaad en computerfraude hand over hand toenamen. Ze hadden Daisy nodig. Eigenlijk hadden ze een hele sliert Daisy's nodig.

Maar nu, vier jaar later, moest Daisy eerlijkheidshalve toegeven dat het werken bij de politie haar was tegengevallen. Dat had niets te maken met de waarschuwing van haar ouders dat het politiekorps een geïnstitutionaliseerd bolwerk van racisme en seksisme was, dat ze haar individualiteit zou kwijtraken en gekneed worden tot een geestdodende eenvormigheid die haar tot net zo'n onderdeel van de kantinecultuur zou maken als instantkoffie. Nee, ze vond het frustrerend dat haar collega's niet inzagen dat ze net zo goed een agent was. De meeste collega's beschouwden het politiewerk als iets wat je deed om brave burgers te beschermen tegen griezels van verkeerde afkomst die erop uit waren hun mobieltjes te stelen. Daisy zag het heel anders. Daisy wist dat een jongen vanuit een zolderkamertje in Duitsland een virus kon rondsturen, een heel ziekenhuis kon stilleggen en op die manier meer slachtoffers kon maken dan met een bom. Daisy was van mening dat de echte schurken tegenwoordig verstand hadden van FTP-sites, het coderen van boodschappen op hoog niveau en wegwerptelefoons. Ze betwijfelde of mensen die aan de goede kant stonden, dat hadden.

Ze nam een slokje koffie uit een plastic bekertje en trok een vies gezicht; terwijl ze van scherm naar scherm had gebladerd was haar koffie koud geworden.

Ze had alle informatie bekeken die Grahame Coats haar had gegeven. Er waren inderdaad op het eerste gezicht aanwijzingen dat er iets fout zat – om te beginnen was er een cheque van tweeduizend pond die Charles Nancy vorige week blijkbaar voor zichzelf had uitgeschreven.

Maar. Maar er was iets wat haar niet lekker zat.

Ze liep de gang uit en klopte op de deur van de hoofdinspecteur.

'Binnen.'

Camberwell had dertig jaar lang pijp gerookt aan zijn bureau tot er in het gebouw een rookverbod werd ingesteld. Nu behielp hij zich met een klomp boetseerklei, die hij tot een bal rolde en plat sloeg en kneedde en mishandelde. Met een pijp in zijn mond was hij een rustige, opgeruimde man geweest en in de ogen van zijn ondergeschikten een fijne vent. Met een klomp boetseerklei in zijn hand was hij altijd prikkelbaar en slechtgehumeurd. Als hij een goede dag had, bracht hij het tot een geïrriteerd: 'En?'

'De zaak van de Grahame Coats Agency.'

'Mm?'

'Dat zit me niet lekker.'

'Hoezo? Wat zit je niet lekker?'

'Nou, ik denk dat ik me misschien moet terugtrekken.'

Hij leek niet erg onder de indruk. Hij keek haar strak aan. Onder zijn bureau waren zijn vingers ongemerkt bezig de blauwe boetseerklei tot een meerschuimen pijp te kneden. 'Waarom?'

'Ik ken de verdachte.'

'En? Ben je met hem op vakantie geweest? Ben je de peetmoeder van zijn kinderen? Hoe zit het?'

'Dat niet, ik heb hem één keer ontmoet. Ik ben bij hem blijven slapen.'

'Dus je bedoelt dat hij en jij het met elkaar hebben gedaan?'

Een diepe zucht, vol levensmoeheid en irritatie en de hunkering naar vijftien gram Condor pijptabak.

'Nee, hoofdinspecteur. Dat ook niet. Ik ben alleen blijven slapen.'

'En dat is alles?'

'Ja, hoofdinspecteur.'

Hij perste de pijp van klei tot een vormeloze klomp. 'Weet je dat dit zonde van mijn tijd is?'

'Ja, hoofdinspecteur. Sorry, meneer.'

'Ga aan het werk en val me niet meer lastig.'

Maeve Livingstone nam in haar eentje de lift naar de vijfde verdieping, omdat de langzame, schokkerige tocht naar boven haar genoeg tijd gaf te repeteren wat ze straks tegen Grahame Coats zou zeggen.

Ze hield een plat bruin koffertje in haar hand dat van Morris was geweest: een erg mannelijk voorwerp. Ze droeg een witte bloes, een blauwe spijkerrok en daarover een grijze jas. Ze had erg lange benen en een bijzonder bleke huid en haar dat met minimale chemische hulpmiddelen nog even blond was als toen ze twintig jaar ervoor met Morris Livingstone was getrouwd.

Maeve had erg veel van Morris gehouden. Toen hij stierf, haalde ze zijn nummer niet uit haar mobieltje, zelfs niet toen ze het abonnement had opgezegd en zijn telefoon had ingeleverd. Er zat een foto van Morris in haar telefoon, die haar neef van hem had genomen en waar ze geen afstand van wilde doen. Ze zou willen dat ze Morris nu kon bellen en hem om raad vragen.

Ze had om binnengelaten te worden door de intercom geroepen wie ze was, en toen ze bij de receptie aankwam, stond Grahame Coats haar al op te wachten.

'Hoe maak je het, hoe maak je het, mijn zeer gewaardeerde vriendin,' zei hij.

'Ik moet je onder vier ogen spreken, Grahame,' zei Maeve. 'Meteen.'

Grahame Coats grijnsde. Toevallig begonnen zijn heimelijke fantasieën vaak op ongeveer deze manier, waarna Maeve dingen zou zeggen als: 'Ik verlang naar je, Grahame, nu meteen,' en: 'O, Grahame, ik ben zo'n stout, stout, stout, stout meisje geweest dat je me een standje moet geven,' en een enkele keer: 'Grahame, één vrouw is voor jou niet genoeg, laat ik je voorstellen aan mijn naakte identieke tweelingzuster, Maeve de Tweede.'

Ze gingen zijn kantoor binnen.

Grahame Coats was lichtelijk teleurgesteld dat Maeve niet zei dat ze ernaar verlangde, nu meteen. Ze trok haar jas niet uit. In plaats daarvan sloeg ze het koffertje open en pakte er een stapel papieren uit, die ze op zijn bureau legde.

'Grahame, op advies van mijn bankdirecteur heb ik de bedragen en afschriften van de afgelopen tien jaar door een onafhankelijke deskundige laten nakijken. Nog uit de periode dat Morris leefde. Als je wilt, kun je het bekijken. De getallen kloppen niet. Er klopt niets van. Ik vond dat ik het eerst met jou moest bespreken voordat ik de politie inschakel. Dat ben ik aan Morris' nagedachtenis verplicht.'

'Zo is dat,' stemde Grahame Coats in, glibberig als een aal in een ton met boter. 'Dat is inderdaad zo.'

'Nou?' Maeve Livingstone trok een welgevormde wenkbrauw op. Haar blik stelde hem niet gerust. In zijn fantasie vond hij haar leuker.

'Ik vrees dat we een tijdje een fraduleuze werknemer bij de Grahame Coats Agency hebben gehad, Maeve. In feite heb ik vorige week zelf de politie al ingeschakeld, zodra ik ontdekte dat er iets mis was. De sterke arm van de wet is de zaak al aan het uitzoeken. Omdat de Grahame Coats Agency veel illustere cliënten heeft – waaronder jij zelf – houdt de politie het zo stil mogelijk, en dat kunnen we ze niet kwalijk nemen.' Dit leek haar niet zo mild te stemmen als hij had gehoopt. Hij gooide het over een andere boeg. 'Ze hebben er goede hoop op dat het meeste geld, zo niet alles, boven water komt.'

Maeve knikte. Grahame Coats ontspande zich een beetje.

'Mag ik vragen welke werknemer?'

'Charles Nancy. Ik moet zeggen dat ik hem onvoorwaardelijk heb vertrouwd. Het was een hele schok.'

'O, hij is aardig.'

'Schijn,' merkte Grahame Coats op, 'kan bedrieglijk zijn.'

Toen glimlachte ze en het was een erg lieve glimlach. 'Ik geloof er niets van, Grahame. Dit is al eeuwen aan de gang, lang voordat Charles Nancy hier kwam werken. Waarschijnlijk al voor mijn tijd. Morris vertrouwde jou volkomen en je hebt hem bestolen. En nu probeer je een van je werknemers ervoor te laten opdraaien – of een van je medeplichtigen – maar ik geloof er niets van.'

'O,' zei Grahame Coats schuldbewust. 'Het spijt me.'

Ze pakte de stapel papieren. 'Ik ben benieuwd,' zei ze, 'hoeveel geld je Morris en mij in de loop der jaren afhandig hebt gemaakt. Ik schat zo'n drie miljoen pond.'

'Ah.' Zijn glimlach was nu verdwenen. Het was beslist meer, maar hij zei glashard: 'Dat klopt wel ongeveer.'

Ze keken elkaar aan en Grahame Coats was koortsachtig bezig berekeningen te maken. Hij moest tijd winnen. Hij had tijd nodig. 'Wat zou je ervan vinden,' zei hij, 'als ik het je teruggeef, het hele bedrag, contant, nu. Met rente. Laten we zeggen, vijftig procent van de bewuste som.'

'Bied je me vierenhalf miljoen pond? Contant?'

Grahame Coats glimlachte, precies zoals een aanvallende cobra dat doorgaans niet doet. 'Abso-lutief. Als je naar de politie stapt, zal ik alles ontkennen en de beste advocaten in de arm nemen. In het ergste geval zal ik, na een eindeloos gerekt proces, waarin ik helaas Morris' naam op alle mogelijke manieren door het slijk moet halen, veroordeeld worden tot tien, hooguit twaalf jaar gevangenisstraf. Daarvan zal ik misschien vijf jaar werkelijk uitzitten, met goed gedrag – want ik zal een modelgevangene zijn. Vanwege het cellentekort zal ik daarvan de meeste tijd in een open gevangenis doorbrengen, of ik mag zelfs overdag naar buiten. Dat lijkt me niet al te zwaar. Daarentegen zal jij, als je naar de politie stapt, gegarandeerd geen stuiver van Morris' geld terugzien. Het alternatief is dat je je mond houdt, het geld aanneemt dat je nodig hebt, en zelfs meer, terwijl ik tijd heb om... te doen wat juist is. Als je begrijpt wat ik bedoel.'

Maeve dacht erover na. 'Ik zou je graag in de gevangenis zien creperen,' zei ze. En toen zuchtte ze en knikte. 'Goed,' zei ze. 'Geef me het geld. Ik wil je nooit meer zien en niets meer met je te maken hebben. Voortaan gaan alle cheques met royalty's rechtstreeks naar mij.'

'Absolutief. Daar is de kluis,' zei hij tegen haar.

Er stond een boekenrek tegen de achterwand met de in leer gebonden edities van Dickens, Thackeray, Trollope en Jane Austen, allemaal ongelezen. Hij morrelde aan een van de boeken en de boekenkast schoof opzij, waarachter een deur verscheen in dezelfde kleur als de muur.

Maeve vroeg zich af of hij een combinatieslot zou hebben, maar nee, er was alleen een klein sleutelgat, waar Grahame Coats een grote koperen sleutel in stak. De deur zwaaide open.

Hij stak zijn hand naar binnen en deed het licht aan. Het was een smalle ruimte met aan weerszijden tamelijk onbeholpen bevestigde planken. Tegen de achterwand stond een kleine brandwerende archiefkast.

'Je mag het in contanten hebben, of in sieraden, of gecombineerd,' zei hij onomwonden. 'Dat laatste zou ik je adviseren. Ik heb hier heel wat leuk antiquarisch goud liggen. Erg draagbaar.'

Hij ontsloot een paar kluisjes en liet zien wat erin lag. Ringen en kettingen en medaillons glinsterden en glommen en blonken.

Maeves mond viel open. 'Kom maar kijken,' zei hij, en ze wrong zich langs hem heen. Het was een geheime schatkamer.

Ze pakte een ketting met een gouden medaillon, hield die omhoog, keek er vol bewondering naar. 'Deze is prachtig,' zei ze. 'Die heeft vast een waarde van...' maar ze maakte de zin niet af. In het glanzende goud van het medaillon zag ze iets achter zich bewegen. Ze draaide zich om, waardoor de hamer niet op haar achterhoofd neerkwam, wat de bedoeling was, maar langs haar wang schampte.

'Vuile rat!' zei ze, en ze schopte hem. Maeve had stevige benen en kon hard schoppen, maar zij en haar aanvaller stonden te dicht op elkaar.

Maeves voet raakte zijn scheen en ze greep naar de hamer in zijn hand. Grahame Coats haalde ermee uit; deze keer was het raak en Maeve wankelde. Haar ogen werden wazig. Hij sloeg haar weer, boven op haar hoofd, en weer en weer, en ze viel op de grond.

Grahame Coats wou dat hij een vuurwapen had. Een leuk, handig pistool. Met een geluiddemper, zoals in films. Heus, als hij eerder had bedacht dat hij op zijn kantoor iemand zou moeten doden, was hij veel beter voorbereid geweest. Misschien had hij dan ook een voorraadje vergif aangelegd. Dat zou verstandig zijn geweest. Dan was deze toestand niet nodig geweest.

Er kleefde bloed en blond haar aan de kop van de hamer. Vol afkeer legde hij hem neer en terwijl hij om de vrouw op de grond heenliep, pakte hij de kluisjes met sieraden mee. Hij gooide de inhoud ervan op zijn bureau en bracht de kistjes terug naar de kluis, waaruit hij vervolgens een attachékoffertje pakte met stapeltjes biljetten van honderd dollar en vijfhonderd euro, en een zwart fluwelen zakje met losse diamanten. Hij haalde een paar documenten uit de archiefkast. En lest best – zoals hij zelf zou hebben opgemerkt – pakte hij uit de geheime ruimte het kleine leren koffertje met de twee portefeuilles en de twee paspoorten.

Toen duwde hij de zware deur dicht, draaide hem op slot en schoof het boekenrek terug in zijn oorspronkelijke positie.

Hij bleef staan, licht hijgend, om op adem te komen.

Alles bij elkaar, concludeerde hij, was hij behoorlijk trots op zichzelf. Goed gedaan, Grahame. Applaus. Hij had geïmproviseerd met het materiaal dat voorhanden was en was als sterkste uit de bus gekomen; hij had gebluft, hij was onbevreesd en creatief geweest – bereid om alles in te zetten voor een spelletje *kruisof-munt*. Hij had risico's genomen en hij had gewonnen. Hij was de munt. Hij was de werper. Op zekere dag zou hij in zijn tropische paradijs zijn memoires schrijven, en konden de mensen lezen hoe hij een gevaarlijke vrouw had bedwongen. Hoewel, dacht hij, het misschien beter was geweest als ze in feite een revolver had vastgehouden.

Nu hij er nog eens over nadacht, meende hij dat ze hem inderdaad met een vuurwapen had bedreigd. Hij wist vrij zeker dat hij had gezien dat ze een revolver wilde trekken. Dus hij had buitengewoon geboft dat die hamer er was geweest, dat er een gereedschapskist in de kluis had gestaan voor eventuele klussen, anders had hij zich niet zo snel of zo doeltreffend kunnen verdedigen.

Alleen kwam hij nu pas op het idee om de deur van zijn kantoor op slot te doen.

Er zat, merkte hij op, bloed op zijn overhemd en aan zijn hand en onder de zool van een van zijn schoenen. Hij trok zijn overhemd uit en wreef zijn schoen ermee schoon. Toen gooide hij het overhemd in de prullenbak onder zijn bureau. Gedachteloos bracht hij zijn hand naar zijn mond en likte, als een kat, het geronnen bloed met zijn rode tong op.

En toen gaapte hij. Hij pakte Maeves papieren van het bureau en haalde ze door de versnipperaar. Er zat een extra set documenten in haar koffertje en die versnipperde hij ook. Hij versnipperde de snippers.

In een kast in de hoek van zijn kantoor hing een pak en een reservevoorraad overhemden, sokken, onderbroeken en dergelijke, want hij wist nooit wanneer hij rechtstreeks vanuit kantoor naar een première zou moeten. Hij kon maar beter voorbereid zijn.

Hij kleedde zich met zorg.

Er stond ook een koffertje met wieltjes in de kast, van het soort dat als handbagage mee in het vliegtuig mag, en hij stopte er allerlei dingen in, die hij heen en weer schoof om zo economisch mogelijk te pakken.

Hij belde de receptie. 'Annie,' zei hij. 'Zou je even een broodje voor me willen halen? Niet bij Prêt, nee. Probeer eens die nieuwe tent in Brewer Street. Ik ben net aan het afronden met mevrouw Livingstone. Het kan zijn dat ik haar meeneem voor een hapje echte lunch, maar haal toch maar iets voor de zekerheid.'

Hij zat een paar minuten achter zijn computer, liet er het soort schoonmaakprogramma op los dat alle gegevens verwijdert en door willekeurige enen en nullen vervangt, ze dan comprimeert tot een klein bestandje en dat uiteindelijk met betonnen schoeisel aan op de bodem van Theems smijt. Daarna liep hij de gang op met het koffertje achter zich aan.

Hij stak zijn hoofd om een van de deuren. 'Ik ben er even niet,' zei hij. 'Mocht iemand naar me vragen, dan ben ik rond drie uur terug.'

Annie zat niet achter de balie, en dat was prima. Ze zouden aannemen dat Maeve Livingstone weg was gegaan, net zoals ze dachten dat Grahame Coats elk moment terug kon komen.

Hij nam de lift naar beneden. Het was allemaal erg snel gegaan, dacht hij. Over ruim een jaar zou hij pas vijftig worden.

Maar het vertrekmechanisme was in werking gezet. Hij moest het gewoon zien als een gouden handdruk, of misschien een gouden parachute.

En toen liep hij, het koffertje met wieltjes achter zich aan, door de voordeur Aldwyn op, de zonnige ochtend in, voorgoed weg uit de Grahame Coats Agency.

Spider had vredig geslapen in zijn eigen gigantische bed, in zijn huis in Fat Charlies logeerkamer. Hij was zich op een onbestemde manier gaan afvragen of Fat Charlie voorgoed was vertrokken, en had besloten dat uit te zoeken bij de eerstvolgende gelegenheid dat zijn hoofd ernaar stond, mits er geen andere, interessantere dingen tussen zouden komen of hij het weer zou vergeten.

Hij had uitgeslapen en was onderweg naar een lunchafspraak met Rosie. Hij zou haar thuis ophalen en ze zouden naar een goed restaurant gaan. Het was een prachtige dag aan het begin van de herfst en Spiders geluk was aanstekelijk. Dat kwam doordat Spider zo'n beetje een god was. Wanneer je een god bent, zijn je gevoelens aanstekelijk – andere mensen kunnen ze overnemen. Als er mensen in Spiders buurt waren op een dag dat hij gelukkig was, leek hun wereld een beetje vrolijker. Als hij een liedje neuriede, begonnen de mensen om hem heen eenstemmig mee te neuriën, zoals in een musical. Maar als hij geeuwde, geeuwden uiteraard honderden mensen in zijn omgeving mee, en als hij zich rot voelde, doortrok zijn somberheid als een klamme riviermist de wereld om hem heen, die dan nog triester werd voor iedereen die erin opgesloten zat. Het kwam niet door iets wat hij deed; het kwam door wat hij wás.

Op dit moment was er maar één ding dat een domper op zijn geluk zette: hij had besloten Rosie de waarheid te vertellen.

Spider was niet zo goed in de waarheid. Hij beschouwde de waarheid als iets wat in wezen plooibaar was, min of meer een kwestie van welk gezichtspunt je innam, en als het nodig was kon Spider een paar overtuigende gezichtspunten naar voren brengen.

Dat hij een bedrieger was, was het probleem niet. Hij vond het leuk een bedrieger te zijn. Hij was er goed in. Het paste in zijn plannen, die nogal simpel waren en tot nog toe op het volgende neerkwamen: a) ga ergens heen; b) amuseer jezelf; c) ga weg voordat je je begint te vervelen. En nu was het, wist hij diep in zijn hart, absoluut tijd om weg te gaan. De wereld was zijn kreeft, zijn slab hing om zijn nek, en hij had al een potje gesmolten boter en een collectie bizarre maar doeltreffende werktuigen en instrumenten klaarliggen om kreeft mee te eten. Maar...

Maar hij wilde niet weggaan.

Hij had zich bedacht. Dat was iets wat Spider nogal verontrustend vond. Gewoonlijk dacht hij niet na, laat staan dat hij zich bedacht. Het leven was zonder na te denken heel plezierig geweest – met intuïtie, impulsiviteit en een walgelijke hoeveelheid geluk was hij een heel eind gekomen. Maar zelfs wonderen zijn niet onbegrensd. Spider liep over straat en de mensen glimlachten naar hem.

Hij had afgesproken dat hij Rosie thuis zou ophalen, dus hij was aangenaam verrast dat ze aan het eind van de straat op hem stond te wachten. Met een steek die op schuldgevoel begon te lijken, zwaaide hij naar haar.

'Rosie? Hé.'

Ze kwam over het trottoir naar hem toelopen en hij begon te grijnzen. Samen kwamen ze er wel uit. Alles zou goed uitpakken. Alles zou prima gaan. 'Je ziet eruit als een plaatje,' zei hij. 'Misschien wel als een heel fotoalbum. Waar heb je trek in?'

Rosie glimlachte en haalde haar schouders op.

Ze kwamen langs een Grieks restaurant. 'Is Grieks goed?' Ze knikte. Ze liepen een paar treden naar beneden en gingen naar binnen. Het was er donker en leeg, omdat het restaurant net open was en de eigenaar wees hun een hoekje, of eigenlijk een gaatje, helemaal achterin.

Ze zaten tegenover elkaar, aan een tafel net groot genoeg voor twee. Spider zei: 'Ik moet je iets vertellen.' Ze zei niets. 'Het is geen slecht nieuws,' ging hij door. 'Nou ja, goed is het ook niet.

Maar, nou ja, je moet het wel weten.'

De eigenaar vroeg of ze al iets wilden bestellen. 'Koffie,' zei Spider en Rosie knikte instemmend. 'Twee koffie,' zei Spider. 'En zou u ons, ahum, vijf minuten alleen willen laten? Ik wil graag even rustig kunnen praten.'

De eigenaar trok zich terug.

Rosie keek Spider onderzoekend aan.

Hij haalde diep adem. 'Juist. Oké. Laat ik het zo zeggen, omdat het niet gemakkelijk is, en ik niet weet of ik kan... Juist. Oké. Kijk, ik ben Fat Charlie niet. Ik weet dat je denkt dat ik dat ben, maar het is niet zo. Ik ben zijn broer Spider. Jij denkt dat ik hem ben omdat we een beetje op elkaar lijken.'

Ze zweeg.

'Nou, ik lijk niet echt op hem. Maar. Weet je, dit gaat me niet gemakkelijk af. Oké dan maar. Ahum. Ik kan je maar niet uit mijn hoofd zetten. Ik bedoel, ik weet dat je met mijn broer verloofd bent, maar ik wou je vragen of je, nou ja, je verloving misschien uit wilt maken om met mij verder te gaan.'

Er kwam een pot koffie aan op een zilveren dienblaadje met twee kopjes.

'Griekse koffie,' zei de eigenaar, die het kwam brengen.

'Ja, dank u. Ik vróég toch om me een paar minuten...'

'Is erg heet,' zei de eigenaar. 'Erg hete koffie. Sterk. Grieks. Niet Turks.'

'Fijn. Luister, neem me niet kwalijk – vijf minuten, alstublieft?'

De eigenaar haalde zijn schouders op en liep weg.

'Je zult me wel haten,' zei Spider. 'Als ik jou was, zou ik mezelf ook haten. Maar ik meen het. Serieuzer dan ik ooit iets heb gemeend.' Ze keek hem alleen aan, emotieloos, en hij zei: 'Alsjeblieft. Zeg iets. Maakt niet uit wat.'

Haar lippen bewogen, alsof ze naar de juiste woorden zocht. Spider wachtte.

Ze opende haar mond.

Spiders eerste gedachte was dat ze aan het eten was, omdat hij tussen haar tanden iets bruins zag en het was beslist niet haar tong. Toen bewoog het zijn kopje en de ogen, zwarte kraaloogjes, keken hem aan. Rosie sperde haar mond abnormaal wijd open en de vogels kwamen eruit.

Spider zei: 'Rosie?' Toen was de lucht vol snavels en veren en klauwen, achter elkaar door. Vogels vlogen uit haar keel; elke vogel begeleid door een licht kuchen-en-keelschrapen. De stroom kwam zijn kant op.

Hij hief zijn arm op om zijn ogen te beschermen en iets bezeerde zijn pols. Hij maaide om zich heen, er vloog iets in zijn gezicht en mikte op zijn ogen. Hij wierp zijn hoofd in zijn nek en een snavel pikte in zijn wang.

In een moment van nachtmerrieachtige helderheid zag hij nog steeds een vrouw tegenover zich zitten. Hij begreep alleen niet hoe hij ooit had kunnen denken dat het Rosie was. Om te beginnen was ze ouder dan Rosie; door haar blauwzwarte haar liepen zilveren strepen. Haar huid was niet warm bruin als Rosies huid, maar zwart als vuursteen. Ze droeg een gerafelde okergele regenjas. En ze grijnsde en sperde haar mond opnieuw open. Nu kon hij in haar mond de wrede snavels en waanzinnige ogen van zeemeeuwen zien...

Spider aarzelde niet, maar handelde onmiddellijk. Hij pakte de koffiepot bij het handvat vast, tilde hem op, terwijl hij met zijn andere hand het deksel eraf trok; daarna smeet hij de pot naar de vrouw in de stoel tegenover zich. De inhoud van de pot, gloeiend hete koffie, spoelde over haar heen.

Ze siste van pijn.

Vogels raasden en klapperden door de lucht in het kelderrestaurant, maar nu zat er niemand meer tegenover hem. De vogels vlogen stuurloos rond, fladderden wild tegen de muren op.

De eigenaar zei: 'Meneer, bent u gewond? Sorry. Ze moeten naar binnen zijn gevlogen.'

'Niets aan de hand,' zei Spider.

'Uw gezicht bloedt,' zei de man. Hij overhandigde Spider een servet, dat Spider tegen zijn wang drukte. De snee schrijnde.

Spider bood zijn hulp aan bij het wegjagen van de vogels. Hij zette de buitendeur open, maar opeens was het restaurant net zo leeg als voor zijn komst.

Spider trok een biljet van vijf pond tevoorschijn. 'Hier,' zei hij. 'Voor de koffie. Ik moet ervandoor.'

De eigenaar knikte dankbaar. 'Het servet mag u houden.'

Spider bleef nadenkend staan. 'Toen ik binnenkwam,' vroeg hij, 'had ik toen een vrouw bij me?'

De eigenaar keek verbaasd – misschien wel bang, dat wist Spider niet zeker. 'Dat weet ik niet meer,' zei hij wazig. 'Als u alleen was geweest, zou ik u geen tafeltje achterin hebben gegeven. Maar ik weet het niet meer.'

Spider liep naar buiten. Het was nog steeds een stralende dag, maar het zonlicht had niets geruststellends meer. Hij keek om zich heen. Hij zag een duif rondscharrelen en naar een afgedankt ijshoorntje pikken; hij zag een spreeuw in een vensterbank, en hoog in de lucht met zijn vleugels wijd, als een witte flits in het zonlicht, cirkelde een zeemeeuw.

NEGEN

WAARIN

FAT CHARLIE

DE DEUR OPENDOET

EN SPIDER ZICH

GECONFRONTEERD ZIET

MET FLAMINGO'S

Fat Charlies lot had een gunstige wending genomen. Dat kon hij aan alles merken. Het vliegtuig dat hem naar huis zou brengen, was overboekt, dus hij werd gepromoveerd naar de eerste klas. Het eten was voortreffelijk. Halverwege de Atlantische Oceaan kwam een steward hem een doos bonbons overhandigen die hij had gewonnen. Hij stopte hem in het bagagevak boven zijn hoofd en bestelde drambuie met ijs.

Hij zou naar huis gaan. Hij zou Grahame Coats alles uitleggen – want Fat Charlie was nergens zo zeker van als van de eerlijkheid van zijn eigen boekhouding. Hij zou het met Rosie goedmaken. Alles zou pico bello in orde komen.

Hij vroeg zich af of Spider al weg zou zijn als hij thuiskwam, of dat hij het genoegen zou mogen smaken hem er zelf uit te gooien. Hij hoopte het laatste. Fat Charlie wilde dat zijn broer zijn excuses aanbood, of nog liever, voor hem door het stof kroop. Hij begon te fantaseren wat hij zou gaan zeggen.

'Eruit,' zou hij zeggen. 'En neem je zonneschijn, je jacuzzi en je slaapkamer mee!'

'Wat is er?' vroeg de steward.

'Ik praatte in mezelf. Ahum,' zei Fat Charlie.

Maar zelfs daarvoor schaamde hij zich niet al te erg. Hij hoopte niet eens dat het vliegtuig zou neerstorten om een eind aan zijn schande te maken. Zijn leven ging absoluut de goede kant op.

Hij maakte het pakketje met handige spulletjes open dat hem was verstrekt, deed zijn oogmasker op en duwde de rugleuning zo ver mogelijk naar achteren tot bijna horizontaal. Hij dacht aan Rosie, hoewel hij haar niet scherp kon krijgen. In zijn hoofd nam ze de gedaante aan van iemand die kleiner was dan Rosie en bijna niets aan had. Berouwvol stelde Fat Charlie zich haar gekleed voor; tot zijn ontzetting bleek ze een politie-uniform te dragen. Hij gaf zichzelf op zijn kop, maar dat hielp niet. Hij voelde zich verschrikkelijk, zei hij tegen zichzelf, maar dat maakte geen indruk. Hij moest zich schamen. Hij moest zich...

Fat Charlie ging verzitten en stootte een zacht, tevreden gesnurk uit.

Toen het vliegtuig op Heathrow landde, was hij nog steeds in een uitstekend humeur. Hij nam de sneltrein van Heathrow naar Paddington en was blij dat de zon tijdens zijn korte afwezigheid uit Engeland had besloten om te gaan schijnen. *Alles*, zei hij tegen zichzelf, *zal goed komen.*

De enige wanklank die een smetje op de ochtend wierp, vond halverwege de treinreis plaats. Hij staarde uit het raampje en vond het jammer dat hij op Heathrow geen krant had gekocht. De trein kwam langs een groen veld – het sportterrein van een school misschien – toen de lucht even betrok en de trein met sissende remmen voor een sein stopte.

Dat vond Fat Charlie op zichzelf niet verontrustend. Hij was in Engeland, het was herfst: de zon liet zich per definitie alleen maar zien als het niet bewolkt of regenachtig was. Maar op het veld, aan de rand van een bos, stond een vreemde gestalte.

Eerst dacht hij dat het een vogelverschrikker was, maar dat was raar. Het kon geen vogelverschrikker zijn. Vogelverschrikkers stonden op een akker, niet op een voetbalveld. En vogelverschrikkers werden al helemaal niet aan de rand van het bos neergezet. Trouwens, als het een vogelverschrikker was, deed hij zijn werk niet goed. Want overal waren kraaien, grote zwarte kraaien.

En toen zette het vreemde geval zich in beweging. Op die grote afstand kon hij alleen de contouren onderscheiden van een tengere gestalte in een bruine gerafelde regenjas. Toch herkende Fat Charlie haar onmiddellijk. Als hij dichtbij genoeg zou zijn, zou hij een gezicht zien dat uit lavaglas was gesneden, en ravenzwart haar en ogen waarin de waanzin blonk.

Toen zette de trein zich met horten en stoten in beweging en al snel was de vrouw met de bruine regenjas uit het zicht verdwenen.

Fat Charlie voelde zich niet op zijn gemak. Hij had zichzelf met redelijk succes wijsgemaakt dat wat er was gebeurd in mevrouw Dunwiddy's voorkamer, althans wat hij dacht dat er was gebeurd, een vorm van hallucineren was geweest, een psychedelische droom die op een bepaald niveau waar was, maar geen realiteit; iets wat niet werkelijk was gebeurd, eerder een verwijzing naar een hogere waarheid. Hij was daar toch zeker niet echt geweest? Hij had toch geen echte overeenkomst gesloten?

Het was maar symbolisch.

Hij vroeg zich niet af waarom hij nu zo zeker wist dat alles zich ten goede zou keren. Je had een realiteit en je had dé realiteit, en sommige dingen waren reëler dan andere.

Sneller en sneller denderde de trein Londen binnen.

Na zijn overhaaste vertrek uit het Griekse restaurant liep Spider met het servet tegen zijn wang gedrukt naar huis en hij was er bijna toen iemand hem op zijn schouder tikte.

'Charles,' zei Rosie.

Spider schrok zich dood, dat wil zeggen, hij verstijfde en slaakte een kreet.

'Charles, is alles goed met je? Wat is er met je wang gebeurd?'

Met grote ogen keek hij haar aan. 'Ben jij het?' vroeg hij.

'Hè?'

'Ben jij Rosie?'

'Wat een rare vraag? Wie anders? Wat heb je met je wang gedaan?'

Hij drukte het servet tegen zijn wang. 'Gesneden,' zei hij.

'Laat eens zien?' Ze trok zijn hand weg. Er zat een donkerrode vlek op het servet, alsof hij had gebloed, maar zijn wang was gaaf en ongeschonden. 'Ik zie niets.'

'O.'

'Charles? Gaat het wel goed met je?'

'Ja,' zei hij. 'Prima. Behalve nu. We kunnen maar beter naar mijn huis gaan. Daar voel ik me veiliger.'

'We zouden gaan lunchen.' zei Rosie, met de stem van iemand die vreest dat ze de situatie pas begrijpt als er een tv-presentator tevoorschijn komt en haar op de verborgen camera's wijst.

'Ja,' zei Spider. 'Dat weet ik. Maar iemand probeerde me daarnet te doden. En die deed alsof ze jou was.'

'Niemand probeert je te doden,' zei Rosie sussend, al deed ze tevergeefs haar best het niet zo te laten klinken.

'Maar ook als niemand me probeert te doden, kunnen we dan toch de lunch overslaan en naar mijn huis gaan om daar te eten?'

'Natuurlijk.'

Terwijl Rosie met hem mee de straat uit liep, vroeg ze zich af wanneer Fat Charlie zoveel was afgevallen. Hij zag er goed uit, dacht ze. Hij zag er echt goed uit. Zwijgend sloegen ze Maxwell Gardens in.

Hij zei: 'Kijk eens.'

'Hè?'

Hij liet haar het servet zien. De verse bloedvlek was weg en het servet was smetteloos wit.

'Is dat een goocheltruc?'

'In elk geval niet van mij. Deze keer niet.' Hij gooide het servet in een afvalbak. Op dat moment stopte er een taxi voor Fat Charlies huis en Fat Charlie stapte eruit, verfomfaaid en met zijn ogen knipperend en met een witte plastic tas in zijn hand.

Rosie keek naar Fat Charlie. Ze keek naar Spider. Ze keek weer naar Fat Charlie, die een enorme doos bonbons uit de tas tevoorschijn haalde.

'Voor jou,' zei hij.

Rosie nam de doos aan en zei: 'Dank je wel.' Ze zag twee mannen die totaal niet op elkaar leken en een heel andere stem hadden, en toch kon ze niet beslissen welke van de twee haar verloofde was.

'Ben ik gek aan het worden?' vroeg ze nerveus. In zekere zin was het een opluchting te weten wat er mis was.

De slankste van de twee Fat Charlies, degene met het ringetje in zijn oor, legde zijn hand op haar schouder. 'Ga naar huis,' zei hij. 'Ga slapen. Als je wakker wordt, ben je alles vergeten.'

Nou ja, dacht ze, *dat is eigenlijk wel zo gemakkelijk. Het is prettig om een plan te hebben.* Met verende tred liep ze terug naar huis, de doos bonbons in haar hand.

'Hoe deed je dat?' vroeg Fat Charlie. 'Opeens interesseerde het haar niet meer.'

Spider haalde zijn schouders op. 'Ik wilde haar niet overstuur maken,' zei hij.

'Waarom heb je niet verteld hoe het zit?'

'Dat vond ik niet netjes.'

'Alsof jij weet wat netjes is!'

Spider legde zijn hand op de voordeur, die vanzelf openzwaaide.

'Ik heb sleutels, hoor,' zei Fat Charlie. 'En het is míjn voordeur.'

Ze gingen naar binnen en liepen de trap op.

'Waar ben je geweest?' vroeg Spider.

'Nergens. Gewoon. Weg,' zei Fat Charlie alsof hij een puber was.

'Vanmorgen ben ik in een restaurant aangevallen door een zwerm vogels. Weet je daar soms iets vanaf? Volgens mij wel.'

'Niet echt. Misschien. Het wordt tijd dat je weggaat, dat is alles.'

'Doe nou niet moeilijk,' zei Spider.

'Ik? Doe ík moeilijk? Ik vind mezelf het toppunt van zelfbeheersing. Jij bent mijn leven binnengedrongen. Jij hebt mijn baas de stuipen op het lijf gejaagd en de politie achter me aan gestuurd. Jij, jij hebt mijn vriendin gekust. Jij hebt een puinhoop van mijn leven gemaakt.'

'Hé,' zei Spider. 'Als je het mij vraagt, was je aardig op weg om zelf een puinhoop van je leven te maken.'

Fat Charlie balde zijn vuist, zwaaide zijn arm naar achteren en gaf Spider een kaakslag, zoals ze dat in films doen. Spider wankelde achteruit, eerder uit verbazing dan omdat het pijn deed. Hij bracht zijn hand naar zijn lip, keek naar het bloed op zijn hand. 'Je hebt me geslagen,' zei hij.

'Dat kan ik nog eens doen,' zei Fat Charlie, al wist hij dat niet zo zeker. Zijn hand deed pijn.

Spider zei: 'O ja?' en hij schoot op Fat Charlie af, begon hem met zijn vuisten te bewerken. Fat Charlie viel op de grond met zijn arm om Spiders middel, zodat hij Spider meetrok.

Ze rolden door de gang, terwijl ze elkaar sloegen en stompten. Fat Charlie was er min of meer op bedacht dat Spider een magische tegenaanval zou inzetten of bovennatuurlijk sterk zou zijn, maar ze bleken redelijk aan elkaar gewaagd. Ze vochten allebei nogal amateuristisch, als jongens – als broers – en terwijl ze vochten, herinnerde Fat Charlie zich dat hij dit een keer eerder had gedaan, lang, lang geleden. Spider was slimmer en sneller, maar als Fat Charlie boven lag en zorgde dat Spider zijn handen niet kon gebruiken...

Fat Charlie pakte Spiders rechterhand, draaide hem op Spiders rug, ging toen op zijn broers borst zitten en drukte hem met zijn volle gewicht tegen de grond.

'Geef je je over?' vroeg hij.

'Nee.' Spider kronkelde en wrong zich in allerlei bochten, maar Fat Charlie had een stevige positie ingenomen op Spiders borst.

'Beloof me,' zei Fat Charlie, 'dat je uit mijn leven vertrekt, en mij en Rosie voor altijd met rust laat.'

Dat maakte Spider woedend en met een snelle beweging gooide hij Fat Charlie van zich af. Die kwam languit op de keukenvloer terecht. 'Kijk,' zei Spider. 'Dat zei ik toch.'

Er werd beneden op de deur gebonkt, het dwingende gebonk van iemand die nodig naar binnen wilde. Fat Charlie keek nijdig naar Spider; Spider keek boos terug, en langzaam krabbelden ze overeind.

'Zal ik opendoen?' vroeg Spider.

'Nee,' zei Fat Charlie. 'Het is verdorie míjn huis. En ík ga ver-

dorie mijn éígen voordeur openmaken, als je dat maar weet.'
'Wat je wilt.'

Fat Charlie schuifelde naar de trap. Toen draaide hij zich om. 'Als ik hiermee klaar ben,' zei hij, 'ben jij aan de beurt. Pak je spullen. Je gaat eruit.' Hij liep naar beneden, stopte zijn hemd in zijn broek, sloeg het stof van zijn kleren en probeerde er over de hele linie uit te zien alsof hij niet vechtend over de grond had gerold.

Hij deed de deur open. Er stonden twee grote geüniformeerde politiemannen en een kleinere, exotisch uitziende politievrouw in een bijzonder burgerlijk pakje.

'Charles Nancy?' vroeg Daisy. Ze keek hem met een nietszeggende blik aan, alsof ze hem voor het eerst zag.

'Glop,' zei Fat Charlie.

'Meneer Nancy,' zei ze, 'u staat onder arrest. U hebt het recht...'

Fat Charlie draaide zich om naar het trapgat. 'Schoft!' schreeuwde hij naar boven. 'Schoft, schoft, onbeschofte schofterige schóft!'

Daisy gaf hem een klopje op zijn arm. 'Wilt u rustig meegaan,' vroeg ze zacht. 'Als dat niet lukt, moeten we u eerst kalmeren. Dat zou ik niet aanraden. Deze mannen zijn erg enthousiaste kalmeerders.'

'Ik zal rustig meegaan,' zei Fat Charlie.

'Zo mag ik het horen,' zei Daisy. Ze liep met Fat Charlie mee naar buiten en sloot hem achter in de politiewagen op.

De politie doorzocht de flat. Er was niemand. Aan het eind van de gang bevond zich een logeerkamer met een paar dozen vol boeken en speelgoedautootjes. Ze snuffelden er wat rond, maar vonden niets wat de moeite waard was.

Spider lag op de bank in zijn slaapkamer en mokte. Toen Fat Charlie de deur ging opendoen, was hij naar zijn kamer gegaan want hij had behoefte aan privacy. Hij was niet erg goed in confrontaties. Normaal ging hij weg als het ingewikkeld begon te worden, en Spider wist dat het tijd werd om te vertrekken, maar hij wilde nog niet weg.

Hij vroeg zich af of hij er goed aan had gedaan Rosie naar huis te sturen. Wat hij eigenlijk wilde – en Spider werd altijd voortgedreven door wat hij *wilde*, nooit door wat hij *moest doen* of *behoorde te doen* – was Rosie vertellen dat hij met haar verder wilde – als Spider. Dat hij niet Fat Charlie was. Dat hij heel anders was dan zijn broer. Op zichzelf was dat het probleem niet. Hij was in staat om met genoeg overtuigingskracht te zeggen: 'Eigenlijk ben ik Spider, de broer van Fat Charlie, en ik weet zeker dat het wat jou betreft oké is, dat het voor jou geen verschil maakt.' Dan zou de kosmos Rosie nog een duwtje hebben gegeven, en ze zou het hebben geaccepteerd, net zo gewillig als ze zich daarnet naar huis had laten sturen. Ze zou er vrede mee hebben gehad. Ze zou het niet erg hebben gevonden, helemaal niet.

Maar diep in zijn hart wist hij dat ze het wel erg zou vinden. Mensen houden er niet van door de goden een bepaalde kant uit gestuurd te worden. Op het eerste gezicht misschien wel, maar diep vanbinnen en onbewust, merkten ze het en vonden het afschuwelijk. Ze wísten het. Spider kon haar wijsmaken dat ze gelukkig was, en dan zou ze gelukkig zijn, maar haar geluk was net zo echt als wanneer hij een glimlach op haar gezicht schminkte en ze dacht dat het haar eigen glimlach was. Op de korte termijn (tot dusver had Spider alleen maar in korte termijnen gedacht) zou het niet belangrijk zijn, maar op de lange termijn zou het problemen geven. Hij wilde geen vrouw die inwendig ziedde van woede en hem heimelijk haatte, hoewel ze op het oog volkomen rustig en normaal was, als een goed afgerichte marionet. Hij wilde Rosie.

Dan zou het Rosie immers niet zijn?

Spider keek uit het raam naar de prachtige waterval en de tropische hemel erachter, terwijl hij zich afvroeg wanneer Fat Charlie op zijn deur zou kloppen. Er was vanochtend in het restaurant iets gebeurd, en hij was ervan overtuigd dat zijn broer er meer vanaf wist dan hij wilde loslaten.

Na een tijdje begon het wachten hem te vervelen en hij liep terug naar Fat Charlies flat. Er was niemand. Het was een ravage – alsof de flat op een professionele manier overhoop was gehaald. Spider besloot dat Fat Charlie er waarschijnlijk zelf zo'n bende van had gemaakt uit woede dat Spider hem had verslagen.

Hij keek uit het raam. Er stond een politiewagen geparkeerd naast een zwarte arrestantenbus. Hij zag de beide wagens wegrijden.

Toen roosterde hij een paar boterhammen voor zichzelf, besmeerde ze met boter en at ze op. Daarna liep hij door de flat en trok zorgvuldig alle gordijnen dicht.

Er werd aangebeld. Spider sloot het laatste gordijn, liep toen naar beneden. Hij deed de deur open en Rosie keek hem aan. Ze zag er nog steeds een beetje wazig uit. Hij keek haar aan. 'Nou? Mag ik niet binnenkomen?'

'Natuurlijk. Kom binnen.'

Ze liep de trap op. 'Wat is er gebeurd? Het lijkt of er een aardbeving is geweest.'

'O ja?'

'Waarom zit je in het donker?' Ze wilde de gordijnen openschuiven.

'Niet doen! Hou ze dicht.'

'Waar ben je bang voor?' vroeg Rosie.

Spider keek uit het raam. 'Vogels,' zei hij ten slotte.

'Maar de vogels zijn onze vriendjes,' zei Rosie alsof ze het tegen een kind had.

'Vogels,' zei Spider, 'zijn de laatste dinosaurussen. Kleine velociraptors met vleugels. Eten weerloze wriemeldingen, noten, vis en, en andere vogels. Staan voor dag en dauw op om wormen te vangen. Heb je ooit gezien hoe een kip eet? Ze lijken wel zo onschuldig, maar vogels zijn, nou ja, ze zijn wreed.'

'Pas was het op het nieuws,' zei Rosie, 'dat een vogel iemands leven had gered.'

'Dat doet niets af aan het feit dat...'

'Het was een raaf, of een kraai. Zo'n grote zwarte vogel. De man lag een tijdschrift te lezen op zijn gazon in Californië en hij hoorde maar krassen en krassen; dat was een raaf die zijn aandacht probeerde te trekken. Dus hij staat op en loopt naar de boom waar die vogel op een tak zit, en daaronder zit een poema al helemaal klaar om hem aan te vallen. Dus hij gaat naar binnen. Als die raaf hem niet had gewaarschuwd, had de poema hem opgegeten.'

'Voor een raaf is dat nogal uitzonderlijk,' zei Spider. 'Maar of die ene raaf wel of niet het leven van die man heeft gered, maakt niet uit. Ik word door vogels achternagezeten.'

'Juist.' Rosie probeerde het niet meewarig te laten klinken. 'Je wordt door vogels achternagezeten.'

'Ja.'

'En waarom dan wel...?'

'Ahum.'

'Er moet een reden zijn. Je maakt mij niet wijs dat het overgrote deel van de vogels jou opeens zonder enige aanleiding als een grote vroege worm beschouwt.'

Hij zei: 'Je gelooft me toch niet,' en dat meende hij.

'Charlie. Je bent altijd openhartig geweest. Ik bedoel, ik vertrouw je. Ik beloof je dat ik mijn best zal doen om je te geloven. Ik zal écht heel erg mijn best doen. Ik hou van je en ik geloof in je. Dus waarom geef je me geen kans om te kijken of ik je geloof?'

Spider dacht erover na. Toen pakte hij haar hand en gaf er een kneepje in.

'Dan moet ik je eerst iets laten zien.'

Hij bracht haar naar het eind van de gang. Voor de deur van Fat Charlies logeerkamer bleven ze staan.

'Daarbinnen is iets,' zei hij, 'wat alles beter verklaart dan ik het zelf kan.'

'Je bent een superheld,' zei ze, 'en hier verstop je je Batman-palen?'

'Nee.'

'Is het iets pervers? Je draagt graag een twinset en een parelsnoer en noemt jezelf Dora?'

'Nee.'

'Toch geen... modelspoorbaan?'

Spider duwde de deur van Fat Charlies logeerkamer open en opende tegelijkertijd de deur naar zijn slaapkamer. De panoramavensters aan de andere kant van de kamer keken uit op een waterval, die neerstortte in een meertje in het oerwoud. De lucht die ze door de ramen zag, was blauwer dan saffieren.

Rosie slaakte een kreetje.

Ze draaide zich om, liep door de hal naar de keuken en keek naar buiten, naar de grijze Londense lucht, smerig en niet uitnodigend. Ze kwam terug. 'Ik begrijp het niet,' zei ze. 'Charlie? Wat is er aan de hand?'

'Ik ben Charlie niet,' zei Spider. 'Kijk naar me. Kijk eens héél goed naar me. Ik lijk niet eens op hem.'

Nu probeerde ze hem niet meer gerust te stellen. Haar ogen waren wijd opengesperd en vol angst.

'Ik ben zijn broer,' zei Spider. 'Ik heb overal een puinhoop van gemaakt. Volgens mij kan ik maar het beste uit jullie leven verdwijnen en weggaan.'

'En waar is Fat... waar is Charlie?'

'Ik weet het niet. We hebben gevochten. Hij liep naar beneden om de deur open te doen en ik ging naar mijn kamer; hij kwam niet terug.'

'Hij kwam niet terug? En heb je niet eens geprobeerd uit te zoeken wat er met hem is gebeurd?'

'Eh. Ik geloof dat de politie hem meegenomen heeft,' zei Spider. 'Dat denk ik. Helemaal zeker is dat natuurlijk niet.'

'En hoe heet jij?' vroeg ze op dringende toon.

'Spider.'

Rosie zei hem na. 'Spider.' Door het raam, boven de nevel van de waterval, hing een zwerm flamingo's in de lucht, hun vleugels naar wit overlopend roze in het zonlicht. Ze waren statig en talrijk. Rosie had zelden zoiets moois gezien. Ze keek naar Spider, en terwijl ze naar hem keek, begreep ze niet hoe ze zich ooit had verbeeld dat hij Fat Charlie was. Fat Charlie was gemoedelijk, open en onbeholpen; deze man was zo gespannen als een veer die elk moment kon knappen. 'Je bent het echt niet, hè?'

'Dat zeg ik toch.'

'Dus. Met wie. Met wie heb ik. Met wie ben ik... naar bed geweest?'

'Dat was ik,' zei Spider.

'Dat dacht ik al,' zei Rosie. Ze gaf hem een klap in zijn gezicht, zo hard mogelijk. Hij voelde dat zijn lip weer begon te bloeden.

'Dat zal ik verdiend hebben,' zei hij.

'Natuurlijk heb je dat verdiend.' Ze zweeg. Toen vroeg ze: 'Wist Fat Charlie er vanaf? Van jou? Dat je met me uitging?'

'Eh, ja. Maar hij...'

'Dan zijn jullie allebei gestoord,' zei ze. 'Ziek, ziek en slecht. Van mij mogen jullie in de hel branden.'

Ze wierp een laatste verblufte blik door de enorme slaapkamer en uit het slaapkamerraam naar de bomen in het oerwoud, de reusachtige waterval, de vlucht flamingo's, en ze liep weg door de gang.

Spider zat op de grond. Een straaltje bloed sijpelde uit zijn onderlip en hij voelde zich een stommeling. Hij hoorde de voordeur met een klap dichtslaan. Hij liep naar het warmwaterbad en doopte het uiteinde van een donzige handdoek in het warme water. Toen wrong hij die uit en hield hem tegen zijn lip. 'Het kan me niets schelen,' zei Spider hardop, want jezelf voorliegen gaat gemakkelijker als je het hardop doet. 'Een week geleden kon ik heel goed zonder jullie, dus nu heb ik jullie ook niet nodig. Het laat me koud. Ik ben het zat.'

De flamingo's knalden als donzige roze kanonskogels tegen het vensterglas en verbrijzelden het glas. De scherven vlogen door de kamer, schoten alle kanten uit en boorden zich in de muren, de vloer en het bed. Overal waren zachtroze schepsels die zich omlaag stortten, een wirwar van enorme roze vleugels en kromme zwarte snavels. Het geraas van de waterval denderde de kamer in.

Spider drukte zich tegen de muur. De flamingo's versperden de weg naar de deur; ze waren met honderden: vogels van anderhalve meter, een en al poten en nek. Hij ging staan en liep door een mijnenveld van nijdige roze vogels, die allemaal met hun waanzinnige roze ogen naar hem loerden. Van een afstandje zagen ze er misschien mooi uit. Eén vogel pikte in Spiders hand. Hoewel hij niet doorbeet, deed het pijn.

Spiders slaapkamer was groot, maar toch was de hele kamer al snel vol met zich omlaag stortende flamingo's. En in de blauwe lucht boven de waterval hing een donkere wolk die de komst van de volgende zwerm aankondigde.

Ze pikten naar hem en sloegen hun klauwen naar hem uit en beukten met hun vleugels op hem in, maar hij wist dat dat nog niet het ergste was. Het ergste was dat hij zou stikken onder het donzige roze verenkleed van de flamingo's. Het leek hem een enorm onwaardige manier van sterven als hij door vogels werd vermorzeld, en niet eens erg intelligente vogels.

Denk na, zei hij tegen zichzelf. *Het zijn flamingo's. Vogelbreinen. Jij bent Spider.*

Nou en? dacht hij geïrriteerd. *Vertel me eens iets nieuws.*

De flamingo's op de grond omsingelden hem. De flamingo's in de lucht doken boven op hem. Hij trok zijn jasje over zijn hoofd, en toen begonnen de vogels in de lucht op hem in te beuken. Het was alsof er iemand kuikens op hem afschoot. Hij wankelde en viel. *Leid ze af, stommeling.*

Spider krabbelde overeind en waadde door een zee van vleugels en snavels tot hij voor het raam stond, nu een gapend gat met puntig glas.

'Stomme vogels,' zei hij vrolijk. Hij trok zich op in de vensterbank.

Flamingo's zijn niet vermaard om hun grote scherpzinnigheid of hun probleemoplossend vermogen. Een kraai die een verbogen stuk ijzerdraad en een fles met iets eetbaars ziet, zal het ijzerdraad misschien als gereedschap proberen te gebruiken om de inhoud uit de fles te vissen. Daarentegen zal een flamingo proberen het ijzerdraad op te eten omdat het op een garnaal lijkt, of, als het daar niet op lijkt, omdat het een nieuw soort garnaal zou kunnen zijn. Dus dat de man die hen in de vensterbank uitschold, een enigszins wazige en onwerkelijke indruk maakte, merkten de flamingo's niet op. Ze loerden naar hem met de waanzinnige rode ogen van een *killer rabbit*, en stormden op hem af.

De man dook het raam uit, recht in de nevel van de waterval, en duizenden flamingo's doken als gekken achter hem aan, maar omdat flamingo's een aanloop nodig hebben om te kunnen vliegen, stortten er veel als bakstenen weer omlaag.

Al snel lag de slaapkamer bezaaid met gewonde of dode flamingo's: vogels die de ramen hadden verbrijzeld, vogels die tegen de muur waren geknald, vogels die verpletterd waren door andere vogels. De flamingo's die nog in leven waren, zagen de slaapkamerdeur opengaan, schijnbaar vanzelf, en weer dichtgaan, maar omdat het flamingo's waren, zochten ze er niets achter.

Spider stond in de gang van Fat Charlies flat en probeerde op adem te komen. Hij concentreerde zich op het laten verdwijnen van de slaapkamer, wat hij niet graag deed, vooral omdat hij ongelooflijk trots was op zijn geluidsapparatuur, maar ook omdat hij er zijn spullen bewaarde.

Aan nieuwe spullen kun je echter altijd komen. Als je Spider heette, hoefde je er alleen om te vragen.

Rosies moeder was geen type voor openlijk leedvermaak, dus toen Rosie in tranen uitbarstte op haar chippendale bank, begon haar moeder niet te juichen, te zingen of een overwinningsdansje te doen en door de kamer te zwieren. Een oplettende toeschouwer had echter een triomfantelijke glans in haar ogen kunnen zien.

Ze gaf Rosie een glas gevitamineerd water met een ijsklontje erin en luisterde naar haar dochters huilerige relaas van liefdesverdriet en bedrog. Tegen het eind had de triomfantelijke glans plaatsgemaakt voor een verbijsterde blik en het duizelde haar.

'Dus Fat Charlie was niet echt Fat Charlie?' vroeg Rosies moeder.

'Nee. Of eigenlijk wel. Fat Charlie is wel Fat Charlie, maar de afgelopen week ben ik met zijn broer uitgeweest.'

'Zijn het tweelingbroers?'

'Nee. Ze lijken geloof ik niet eens op elkaar. Ik weet het niet. Ik ben zo in de war.'

'Dus met wie van de twee heb je het uitgemaakt?'

Rosie snoot haar neus. 'Met Spider. Dat is Fat Charlies broer.'

'Maar je was niet met hem verloofd.'

'Nee, maar ik dacht dat ik dat was. Ik dacht dat hij Fat Charlie was.'

'Dus je hebt het ook uitgemaakt met Fat Charlie?'

'Daar lijkt het op. Alleen heb ik het nog niet tegen hem gezegd.'

'Wist hij, wist hij over dat, dat gedoe met zijn broer? Hebben ze een soort pervers spelletje met mijn arme meisje gespeeld?'

'Ik geloof het niet. Maar het maakt niet uit. Ik kan niet met hem trouwen.'

'Nee,' viel haar moeder haar bij. 'Dat kan je zeker niet. Uitgesloten.' In gedachten sprong ze een gat in de lucht en ontstak een grote, maar smaakvolle collectie vuurwerk. 'We zullen een goede man voor je zoeken. Wees maar niet bang. Die Fat Charlie toch. Hij had het achter zijn ellebogen. Dat wist ik zodra ik hem zag. Hij at van mijn kunstfruit. Ik wist dat hij niet deugde. Waar is hij nu?'

'Dat weet ik niet. Spider dacht dat de politie hem misschien had meegenomen.'

'Aha!' zei haar moeder. In gedachten voerde ze de hoeveelheid vuurwerk op tot de omvang van een oudejaarsavondspektakel in Disneyland en offerde voor de zekerheid een dozijn gave zwarte stieren. Hardop zei ze alleen: 'Zit waarschijnlijk in de gevangenis, als je het mij vraagt. Daar hoort hij thuis. Ik heb altijd gezegd dat die jongen daar terecht zou komen.'

Rosie begon te huilen, zo mogelijk nog harder dan daarvoor. Ze trok opnieuw een pakje papieren zakdoekjes tevoorschijn en snoot luid toeterend haar neus. Ze slikte dapper. Toen begon ze weer te huilen. Haar moeder klopte op de rug van Rosies hand, zo troostend als in haar vermogen lag. 'Natuurlijk kun je niet met hem trouwen,' zei ze. 'Je kunt niet met een gedetineerde trouwen. Maar als hij in de gevangenis zit, kun je de verloving gemakkelijk verbreken.' Een zweem van een glimlach beroerde haar mondhoeken toen ze zei: 'Als ik hem nou eens bel in plaats van jij. Of bij hem op bezoek ga en vertel wat een walgelijke smeerlap hij is en dat je hem nooit meer wilt zien. We kunnen ook een straatverbod aanvragen,' voegde ze er hulpvaardig aan toe.

'D-dat is niet waarom ik niet met Fat Charlie kan trouwen,' zei Rosie.

'O nee?' vroeg haar moeder, terwijl ze een perfect getekende wenkbrauw optrok.

'Nee,' zei Rosie. 'Ik kan niet met Fat Charlie trouwen omdat ik niet verliefd op hem ben.'

'Natuurlijk niet. Dat wist ik wel. Het was een bakvisachtige bevlieging, maar nu je dat inziet...'

'Ik ben verliefd,' ging Rosie door alsof haar moeder niets had gezegd, 'op Spider. Zijn broer.' De uitdrukking die op haar moeders gezicht verscheen, had nog het meeste weg van een zwerm bijen rond een picknicktafel. 'Rustig maar,' zei Rosie. 'Met hem ga ik ook niet trouwen. Ik heb hem verteld dat ik hem nooit meer wil zien.'

Rosies moeder perste haar lippen op elkaar 'Nou,' zei ze, 'ik kan niet doen alsof ik er iets van begrijp, maar ik kan ook niet zeggen dat het slecht nieuws is.' Haar geest schakelde naar een ander toerental en de radertjes grepen op een nieuwe, interessante manier in elkaar: schroefjes schroefden en veertjes veerden. 'Weet je,' zei ze, 'waar je erg van zou opknappen? Wat dacht je van een korte vakantie? Ik trakteer, want als de bruiloft niet doorgaat scheelt me dat een heleboel geld.'

Dat had ze beter niet kunnen zeggen. Rosie begon weer te snikken in haar zakdoeken. Haar moeder ging door: 'Het is in elk geval op mijn kosten. En ik weet dat je nog vakantiedagen te goed hebt. Je hebt zelf gezegd dat het rustig is op je werk. Na zoiets moet een meisje er tussenuit om zich even te ontspannen.'

Rosie vroeg zich af of ze haar moeder niet al die jaren had onderschat. Ze snotterde en slikte. 'Dat zou fijn zijn.'

'Afgesproken,' zei haar moeder. 'Ik ga mee om voor mijn dochter te zorgen.' In gedachten, tegen de achtergrond van een magnifiek slot van het vuurwerkspektakel, voegde ze eraan toe: *want*

ik wil zeker weten dat mijn dochter de juiste man ontmoet.
'Waar gaan we heen?' vroeg Rosie.
'Wij gaan,' zei haar moeder, 'een cruise maken.'

Fat Charlie had geen handboeien om. Dat was fijn. Al het andere was niet fijn, maar hij had tenminste geen handboeien om. Het leven was een wazige vlek geworden met een paar veel te scherpe details: de dienstdoende agent – 'Cel zes is nog vrij' – die aan zijn neus krabde en hem door een groene deur naar binnen leidde, en toen de geur van de cellen, een vage stank die hij nooit eerder had geroken, maar die hem meteen afschuwelijk bekend voorkwam, een doordringende geur van verschraalde kots en ontsmettingsmiddelen en muffe dekens en niet doorgespoelde wc's en wanhoop. Het was de geur van de onderkant van de samenleving; de plek waar Fat Charlie leek te zijn beland.

'Als je het toilet moet doorspoelen,' zei de agent die hem door de gang begeleidde, 'druk je op de knop in je cel. Een van ons zal, vroeg of laat, voor je doortrekken. Dat is om te voorkomen dat je bewijsmateriaal door het toilet spoelt.'

'Bewijs waarvan?'

'Vergeet het maar, makker.'

Fat Charlie zuchtte. Hij had zijn eigen afscheidingsproducten doorgetrokken sinds hij oud genoeg was om aan die activiteit een zekere trots te ontlenen, en het verlies van dat voorrecht maakte hem, meer nog dan het verlies van zijn vrijheid, duidelijk dat alles was veranderd.

'Is het je eerste keer?' vroeg de politieagent.

'Hoe bedoelt u?'

'Drugs?' vroeg de politieagent.

'Nee, dank u,' zei Fat Charlie.

'Ben je daarom hier?'

'Ik weet niet waarom ik hier ben,' zei Fat Charlie. 'Ik ben onschuldig.'

'Witteboordencriminaliteit zeker?' zei de politieagent hoofdschuddend. 'Ik zal je vertellen, de zware jongens ruiken dat op een afstandje. Hoe gemakkelijker je het ons maakt, des te gemakkelijker maken we het jou. Jullie witteboordenvolk. Altijd de mond vol over je rechten. Daarmee maken jullie het jezelf alleen maar lastiger.'

Hij trok de deur van cel zes open. 'Welkom thuis,' zei hij.

De cellenstank was nog erger in het vertrek, waar de muren beschilderd waren met graffitiwerende structuurverf en alleen een brits stond, laag bij de grond, en in de hoek een toilet zonder zitting.

Fat Charlie legde de deken die hem was verstrekt, op het bed.

'Juist,' zei de agent. 'Nou, maak het jezelf gemakkelijk. En als je je verveelt, verstop het toilet dan niet door je deken erin te gooien.'

'Waarom zou ik dat doen?'

'Dat vraag ik mezelf ook af,' zei de politieagent. 'Waarom doet iemand dat? Misschien om de eentonigheid te doorbreken. Ik zou het niet weten. Omdat ik van het gezagsgetrouwe soort ben met een politiepensioen voor de boeg, heb ik nooit veel tijd in een cel hoeven doorbrengen.'

'Weet u, ik heb het niet gedaan,' zei Fat Charlie. 'Wat het ook was.'

'Gelukkig maar,' zei de agent.

'Pardon,' zei Fat Charlie, 'Hebt u iets te lezen voor me?'

'Ziet het er hier uit als een bibliotheek?'

'Nee.'

'Toen ik een jong agentje was, vroeg iemand me een keer of ik een boek voor hem had. Ik gaf hem een boek dat ik uit had. Het was van J.T. Edson, of van Louis L'Amour. En wat deed die vent? Hij verstopte het toilet ermee. Ik sta niet te popelen dat nog eens te doen.'

Toen liep hij weg en deed de deur op slot; Fat Charlie aan de binnenkant en hij buitenkant.

Het was gek, dacht Grahame Coats, die geen aanleg voor introspectie had, hoe normaal en opgewekt en goed hij zich in alle opzichten voelde.

De gezagvoerder zei dat ze hun veiligheidsgordels moesten

omdoen en deelde mee dat ze gauw op Saint Andrews zouden landen. Saint Andrews was een klein Caribisch eiland dat na de onafhankelijkheidsverklaring van 1962 had besloten de bevrijding van het koloniale bewind op een aantal manieren tot uitdrukking te brengen, onder andere door het instellen van een eigen rechtssysteem en door de uitzonderlijke weigering om uitleveringsverdragen met de rest van de wereld te sluiten.

Het vliegtuig landde. Grahame Coats stapte uit en liep over de zonnige landingsbaan, terwijl hij zijn koffer met wieltjes achter zich aan trok. Hij liet het juiste paspoort zien – van Basil Finnegan – en liet er stempels in zetten, pakte de rest van zijn bagage van de transportband en liep door de onbemande douanehal van de kleine luchthaven naar buiten, de stralende zonneschijn in. Hij droeg een t-shirt, een korte broek en sandalen, waardoor hij eruitzag als de stereotype Britse toerist.

Zijn tuinman stond hem bij het vliegveld op te wachten, en Grahame Coats nestelde zich op de achterbank van de zwarte Mercedes en zei: 'Breng me naar huis.' Onderweg van Williamstown naar zijn landgoed boven op het klif keek hij over het eiland uit met een voldane bezittersglimlach op zijn gezicht.

Hij bedacht dat hij bij zijn vertrek uit Engeland een vrouw halfdood had achtergelaten. Hij vroeg zich af of ze nog in leven was; dat betwijfelde hij. Hij zat er niet mee dat hij iemand had vermoord. Integendeel, het gaf hem immens veel voldoening, alsof het een noodzakelijke handeling was geweest om een compleet mens te worden. Hij vroeg zich af of zich nog zo'n kans zou voordoen.

Hij vroeg zich af hoe snel dat zou zijn.

TIEN

WAARIN

FAT CHARLIE

IETS VAN DE

WERELD ZIET EN

MAEVE LIVINGSTONE

HET NIET NAAR

HAAR ZIN HEEFT

Fat Charlie zat boven op de deken op het metalen bed te wachten tot er iets zou gebeuren, maar dat was niet zo. Er leken maanden voorbij te gaan, in een belachelijk traag tempo. Hij wilde gaan slapen, maar was vergeten hoe dat moest.

Hij bonkte op de deur.

Iemand schreeuwde: 'Kop dicht!' Het was niet duidelijk of het een agent was of een medegevangene.

Hij beende door zijn cel; dat leek hij, naar een voorzichtige schatting, twee tot drie jaar vol te houden. Toen ging hij zitten en liet de eeuwigheid over zich heen komen. Boven in de muur zat een dik glazen blok, dat als raam fungeerde en het daglicht doorliet. Waarschijnlijk nog steeds hetzelfde daglicht als hij die ochtend had gezien toen de deur achter hem dicht was gevallen.

Fat Charlie probeerde zich te herinneren wat gevangenen deden om de tijd te doden, maar hij kwam niet verder dan het bijhouden van geheime dagboeken en het verstoppen van dingen in hun achterwerk. Hij had geen papier om op te schrijven en hij had het idee dat je erg diep was gezonken als je dingen in je achterwerk moest verstoppen.

Er gebeurde niets. Niets bleef gebeuren. Nog meer Niets. De terugkeer van Niets. De zoon van Niets. Niets slaat weer toe. Niets en Abbott en Costello ontmoeten de weerwolf...

Toen de deur van het slot werd gedraaid, begon Fat Charlie bijna te juichen.

'Tijd om te luchten. Je kunt een sigaret krijgen als je wilt.'

'Ik rook niet.'

'Dat is ook eigenlijk een vieze gewoonte.'

Het luchten gebeurde op de binnenplaats van het politiebureau, die omringd was door muren met rollen prikkeldraad er bovenop. Fat Charlie liep rondjes en stelde vast dat als hij ergens een hekel aan had, het wel gevangenschap was. Fat Charlie was nooit dol op de politie geweest, maar tot nog toe had hij zijn basale vertrouwen in de natuurlijke gang van zaken kunnen behouden, de overtuiging dat er een soort macht bestond – de victorianen zouden het de Voorzienigheid noemen – die erop toezag dat de schuldigen werden gestraft terwijl de onschuldigen werden bevrijd. Dit geloof had hij door de recente gebeurtenissen verloren en had plaatsgemaakt voor de angst dat hij de rest van zijn leven zijn onschuld moest bepleiten voor een stoet onverbiddelijke rechters en beulen (vaak zouden ze op Daisy lijken) en dat hij waarschijnlijk de volgende ochtend bij het ontwaken in cel zes zou ontdekken dat hij in een enorme kakkerlak was veranderd. Hij was vast en zeker getransporteerd naar het soort kwaadaardige universum dat mensen in kakkerlakken veranderde...

Vanuit de lucht landde er iets op de rol prikkeldraad. Fat Charlie keek op. Een merel keek met hautaine desinteresse op hem neer. Nog meer gefladder; de merel kreeg gezelschap van een paar mussen en iets waarvan Fat Charlie dacht dat het waarschijnlijk een lijster was. Ze staarden naar hem; hij staarde terug.

Er kwamen meer vogels aanvliegen.

Fat Charlie zou moeilijk kunnen aangeven wanneer de aanwas van vogels op de rollen prikkeldraad van interessant begon om te slaan in angstaanjagend. Dat punt lag ergens voorbij de eerste honderd vogels. Het kwam vooral doordat ze niet koerden of krasten of kwetterden of zongen. Ze streken gewoon op het prikkeldraad neer en keken naar hem.

'Ga weg,' zei Fat Charlie.

Als één vogel bleven ze zitten. Maar ze deden wel iets. Ze noemden zijn naam.

Fat Charlie liep naar de deur in de hoek. Hij bonsde erop. Hij zei een paar keer: 'Hallo daar.' Toen begon hij te gillen: 'Help!' Een doffe klap. De deur ging open en een zwaargebouwde dienaar van Harer Majesteits politiekorps zei: 'Ik hoop dat je een goede reden hebt.'

Fat Charlie wees naar boven. Hij zei niets. Dat hoefde niet. De mond van agent viel wagenwijd open en bleef open hangen. Fat Charlies moeder zou de man hebben verteld dat hij zijn mond dicht moest doen omdat er anders iets in vloog.

De rollen draad zakten door onder het gewicht van wel duizenden vogels. Kleine vogeloogjes staarden omlaag zonder te knipperen.

'Krijg nou wat!' zei de politieagent en hij bracht Fat Charlie zwijgend naar het cellenblok.

Maeve Livingstone had pijn. Ze lag languit op de vloer. Toen ze wakker werd, waren haar gezicht en haar vochtig en warm. Ze sliep in en toen ze weer wakker werd, waren haar gezicht en haar plakkerig en koud. Ze droomde, werd wakker, droomde opnieuw, werd wakker genoeg om zich bewust te zijn van de pijn in haar achterhoofd, en toen, omdat het gemakkelijker was en ze geen pijn had als ze sliep, gaf ze toe aan de slaap die haar als een comfortabele deken omhulde.

In haar dromen liep ze door een televisiestudio op zoek naar Morris. Af en toe ving ze op de monitors een glimp van hem op. Hij zag er elke keer bezorgd uit. Ze probeerde het gebouw uit te lopen, maar hoe ze ook liep, ze kwam altijd uit bij de opnamestudio.

Ik heb het zo koud, dacht ze, en ze wist dat ze weer wakker was. De pijn was echter gezakt. Door de bank genomen voelde Maeve zich niet al te beroerd.

Toch was er iets wat haar dwarszat, al wist ze niet precies wat. Misschien had ze het ook maar gedroomd.

Op de plaats waar ze zich bevond, was het donker. Het leek

of ze in een soort bezemkast zat en ze hield haar armen voor zich uit om te zorgen dat ze in het donker nergens tegenaan zou botsen. Met haar armen gestrekt en haar ogen dicht zette ze een paar onzekere passen. Daarna sloeg ze haar ogen open. Ze was in een vertrek dat ze kende. Het was een kantoor.

Het kantoor van Grahame Coats.

Toen herinnerde ze zich alles weer. Nog slaapdronken – ze kon niet goed nadenken, ze had een kop koffie nodig om helder te worden – maar toch wist ze het weer: Grahame Coats' doortraptheid, zijn bedrog, zijn zwendel, zijn...

Mijn hemel, dacht ze, *hij heeft me aangevallen. Hij heeft me geslagen.* En toen dacht ze: *De politie. Ik moet de politie bellen.*

Ze stak haar hand uit naar de telefoon op tafel en pakte de hoorn, althans ze probeerde het, maar de hoorn was te zwaar of te glibberig of allebei, dus ze kon hem niet goed vasthouden. Ze kreeg haar vingers er niet omheen.

Ik ben zeker zwakker dan ik dacht, concludeerde Maeve. *Ik moet vragen of ze ook een dokter sturen.*

In haar jaszak zat een zilveren mobieltje dat 'Greensleeves' speelde wanneer het overging. Tot haar opluchting ontdekte ze dat ze haar mobieltje nog had en dat ze het zonder problemen kon vasthouden. Ze draaide het alarmnummer. Ze wachtte tot er iemand opnam, terwijl ze zich intussen afvroeg waarom mensen het nog steeds over *draaien* hadden als er geen draaischijf op de telefoon zat, sinds haar eigen jeugd al niet meer, en na de telefoon met de kiesschijf was de toetstelefoon gekomen met drukknoppen en een bijzonder irritant gerinkel. In haar tienerjaren had ze een vriendje gehad die het *trrrtrrr* van een toetstelefoon kon nabootsen en dat ook voortdurend deed, maar het was ook het enige, bedacht Maeve nu ze erop terugkeek, waar hij goed in was. Ze vroeg zich af hoe het hem was vergaan. Ze vroeg zich af hoe een man die een toetstelefoon kon nadoen, zich staande moest houden in een wereld waar telefoons naar van alles en nog wat klonken...

'Excuses voor het wachten,' zei een computerstem. 'Blijft u aan de lijn.'

Maeve voelde zich ongewoon kalm, alsof haar nooit meer iets naars kon overkomen.

Een mannenstem aan de lijn. 'Hallo,' zei hij. Het klonk erg efficiënt.

'Ik moet de politie spreken,' zei Maeve.

'Dat hoeft niet,' zei de stem. 'Alle overtredingen worden behandeld door de onvermijdelijke en geëigende instanties.'

'Weet u,' zei Maeve, 'ik denk dat ik het verkeerde nummer heb gedraaid.'

'Dat maakt niet uit,' zei de stem, 'alle nummers zijn in wezen goed. Het zijn gewoon nummers dus het is geen kwestie van goed of verkeerd.'

'U hebt gemakkelijk praten,' zei Maeve. 'Maar ik moet echt de politie spreken. Misschien heb ik ook een ambulance nodig. En ik heb duidelijk het verkeerde nummer gedraaid.' Ze verbrak de verbinding. Misschien, dacht ze, kon je 999 niet met een mobiele telefoon bellen. Ze riep het scherm met haar adressen op en belde haar zus. De telefoon ging één keer over en een bekende stem zei: 'Ter verduidelijking: ik zeg niet dat u met opzet het verkeerde nummer hebt gedraaid. Wat ik eigenlijk wilde zeggen, is dat alle nummers van nature juist zijn. Nou, behalve het getal pi natuurlijk. Met pi kan ik niet uit de voeten. Ik krijg al hoofdpijn als ik eraan denk, dat gaat maar door en door en door en door en door...'

Maeve drukte op de rode knop en beëindigde het gesprek. Ze belde haar bankdirecteur.

De stem die aannam, zei: 'Daar ben ik weer, om nog even door te drammen over de juistheid van nummers, en u denkt ongetwijfeld dat er voor alles een tijd en plaats is...'

Klik. Ze belde haar beste vriendin.

'... en wat we nu moeten bespreken, is uw laatste wilsbeschikking. Ik vrees dat het vanavond erg druk op de weg is, dus vindt u het heel erg om even te wachten tot u wordt opgehaald...' Het was een geruststellende stem, de stem waarmee een radiopredikant zijn dagelijkse praatje hield.

Als Maeve zich niet zo kalm had gevoeld, was ze op dat moment in paniek geraakt. In plaats daarvan dacht ze na. Omdat haar telefoon waarschijnlijk was gehackt – zo noemden ze dat toch? – moest ze gewoon naar beneden gaan, op straat een agent aanhouden en een officiële aanklacht indienen. Toen Maeve op het knopje van de lift drukte, gebeurde er niets, dus ze liep de trap af en bedacht dat er waarschijnlijk geen politie in de buurt was als je ze nodig had, omdat ze de hele tijd rondsjeesden in wagens die *nie-noe-nie-noe* deden. Politieagenten, dacht Maeve, moesten twee aan twee patrouilleren om mensen te informeren hoe laat het was of onder aan een regenpijp dieven opwachten als ze met een zak gestolen waar over hun schouder omlaag gleden...

Beneden aan de trap in de hal stonden twee agenten, een man en een vrouw. Ze droegen geen uniform, maar het waren beslist agenten. Geen twijfel mogelijk. De man was dik en had een rood aangelopen gezicht, de vrouw was klein en donker en zou in andere omstandigheden bijzonder knap zijn geweest. 'We weten dat ze hier voor het laatst is gezien,' zei de vrouw. 'De receptioniste kan zich herinneren dat ze binnenkwam, net voor de lunch. Toen ze na de lunch terugkwam, waren ze allebei weggegaan.'

'Wat denk je, zijn ze samen weggelopen?' vroeg de dikke man.

'Ahum, neem me niet kwalijk,' kwam Maeve Livingstone beleefd tussenbeide.

'Dat zou kunnen. Er moet een simpele verklaring zijn. De verdwijning van Grahame Coats. De verdwijning van Maeve Livingstone. In elk geval hebben we Nancy vastgezet.'

'Geloof maar niet dat we samen zijn weggelopen,' zei Maeve, maar ze negeerden haar.

De twee politieagenten stapten in de lift en sloegen de deur achter zich dicht. Maeve zag ze schoksgewijs opstijgen naar de bovenste verdieping.

Ze hield nog steeds haar mobiele telefoon vast. Hij trilde in haar hand en begon 'Greensleeves' te spelen. Ze wierp er een blik op. De foto van Morris verscheen op het scherm. Nerveus nam ze hem aan. 'Ja?'

'Hallo, liefste. Hoe staat het ermee?'

'Goed, dank je.' Toen zei ze: 'Morris?' En toen: 'Nee, niet goed. Eigenlijk heel beroerd.'

'Ja,' zei Morris. 'Dat dacht ik wel. Daar is op het moment niets aan te doen. Tijd om verder te gaan.'

'Morris, wáár bel je vandaan?'

'Dat is een beetje ingewikkeld,' zei hij. 'Ik bedoel, ik ben niet echt aan de lijn. Ik wilde je alleen even helpen.'

'Grahame Coats,' zei ze, 'was een oplichter.'

'Ja, liefste,' zei Morris. 'Maar het wordt tijd om alles los te laten, het te vergeten.'

'Hij heeft me een klap achter op mijn hoofd gegeven,' vertelde ze hem. 'En geld van ons gestolen.'

'Dat zijn maar materiële zaken, liefste,' zei Morris troostend. 'Je hebt dit tranendal achter je gelaten...'

'Morris,' zei Maeve. 'Dat verderfelijke onderkruipsel heeft geprobeerd je vrouw te vermoorden. Je mag heus wel een beetje meer met me begaan zijn.'

'Rustig, liefste, ik probeer juist uit te leggen...'

'Het moet me van het hart, Morris, dat als je je zo opstelt, ik het zelf oplos. Ik ben echt niet van plan het te vergeten. Voor jou is dat prima, jij bent dood. Jij hoeft je niet druk om dat soort dingen te maken.'

'Jij bent ook dood, liefste.'

'Dat slaat nergens op,' zei ze, en toen: 'Wát ben ik?' En toen, voordat hij iets kon zeggen: 'Morris, ik zei dat hij heeft gepróbéérd me te vermoorden, niet dat het hem was gelukt.'

'Hum.' De vroegere Morris Livingstone leek om woorden verlegen te zitten. 'Maeve, liefste, ik weet dat het hard kan aankomen, maar om je de waarheid te zeggen...'

De telefoon maakte een bliepgeluid en op het scherm verscheen een lege batterij.

'Ik heb het niet gehoord,' zei ze. 'Ik denk dat de batterij van de telefoon bijna leeg is.'

'Je hebt geen batterij,' zei hij tegen haar. 'Je hebt geen telefoon. Alles is illusie. Ik vertel je al de hele tijd dat je door de vallei van hoe-heet-dat-ook-al-weer trekt en dat je nu een dinges wordt, hè verdraaid, iets met wormen en vlinders, liefste. Je weet wel.'

'Rupsen,' zei Maeve. 'Ik denk dat je rupsen en vlinders bedoelt.'

'Eh, dat klopt,' zei de stem van Morris over de telefoon. 'Rupsen, dat is wat ik bedoelde. Dus waar veranderen die wormen dan in?'

'Ze veranderen nergens in, Morris,' zei Maeve een beetje kriegel. 'Het zijn gewoon wormen.' De zilveren telefoon maakte een geluidje alsof het een elektronische boer liet, vertoonde opnieuw de afbeelding van een lege batterij en hield ermee op.

Maeve klapte hem dicht en stopte hem weer in haar zak. Ze liep naar de dichtstbijzijnde muur en prikte daar bij wijze van proef met haar vinger in. De muur voelde klam en gelatineachtig aan. Ze oefende iets meer druk uit. Haar hele hand zakte erin weg en verdween toen helemaal.

'O hemel,' zei ze, en niet voor het eerst in haar bestaan wou ze dat ze naar Morris had geluisterd; hij wist onderhand een stuk beter wat het betekende dood te zijn. *Maar ach*, dacht ze. *Met doodgaan was het waarschijnlijk net als met de andere dingen van het leven: al doende leer je en de rest is nattevingerwerk.*

Ze liep door de voordeur naar buiten en ontdekte dat ze door de achterwand weer in de hal van het gebouw kwam. Ze probeerde het nog eens, met hetzelfde resultaat. Toen ging ze naar het reisbureau op de begane grond en probeerde aan de westkant van het gebouw door de muur te stappen.

Ze ging erdoorheen en kwam weer in de hal uit, deze keer vanaf de oostkant. Het leek of ze op de televisie was en probeerde van het scherm te lopen. Topografisch gezien was het kantoorgebouw haar hele wereld geworden.

Toen liep ze naar boven om te zien wat de rechercheurs aan het doen waren. Ze keken verbijsterd naar zijn bureau, naar de rommel die Grahame Coats had achtergelaten toen hij aan het inpakken was.

'Weet je,' zei Maeve behulpzaam, 'kijk eens in de ruimte achter de boekenkast. Daar ben ik.'

Ze negeerden haar.

De vrouw hurkte neer bij de prullenbak en begon erin te rommelen. 'Hebbes,' zei ze, en ze trok er een herenoverhemd uit vol geronnen bloedspatten. Ze stopte het in een plastic zak. De dikke man haalde zijn telefoon tevoorschijn.

'Stuur het forensisch team hierheen,' zei hij.

Fat Charlie ontdekte dat hij zijn cel nu eerder als een toevluchtsoord dan als een gevangenis beschouwde. Om te beginnen zaten de cellen diep weggestopt in het gebouw, ver weg van de plaatsen waar zelfs de avontuurlijkste vogels zich ophielden. En zijn broer was nergens te bekennen. Hij vond het niet erg meer dat er nooit iets in cel zes gebeurde. Niets was hem oneindig veel liever dan de meeste 'ietsen' die hem onwillekeurig te binnen schoten. Zelfs een wereld die uitsluitend bestond uit kastelen en kakkerlakken en mensen die κ heetten, was hem liever dan een wereld vol kwaadaardige vogels die in koor zijn naam fluisterden.

De deur ging open.

'Kunt u niet kloppen?' vroeg Fat Charlie.

'Nee,' zei de politieagent. 'Dat doen we nooit. Uw advocaat is er eindelijk.'

'Meneer Merryman?' vroeg Fat Charlie, maar de rest slikte hij in. Leonard Merryman was een gezette man met een gouden brilletje en de man achter de agent was dat beslist niet.

'Het is goed zo,' zei de man die niet zijn advocaat was. 'Laat u ons maar alleen.'

'Drukt u op het belletje als u klaar bent,' zei de politieagent en hij sloot de deur.

Spider nam Fat Charlie bij de hand. Hij zei: 'Ik smokkel je er wel uit.'

'Maar ik wil er niet uitgesmokkeld worden. Ik heb níéts gedaan.'

'Een goede reden om eruit te gaan.'

'Maar als ik wegga, heb ik wél iets gedaan. Dan ben ik een ontsnapte gevangene.'

'Je bent geen gevangene,' zei Spider opgewekt. 'Er is je nog niets ten laste gelegd. Je helpt ze alleen bij het onderzoek. Heb je honger?'

'Een beetje.'

'Wat wil je? Thee? Koffie? Warme chocolademelk?'

Warme chocolademelk klonk Fat Charlie bijzonder aantrekkelijk in de oren. 'Graag warme chocolademelk,' zei hij.

'Prima,' zei Spider. Hij pakte Fat Charlies hand en zei: 'Sluit je ogen.'

'Waarom?'

'Dat maakt het gemakkelijker.'

Fat Charlie sloot zijn ogen, hoewel hij graag had geweten wat er gemakkelijker zou worden. De wereld rekte zich uit en perste zich samen en Fat Charlie wist zeker dat hij misselijk ging worden. Toen viel alles in zijn hoofd weer op zijn plaats en hij voelde een warme bries langs zijn gezicht strijken.

Hij sloeg zijn ogen open.

Ze waren ergens buiten op een groot marktplein, ergens waar het er bijzonder on-Engels uitzag.

'Waar zijn we?'

'Ik geloof dat het Skopsie heet. Een stadje in Italië. Ik kom er al jaren. Ze maken hier fantastische warme chocolademelk. De beste die ik ken.'

Ze gingen aan een houten tafeltje zitten. Het tafeltje was knalrood geschilderd. Een kelner kwam naar hen toe en zei iets tegen hen in een taal die Fat Charlie niet Italiaans vond klinken. Spider zei: 'Dos Chocolatos, kerel.' De man knikte en liep weg.

'Juist,' zei Fat Charlie. 'Je hebt me nog verder in de puree geholpen. Nu zullen ze een klopjacht of zoiets organiseren. Het zal in de krant komen.'

'Wat kunnen ze je eigenlijk maken?' vroeg Spider glimlachend. 'Je naar de gevangenis sturen?'

'O, hou op.'

De warme chocolademelk werd gebracht en de kelner schonk het in kleine kopjes. Het had bij benadering de temperatuur van gesmolten lava en hield het midden tussen chocoladesoep en chocoladepudding en het rook verbazingwekkend lekker.

Spider zei: 'Kijk, we hebben een behoorlijk zootje gemaakt van die hele familiehereniging.'

'Hebben wíj er een zootje van gemaakt?' Fat Charlie gaf zich moeiteloos over aan zijn boosheid. 'Ik was het niet die mijn verloofde heeft afgepikt. Ik was het niet die zorgde dat ik werd ontslagen. Ik was het niet die zorgde dat ik werd gearresteerd...'

'Nee,' zei Spider. 'Maar jij was toch degene die de vogels erbij heeft gehaald?'

Fat Charlie nam het eerste pietepeuterig slokje van zijn warme chocolademelk. 'Au, ik heb, geloof ik, mijn mond verbrand.' Hij keek naar zijn broer en zag zijn eigen gezichtsuitdrukking weerspiegeld: zorgelijk, vermoeid en angstig. 'Ja, ik ben degene die de vogels erbij heeft gehaald. Dus wat doen we nu?'

Spider zei: 'Ze hebben hier trouwens een heel leuk noedelgerecht.'

'Weet je zeker dat we in Italië zitten?'

'Niet echt.'

'Mag ik je iets vragen?'

Spider knikte.

Fat Charlie probeerde te bedenken hoe hij zijn vraag het beste kon formuleren. 'Wat die vogels betreft. Dat ze opeens opduiken alsof ze uit een film van Alfred Hitchcock zijn ontsnapt. Denk jij dat ze dat alleen in Engeland doen?'

'Waarom vraag je dat?'

'Omdat ik denk dat die duiven ons in de gaten hebben gekregen.' Hij wees naar de overkant van het plein.

De duiven deden niet wat duiven normaal plegen te doen. Ze pikten niet in broodkosten, ze scharrelden niet met knikkende kopjes rond op zoek naar door de toeristen weggegooid eten. Ze stonden doodstil en ze loerden. Gefladder van vleugels, en ze kregen versterking van honderden andere vogels, die in groten getale neerstreken op het opvallende standbeeld midden op het plein, van een dikke man met een enorme hoed. Fat Charlie keek naar de duiven en de duiven keken naar hem. 'Wat is het ergste wat er kan gebeuren?' vroeg Spider op gedempte toon. 'Dat ze ons onderschijten?'

'Ik weet het niet. Maar ik vermoed dat ze ergere dingen kunnen doen. Drink je warme chocolademelk op.'

'Maar die is nog warm.'

'En we hebben een paar flessen water nodig, hè? Ober?'

Een zacht geritsel van vleugels; het klapperen van andere vogels die aan kwamen vliegen en een ondertoon van gedempt, gorgelend, heimelijk koeren.

De kelner bracht hun flessen water. Spider die, zoals Fat Charlie opmerkte, weer zijn zwart met rood leren jack droeg, stopte ze in zijn zakken.

'Het zijn maar duiven,' zei Fat Charlie, maar op hetzelfde moment realiseerde hij zich dat die woorden ontoereikend waren. Het waren niet zomaar duiven. Het was een leger. Het standbeeld van de dikke man was al bedolven onder de grijze en purperen veren.

'Ik vond vogels leuker toen ze ons nog niet belaagden.'

Spider zei: 'En ze zijn overal.' Toen pakte hij Fat Charlies hand. 'Sluit je ogen.'

Toen verhieven de vogels zich als één vogel. Fat Charlie sloot zijn ogen.

De duiven stortten zich op hen als een wolf op de kudde....

Er was stilte en verte en Fat Charlie dacht: *ik zit in een oven.* Hij sloeg zijn ogen open en besefte dat het klopte: in een oven van rode duinen die in de verte vervaagden en oplosten in een paarlemoeren lucht.

'De woestijn,' zei Spider. 'Leek me een goed idee. Vogelvrije zone. Kunnen we ons gesprek afmaken. Hier.' Hij overhandigde Fat Charlie een fles water.

'Dank je.'

'Dus zou je me willen vertellen waar de vogels vandaan komen?'

Fat Charlie zei: 'Er is een bepaalde plaats. Daar ben ik geweest. Er waren daar een heleboel dier-mensen. Ze... ahum. Ze kenden pa allemaal. Een van hen was een vrouw, een soort vogelvrouw.'

Spider keek hem aan. '*Er is een bepaalde plaats?* Daar hebben we niet veel aan.'

'Een berghelling met grotten. En verder zijn er van die kliffen die in het niets verdwijnen. Het lijkt het einde van de wereld.'

'Het is het begin van de wereld,' verbeterde Spider hem. 'Ik heb over die grotten gehoord. Een meisje heeft me erover verteld. Maar ik ben er nooit geweest. Dus je hebt de vogelvrouw ontmoet en toen...?'

'Ze bood aan om je weg te sturen. En ahum. Nou ja, dat heb ik aangenomen.'

'Dat,' zei Spider met de glimlach van een filmster, 'was ontzettend stom.'

'Ik heb niet gezegd dat ze je píjn moest doen.'

'Hoe moest ze me anders weg krijgen? Door een boze brief te sturen?'

'Ik weet het niet. Ik dacht niet na. Ik was van streek.'

'Geweldig. Als het aan haar ligt, zul jij nog meer van streek raken en ga ik dood. Je had gewoon moeten vragen of ik wegging, weet je.'

'Dat heb ik gedaan.'

'Eh, wat zei ik toen?'

'Dat je het naar je zin had in mijn huis en dat je bleef.'

Spider dronk van het water. 'Dus wat heb je precíes tegen haar gezegd?'

Fat Charlie probeerde het zich te herinneren. Nu hij eraan terugdacht, klonk het nogal raar. 'Alleen dat ik haar Anansi's bloedlijn zou geven,' zei hij met tegenzin.

'Je zou wát?'

'Dat was wat ze van me wilde horen.'

Spider keek verbijsterd. 'Maar dat ben ik niet alleen. Dat zijn we allebei.'

Fat Charlies mond was opeens erg droog. Hij hoopte dat het door de woestijnlucht kwam en nam een slokje water uit de fles.

'Wacht even. Waarom zitten we in de woestijn?' vroeg Fat Charlie.

'Geen vogels. Weet je wel.'

'Wat zijn dat dan?' Hij wees. Eerst leken ze erg klein en toen drong het tot hem door dat ze gewoon erg hoog vlogen. Ze cirkelden rond en schommelden van links naar rechts in hun vlucht. 'Gieren,' zei Spider. 'Die vallen geen levende wezens aan.' 'Juist. En duiven zijn bang voor mensen,' zei Fat Charlie. De stippen in de lucht vlogen nu lager rond en naarmate ze verder afdaalden werden de vogels groter.

Spider zei: 'Ik snap wat je bedoelt.' En toen: 'Verdraaid.'

Ze waren niet alleen. Iemand hield hen vanaf een verafgelegen duin in de gaten. Een willekeurige toeschouwer zou de figuur ten onrechte voor een vogelverschrikker aangezien hebben.

Fat Charlie schreeuwde: 'Ga weg!' Zijn stem werd gedempt door het zand. 'Ik neem alles terug. Er is geen afspraak! Laat ons met rust!'

Een mantel fladderde in de warme wind, en toen was het duin verlaten.

Fat Charlie zei: 'Ze ging weg. Wie had gedacht dat het zo gemakkelijk zou gaan?'

Spider tikte op zijn schouder en wees. Nu stond de vrouw in de bruine regenjas op de dichtstbijzijnde zandwal, zo dichtbij dat Fat Charlie het glazige zwart van haar ogen kon zien.

De gieren waren voddige zware gedaanten. Toen streken ze neer. Hun kale paarsroze nekken en schedels (zonder veren omdat ze dan zoveel gemakkelijker hun kop in een rottend karkas konden stoppen) uitgestrekt, terwijl ze kippig naar de broers staarden, alsof ze zich afvroegen of ze moesten wachten tot beide mannen doodgingen of dat ze het proces een beetje moesten versnellen.

Spider vroeg: 'Wat hoorde er nog meer bij de afspraak?'

'Ahum.'

'En verder? Heeft ze je iets gegeven om de afspraak te bekrachtigen? Soms wordt er bij dit soort dingen een onderpand gegeven.'

De gieren rukten langzaam op, stap voor stap, terwijl ze hun gelederen sloten en de kring steeds kleiner maakten. In de lucht verschenen nog meer donkere strepen, die groter werden en naar hen toen schommelden. Spiders hand sloot zich om Fat Charlies hand.

'Doe je ogen dicht.'

De kou sloeg Fat Charlie als een vuistslag in zijn ingewanden. Hij haalde diep adem en het leek of zijn longen waren diepgevroren. Hij hoestte en hoestte terwijl de wind als een dolleman tekeerging.

Hij sloeg zijn ogen open. 'Mag ik vragen waar we nu zijn?'

'Antarctica,' zei Spider. Hij ritste zijn jack dicht en leek geen last van de kou te hebben. 'Een beetje kil, dat wel.'

'Is er bij jou geen middenweg? Van de woestijn meteen door naar een ijsvlakte.'

'Geen vogels hier,' zei Spider.

'Is het niet gemakkelijker om ons gewoon in een leuk en vogelvrij gebouw schuil te houden? We zouden er kunnen lunchen?'

Spider zei: 'Wat zeur je toch? Alleen omdat het een beetje frisjes is.'

'Het is niet een béétje frisjes. Het is vijftig graden onder nul. En trouwens, kíjk eens.'

Fat Charlie wees naar de lucht. Een bleke kronkellijn, alsof er een miniatuurletter M aan het firmament was gekalkt, hing roerloos in de lucht. 'Albatros,' zei hij.

'Fregatvogel,' zei Spider.

'Pardon?'

'Het is geen albatros. Het is een fregatvogel. Waarschijnlijk heeft hij ons niet eens gezien.'

'Waarschijnlijk niet,' gaf Fat Charlie toe. 'Maar zij wél.'

Spider draaide zich om en mompelde een verwensing. Misschien waren het er geen miljoen: de pinguïns die waggelend, glijdend en op hun buik sleeënd naar de broers toe liepen. Maar het leek er wel op. Onder normale omstandigheden zijn niet al te grote vissen de enige wezens die bang worden als ze pinguïns zien naderen. Bij zulke grote aantallen echter...

Fat Charlie greep uit zichzelf Spiders hand vast. Hij sloot zijn ogen.

Toen hij ze opendeed, was het iets warmer. Alleen maakte het geen verschil of hij zijn ogen open had of dicht. Het was aardedonker. 'Ben ik blind geworden?'

'We zitten in een afgedankte kolenmijn,' zei Spider. 'Een paar jaar geleden zag ik een foto van deze plek in een tijdschrift. Tenzij een heleboel blinde vinken zich tot nachtdieren hebben geëvolueerd en zich voeden met kolengruis, zijn we hier waarschijnlijk veilig.'

'Dat is zeker een grapje? Van die blinde vinken?'

'Min of meer.'

Fat Charlie zuchtte en de zucht weerkaatste in de ondergrondse gewelven. 'Weet je,' zei hij. 'Als je gewoon was weggegaan, als je mijn huis had verlaten toen ik dat vroeg, hadden we nu niet in de problemen gezeten.'

'Daar schieten we niets mee op.'

'Dat was ook niet de bedoeling. God weet hoe ik het allemaal aan Rosie uit moet leggen.'

Spider schraapte zijn keel. 'Daar hoef je, geloof ik, niet meer over in te zitten.'

'Want...'

'Ze heeft het uitgemaakt met ons.'

Er viel een lange stilte. Toen zei Fat Charlie: 'Dat verbaast me niets.'

'Daar heb ik een aardige puinhoop van gemaakt.' Het klonk of Spider zich ongemakkelijk voelde.

'Maar als ik het haar uitleg? Ik bedoel, als ik haar vertel dat ik jou niet was, dat jij deed alsof je mij was...'

'Dat heb ik al gedaan. Toen besloot ze dat ze ons allebei nooit meer wilde zien.'

'Mij ook niet?'

'Ben bang van niet.'

'Kijk,' zei Spiders stem in het duister. 'Het was echt niet mijn bedoeling om... Nou ja, toen ik je kwam opzoeken, wilde ik je alleen maar gedag zeggen. Niet... Ahum. Ik heb de zaak zo'n beetje behoorlijk verknald, hè?'

'Bedoel je dat je er spijt van hebt?'

Stilte. En toen: 'Ik geloof het wel. Zou kunnen.'

Meer stilte. Fat Charlie zei: 'Nou, dan spijt het me echt dat ik de vogelvrouw heb ingeschakeld om van je af te komen.' Op de een of andere manier was het gemakkelijker met Spider te praten nu hij hem niet zag.

'Ja, zal wel. Je wordt bedankt. Nou zou ik alleen graag willen weten hoe we van haar af kunnen komen.'

'Een veer!' zei Fat Charlie.

'Dat volg ik even niet.'

'Je vroeg of ze me iets had gegeven om de afspraak te bezegelen. Dat klopt. Ze gaf me een veer.'

'Waar is die?'

Fat Charlie probeerde het zich te herinneren. 'Ik weet het niet zo goed. Ik had hem toen ik wakker werd in de voorkamer van mevrouw Dunwiddy. Ik had hem niet toen ik in het vliegtuig stapte. Dan neem ik aan dat mevrouw Dunwiddy hem nog heeft.'

Er volgde een lange en drukkende en ononderbroken stilte. Fat Charlie werd bang dat Spider was weggegaan en hem eenzaam had achtergelaten in de onderaardse duisternis. Ten slotte vroeg hij: 'Ben je er nog?'

'Ben er nog.'

'Dat is een opluchting. Als je me in de steek had gelaten, zou ik niet weten hoe ik hieruit moet komen.'

'Help me niet op ideeën.'

Meer stilte.

Fat Charlie zei: 'In welk land zijn we?'

'Polen geloof ik. Zoals ik zei, ik heb het op een foto gezien. Alleen was de mijn toen verlicht.'

'Moet je een foto van iets zien als je erheen wilt gaan?'

'Ik moet weten waar het ligt.'

Het was verbazingwekkend, dacht Fat Charlie, hoe diep de stilte was in de mijn. De plek had een eigen soort stilte. Hij begon over stiltes na te denken. Was de stilte van een graf een ander soort stilte dan van het heelal bijvoorbeeld?

Spider zei: 'Ik kan me mevrouw Dunwiddy nog herinneren. Ze ruikt naar viooltjes.' Mensen hebben met meer enthousiasme gezegd: 'Alle hoop is verloren. We gaan sterven.'

'Dat is 'r,' zei Fat Charlie. 'Klein, stokoud, dikke brillenglazen. Als we nou eens gewoon naar haar toe gaan om de veer op te halen. Dan geven we de veer terug aan de vogelvrouw. En zij zorgt dat deze nachtmerrie stopt.' Fat Charlie dronk het laatste flesje water leeg dat ze hadden meegenomen van het pleintje dat ergens, maar niet in Italië, lag. Hij schroefde de dop erop en gooide het lege flesje in het donker weg, terwijl hij zich afvroeg of hij het milieu aan het vervuilen was als toch niemand het zag. 'Laten we elkaars hand vasthouden en mevrouw Dunwiddy opzoeken.'

Spider maakte een geluid. Het was geen verwaand geluid. Het klonk nerveus en onzeker. In het donker leek het of Spider leegliep, als een brulkikker of een dagenoude ballon. Het was Fat Charlies bedoeling geweest dat Spider een toontje lager zou zingen; niet dat hij het geluid van een angstige zesjarige zou maken. 'Wat krijgen we nou? Ben je bang voor mevrouw Dunwiddy?'

'Ik... ik kan niet bij haar in de buurt komen.'

'Nou, als het je troost: vroeger was ik ook bang voor haar, en toen kwam ik haar op de begrafenis tegen en viel ze wel mee. Echt waar. Ze is een gewone oude vrouw.' In gedachten zag hij haar de zwarte kaarsen aansteken en de kruiden in de schaal strooien. 'Misschien een beetje eng. Maar ze doet je niets.'

'Ze heeft me weggestuurd,' zei Spider. 'Ik wilde niet gaan. Maar ik heb die bal in haar tuin gebroken. Een groot glazen geval, een soort reusachtige kerstversiering.'

'Dat heb ik ook gedaan. Ze was pisnijdig.'

'Weet ik.' De stem in het donker klonk zwak en bang en verward. 'Dat was dezelfde keer. Toen is het allemaal begonnen.'

'Nou, kijk. Het is geen ramp. Als jij me naar Florida brengt, ga ik naar mevrouw Dunwiddy om de veer op te halen. Ik ben niet bang. Jij hoeft niet met me mee.'

'Dat gaat niet. Ik kan niet ergens heen gaan waar zij is.'

'Hoe bedoel je? Heeft ze je een magisch straatverbod opgelegd?'

'Zoiets, ja.' Toen zei Spider: 'Ik mis Rosie. Het spijt me van je weet wel.'

Fat Charlie dacht aan Rosie. Het kostte hem veel moeite om haar gezicht voor de geest te halen. Hij dacht aan Rosies moeder, die niet meer zijn schoonmoeder was, aan de twee schaduwen op de gordijnen van zijn slaapkamerraam. Hij zei: 'Zit daar maar niet over in. Als je wilt, mag je er wel over inzitten want je hebt je schofterig gedragen. Maar misschien is het achteraf wel beter.' Fat Charlie voelde een steekje in zijn hartstreek, maar hij wist dat hij de waarheid sprak. In het donker was het gemakkelijker om de waarheid te spreken.

Spider zei: 'Weet je wat er niet klopt?'

'Alles?'

'Nee, één ding maar. Ik snap niet waarom de vogelvrouw zich ermee bemoeit. Dat klopt niet.'

'Ze is kwaad op pa...'

'Iederéén is kwaad op pa. Maar ze vergist zich. En als ze ons wilde doden, waarom probeert ze dat dan gewoon niet?'

'Ik heb haar onze bloedlijn gegeven.'

'Dat zei je al. Nee, er is iets anders gaande en ik weet niet wát.' Toen zei Spider: 'Pak mijn hand.'

'Moet ik mijn ogen sluiten?'

'Wat je wilt.'

'Waar gaan we heen? Naar de maan?'

'Ik breng je ergens waar het veilig is,' zei Spider.

'O, goed,' zei Fat Charlie. 'Veilig klinkt goed. Waar?'

Maar zonder zijn ogen open te doen wist Fat Charlie het al. De geur was onmiskenbaar: ongewassen lichamen en niet doorgespoelde wc's, ontsmettingsmiddelen, oude dekens en apathie.

'Ik durf te wedden dat ik in een luxe hotelkamer ook veilig was geweest,' zei hij hardop, maar er was niemand die hem kon horen. Hij zat op de brits van cel zes en wikkelde de dunne deken om zijn schouders. Het leek of hij er al een eeuwigheid was.

Een halfuur later kwam iemand hem ophalen en bracht hem naar de verhoorkamer.

'Hallo,' zei Daisy glimlachend. 'Wil je een kop thee?'

'Doe maar geen moeite,' zei Fat Charlie. 'Ik heb het op tv gezien. Ik weet hoe het werkt. Dit is toch het gedoe met de aardige en de barse agent? Jij geeft me een kop thee met chocoladekoekjes, dan komt er een fanatieke hufter binnen met een opvliegend karakter en hij schreeuwt naar me en gooit mijn thee weg en eet mijn koekjes op, en jij verhindert dat hij me molesteert en geeft me weer thee en chocoladekoekjes, en in mijn dankbaarheid vertel ik je alles wat je wilt weten.'

'Dat stuk kunnen we overslaan,' zei Daisy. 'Dan vertel jij ons gewoon wat we willen weten. Trouwens, we hebben geen chocoladekoekjes.'

'Ik heb je alles verteld wat ik weet,' zei Fat Charlie. 'Alles. Grahame Coats gaf me een cheque van tweeduizend pond en vertelde dat ik twee weken vrij moest nemen. Hij zei dat hij blij was dat ik hem op een paar onregelmatigheden had geattendeerd. Toen vroeg hij mijn wachtwoord en zwaaide me gedag. Einde verhaal.'

'En je houdt vol dat je niets af weet van de verdwijning van Maeve Livingstone?'

'Ik heb haar geloof ik nooit persoonlijk ontmoet. Misschien heb ik haar een keer gezien toen ze op de zaak was. Ik heb haar een paar keer aan de lijn gehad. Eigenlijk wilde ze Grahame Coats spreken. Ik moest haar vertellen dat haar cheque onderweg was.'

'Was dat zo?'

'Dat weet ik niet. Ik dacht van wel. Kijk, je gelooft toch niet dat ik iets met haar verdwijning te maken heb?'

'Nee,' zei ze opgewekt, 'dat geloof ik niet.'

'Want ik heb eerlijk gezegd geen idee hoe het zit – jij wel?'

'Ik denk niet dat je iets te maken hebt met de verdwijning van Maeve Livingstone. Ik geloof ook niet dat je iets te maken hebt met de financiële onregelmatigheden bij de Grahame Coats

Agency, hoewel iemand erg zijn best heeft gedaan om het daarop te laten lijken. Maar het is vrij duidelijk dat de merkwaardige boekhoudpraktijken en het systematisch overhevelen van geld dateert van voor jouw komst. Jij werkt er pas twee jaar.'

'Ongeveer,' zei Fat Charlie. Hij merkte dat zijn mond openhing. Hij sloot hem.

Daisy zei: 'Kijk, ik weet dat de agenten in boeken en films meestal stom zijn, met name het type gepensioneerde misdaadbestrijder of de cynische privédetective. Maar helemaal achterlijk zijn we niet.'

'Dat heb ik niet gezegd,' zei Fat Charlie.

'Nee,' zei ze. 'Maar wel gedacht. Je mag gaan. Met onze excuses, als je daar behoefte aan hebt.'

'Waar is ze, ahum, verdwenen?' vroeg Fat Charlie.

'Mevrouw Livingstone? Wel, ze is voor het laatst gezien toen ze met Grahame Coats meeliep naar zijn kantoor.'

'Aha.'

'Ik meen het van de kop thee. Wil je er een?'

'Ja, graag. Ahum. Ik neem aan dat jullie de geheime ruimte in zijn kantoor al hebben doorzocht. Achter zijn boekenkast?'

Het strekte Daisy tot eer dat ze alleen maar volmaakt kalm zei: 'Dat geloof ik niet.'

'Ik denk dat we niet geacht werden het te weten,' zei Fat Charlie, 'maar ik ging een keer naar binnen en de boekenkast was opzij geschoven en hij was daar. Ik ging weer weg,' voegde hij eraan toe. 'Het was niet zo dat ik hem bespioneerde of iets dergelijks.'

Daisy zei: 'We kunnen onderweg een rol chocoladekoekjes kopen.'

Fat Charlie wist niet zeker of hij blij was met zijn vrijheid. Er kwam te veel buitenlucht bij kijken.

'Gaat het wel?' vroeg Daisy.

'Prima.'

'Je ziet er een beetje gespannen uit.'

'Dat is ook zo. Je zult het wel raar vinden, maar ik ben een beetje – nou ja, ik heb een probleem met vogels.'

'Een fobie?'

'Daar lijkt het op.'

'Dat is anders de normale term voor een irrationele angst voor vogels.'

'Hoe noem je dan een rationele angst voor vogels?' Hij nam een hapje van het chocoladekoekje.

Het was stil. Daisy zei: 'Nou ja, in elk geval zijn er geen vogels in deze auto.'

Het parkeerverbod negerend zette ze de auto op de dubbele gele strepen voor de Grahame Coats Agency en toen ze liepen samen naar binnen.

Rosie lag te zonnen bij het zwembad op het achterdek van een Koreaans cruiseschip* met een tijdschrift over haar hoofd en haar moeder naast zich. Ze probeerde zich te herinneren waarom het haar ooit een goed idee had geleken om met haar moeder op vakantie te gaan.

Er waren geen Engelse kranten op het cruiseschip, en Rosie miste ze niet. Maar alle andere dingen miste ze wel. In haar beleving was de cruise een drijvend vagevuur, dat alleen maar uit te houden was doordat ze om de andere dag een eiland bezochten. De andere passagiers gingen aan land om te winkelen, te deltavliegen of mee te doen aan de met rum overgoten excursies op drijvende piratenschepen. Rosie daarentegen ging rondwandelen om met de mensen te praten.

Ze zag mensen in nood, mensen die honger leden en er ellendig aan toe waren en ze wilde helpen. Rosie had het idee dat er voor alles een oplossing was. Er moest alleen iemand zijn die actie ondernam.

---

* Het schip had de *Zonnige Eilanden* geheten tot een buikgriepepidemie de internationale pers had gehaald. In een goedkope poging om de naam van het schip te veranderen zonder de initialen te wijzigen, had de directievoorzitter, die de taal niet zo goed machtig was als hij zelf dacht, het omgedoopt tot de *Ziedende Eland*.

Maeve Livingstone had een aantal ideeën gehad over hoe het was om dood te zijn, maar *irritant* had er niet bij gezeten. Toch was ze geïrriteerd. Ze had er genoeg van dat mensen dwars door haar heen liepen, dat ze werd genegeerd, en ze had er vooral genoeg van dat ze niet weg kwam uit het kantoor aan de Aldwych.

'Ik bedoel, als ik toch ergens rond moet spoken,' zei ze tegen de receptioniste, 'waarom dan niet aan de overkant in Somerset House? Prachtig gebouw, schitterend uitzicht over de Theems, architectonisch interessant. Bovendien een paar erg leuke restaurantjes. Zelfs als je niets meer hoeft te eten, is het leuk om naar mensen te kijken.'

Annie, de receptioniste, die sinds de verdwijning van Grahame Coats tot taak had verveeld de telefoon aan te nemen en op bijna elke vraag te reageren met: 'Dat weet ik helaas niet,' terwijl ze tussendoor haar vriendinnen belde om het mysterie op gedempte maar opgewonden toon te bespreken, gaf geen antwoord, zoals ze op niets had geantwoord wat Maeve tegen haar had gezegd.

Die sleur werd doorbroken door de komst van Fat Charlie Nancy met een vrouwelijke politieagent.

Maeve had Fat Charlie altijd gemogen, ook toen het zijn taak was geweest om haar te verzekeren dat er snel een cheque in de bus zou liggen, maar nu zag ze iets wat ze niet eerder had gezien. Er dwarrelden schaduwen om hem heen, al bleven ze de hele tijd op een afstandje: onheil op komst. Hij zag eruit alsof hij voor iets op de vlucht was en dat verontrustte haar.

Ze volgde hen naar het kantoor van Grahame Coats en was blij dat Fat Charlie rechtstreeks naar de boekenkast liep die tegen de achterwand van het vertrek stond.

'En waar is het geheime paneel?' vroeg Daisy.

'Het is geen paneel. Er zat een deur. Achter die boekenkast hier. Misschien is er een geheime hendel of zoiets.'

Daisy keek naar de boekenkast. 'Heeft Grahame Coats ooit een autobiografie geschreven?' vroeg ze aan Fat Charlie.

'Niet dat ik weet.'

Ze drukte op het in leer gebonden exemplaar van *Mijn leven*,

Grahame Coats. Met een klik schoof de boekenkast van de muur; erachter bleek zich een dichte deur te bevinden.

'We zullen er een slotenmaker bij moeten halen,' zei ze. 'En ik denk niet dat we je nog langer nodig hebben, Charles Nancy.'

'Juist,' zei Fat Charlie. 'Nou,' zei hij. 'Het was, ahum. Interessant.'

En toen zei hij: 'Je zult het wel niet willen. Uit eten? Met mij? Een keer?'

'Dimsum,' zei ze. 'Zondagmiddag. Ik betaal voor mezelf. Zorg dat je er bent als ze om halftwaalf opengaan, anders moeten we uren in de rij staan.' Ze noteerde het adres van een restaurant op een papiertje en gaf het aan Fat Charlie. 'Kijk onderweg naar huis uit voor de vogels,' zei ze.

'Zal ik doen,' zei hij. 'Tot zondag.'

De slotenmaker vouwde een zwart, stoffen etui open en pakte er een paar dunne metalen staafjes uit.

'Werkelijk,' zei hij. 'Het lijkt of ze nooit wijzer worden. Niet dat goede sloten zo duur zijn. Ik bedoel, kijk eens naar die deur, prachtig stukje werk. Hartstikke degelijk. Het kost je een halve dag om er met een snijbrander doorheen te komen. En ze bederven alles door er een slot op te zetten dat een vijfjarige met de steel van een lepel open kan krijgen. Daar gaat-ie... Zo gepiept.'

Hij trok aan de deur. De deur ging open en ze zagen iets op de vloer liggen.

'Lieve help,' zei Maeve Livingstone. 'Dat ben ik toch niet.' Ze had verwacht dat ze meer genegenheid voor haar lichaam zou voelen, maar dat was niet zo. Het leek nog het meest op een dood beest aan de kant van de weg.

In korte tijd stond de kamer vol mensen. Maeve, die nooit veel geduld voor detectives had gehad, begon zich snel te vervelen. Het werd pas weer interessant toen ze onwillekeurig naar beneden en naar buiten werd gezogen, terwijl haar stoffelijk overschot discreet in een blauwe plastic zak werd afgevoerd.

'Dit lijkt er meer op,' zei Maeve Livingstone.

Ze stond buiten.

Ze was in elk geval het kantoor aan de Aldwych uit.

Kennelijk waren er regels, begreep ze. Er moesten regels zijn. Alleen wist ze niet precies welke.

Ze wou maar dat ze tijdens haar leven religieuzer was geweest, maar dat was haar nooit gelukt. Als kind had ze zich onmogelijk een God kunnen voorstellen die zo'n hekel aan mensen had dat Hij ze eeuwig in de hel liet branden, alleen omdat ze niet op de juiste manier in Hem geloofden. Toen ze opgroeide, waren haar kinderlijke twijfels overgegaan in de rotsvaste overtuiging dat het leven, van geboorte tot dood, het enige was wat er bestond en al het andere verbeelding was. Het was een goed geloof geweest en ze had ermee uit de voeten gekund, maar nu werd het zwaar op de proef gesteld.

Eerlijk gezegd wist ze niet of ze beter voorbereid was geweest als ze tijdens haar leven het juiste soort kerk had bezocht. Maeve had al snel geconcludeerd dat in een goed georganiseerde wereld de dood iets was als een luxueuze, geheel verzorgde vakantie, waarvan je aan het begin een map kreeg met de toegangsbewijzen, kortingsbonnen, reisschema's en een rijtje telefoonnummers voor als je in de problemen kwam.

Ze liep niet. Ze vloog niet. Ze verplaatste zich als de wind, als een koude herfstwind die mensen in het voorbijgaan deed rillen, die de gevallen bladeren op het trottoir opjoeg.

Ze ging naar waar ze altijd als het eerst heenging als ze in Londen was: naar Selfridges, het warenhuis in Oxford Street. In haar jonge jaren had ze haar werkloze periodes bij het ballet overbrugd als verkoopster op de cosmetica-afdeling van Selfridges en later was ze er, als het maar even kon, heengegaan om dure make-up te kopen, zoals ze zichzelf toen had beloofd.

Ze spookte rond op de cosmetica-afdeling tot ze zich ging vervelen en nam toen een kijkje op de meubelafdeling. Hoewel ze nooit meer een andere eettafel zou aanschaffen, kon kijken geen kwaad...

Daarna zwierf ze door audiovisuele afdeling van Selfridges, omringd door televisieschermen in allerlei soorten en maten. Op sommige schermen werd het nieuws uitgezonden. Het geluid stond uit, maar op elk scherm was de beeldvullende foto van Grahame Coats te zien. Haar afkeer laaide als gesmolten lava in haar op. De foto verdween en nu keek ze naar zichzelf – een fragment met haar en Morris aan haar zij. Ze herkende het als 'Geef me een vijfje en ik vrij je verrot' – een sketch uit *Morris Livingstone, I presume.*

Ze wou dat ze een manier wist om haar telefoon weer op te laden. Zelfs als ze alleen maar de man met de irritante domineesstem aan de lijn kreeg, dacht ze, zou ze met hem gepraat hebben. Maar ze wilde vooral Morris spreken. Hij zou weten wat ze moest doen. Deze keer, dacht ze, zou ze hem uit laten praten. Deze keer zou ze luisteren.

'Maeve?'

Het gezicht van Morris keek haar vanaf honderd televisieschermen aan. Even dacht ze dat het verbeelding was, daarna dat het bij de nieuwsuitzending hoorde, maar hij keek haar bezorgd aan en herhaalde haar naam, dus hij was het wel.

'Morris...?'

Hij glimlachte zijn beroemde glimlach en elk gezicht op elk scherm was op haar gericht. 'Hallo, liefste. Ik vroeg me al af waar je bleef. Het wordt tijd, kom je over?'

'Over?'

'Naar gene zijde. Aan de andere kant van het dal. Of van de sluier. Zoiets in elk geval.' En hij strekte honderd handen naar haar uit vanaf honderd schermen.

Ze wist dat ze alleen maar zijn hand hoefde te pakken. Tot haar eigen verbazing zei ze: 'Nee, Morris. Nog niet.'

Honderd identieke gezichten keken verbijsterd. 'Maeve, liefste. Je moet de materie achter je laten.'

'Dat weet ik, mijn lief. En dat doe ik ook. Dat beloof ik je. Zodra ik eraan toe ben.'

'Maeve, je bent dood. Als je er nu niet aan toe bent, wanneer dan wel?'

Ze zuchtte. 'Ik moet een paar dingetjes uitzoeken voor ik zover ben.'

'Zoals?'

Maeve richtte zich in haar volle lengte op. 'Nou,' zei ze. 'Ik wil dat misbaksel van een Grahame Coats zoeken en doen... nou ja, wat geesten meestal doen. Bij hem gaan spoken of zoiets.'

Morris klonk nogal sceptisch. 'Wil je bij Grahame Coats rondspoken? Waarom?'

'Omdat,' zei ze, 'ik hier nog niet klaar ben.' Haar mond werd een rechte streep en ze stak haar kin naar voren.

Morris Livingstone keek haar vanaf honderd televisieschermen tegelijk aan en schudde zijn hoofd met een mengeling van bewondering en ergernis. Hij was met haar getrouwd omdat ze altijd zichzelf bleef en daarom had hij van haar gehouden, maar hij wou dat hij haar voor één keer op andere gedachten kon brengen. In plaats daarvan zei hij: 'Nou ja, ik ga niet weg, mop. Geef ons een seintje als je zover bent.'

En toen begon hij te vervagen.

'Morris, heb je enig idee waar ik hem moet zoeken?' vroeg ze. Maar het beeld van haar echtgenoot was verdwenen en op de tv's verscheen nu het weerbericht.

Fat Charlie ontmoette Daisy zondag voor een dimsum in het vaag verlichte restaurant in het kleine Londense Chinatown.

'Je ziet er goed uit,' zei hij.

'Dank je,' zei ze. 'Ik voel me afschuwelijk. Ze hebben me van de zaak Grahame Coats gehaald. Het is een grootschalig moordonderzoek geworden. Waarschijnlijk heb ik geluk gehad dat ik er zo lang aan heb mogen werken.'

'Nou,' zei hij monter, 'als je er niet aan had gewerkt, had je niet het genoegen gehad mij te arresteren.'

'Daar zit wat in.' Ze had het fatsoen om berouwvol te kijken. 'Zijn er al aanwijzingen?'

'Zelfs als het zo was,' zei ze, 'zou ik het je niet mogen vertellen.' Er werd een wagentje naar hun tafel gereden en Daisy koos een paar gerechten uit. 'Er is een theorie dat Grahame Coats overboord is gesprongen toen hij het Kanaal overstak. Dat is de laatste uitgave met een van zijn creditkaarten geweest

– een dagretour naar Dieppe.'

'Is die kans groot?'

Met haar stokjes pakte ze een deegballetje van haar bord, stak het in haar mond.

'Nee,' zei ze. 'Ik vermoed dat hij ergens heen is gevlucht waar ze geen uitleveringsverdrag hebben. Brazilië waarschijnlijk. Hij heeft Maeve Livingstone waarschijnlijk in een opwelling gedood, maar de rest was tot in de puntjes geregeld. Hij had een heel systeem opgezet. Van het geld dat naar de rekening van zijn cliënten ging, roomde Grahame vijftien procent af en via automatische afschrijvingen zorgde hij ervoor dat er aan de onderkant nog veel meer afging. Veel buitenlandse cheques bereikten nooit de rekening van de cliënt. Het is opmerkelijk hoe lang hij het heeft volgehouden.'

Fat Charlie kauwde op een rijstknoedel met zoetigheid erin. Hij zei: 'Ik denk dat ik weet waar hij is.'

Daisy stopte met het kauwen op haar deegballetje.

'Dat komt door de manier waarop je zei dat hij naar Brazilië was gegaan. Alsof je wist dat hij daar niet was.'

'Dat is een zaak van de politie,' zei ze. 'En ik ben bang dat ik geen commentaar mag leveren. Hoe gaat het met je broer?'

'Ik weet het niet. Hij is vertrokken. Zijn kamer was weg toen ik thuiskwam.'

'Zijn kamer?'

'Zijn spullen. Hij heeft zijn spullen meegenomen. En sindsdien taal nog teken.' Fat Charlie nam een slokje jasmijnthee. 'Ik hoop dat alles goed met hem is.'

'Denk je van niet?'

'Wel, hij heeft dezelfde fobie als ik.'

'Het probleem met vogels. Juist.' Daisy knikte meelevend. 'En hoe gaat het met je verloofde en je toekomstige schoonmoeder?'

'Ahum. Ik denk dat geen van beide benamingen, ahum, op dit moment nog van kracht is.'

'Ach.'

'Het is uit.'

'Omdat je gearresteerd bent?'

238

'Voor zover ik weet niet.'

Ze keek hem aan als een vriendelijk elfje. 'Wat vervelend voor je.'

'Wel,' zei hij. 'Op dit moment heb ik geen baan. Ik heb geen liefdesleven en nu zijn de buren er – vooral dankzij jou – heilig van overtuigd dat ik een louche Jamaicaanse huurmoordenaar ben. Sommige buren steken zelfs de straat over om me te ontwijken. De winkelier bij wie ik mijn krantje koop, wil daarentegen dat ik de vent die zijn dochter heeft mishandeld, een lesje leer.'

'Wat heb je tegen hem gezegd?'

'De waarheid. Alleen denk ik niet dat hij me gelooft. Hij gaf me een gratis zakje chips en een rol pepermunt en zei dat er meer zou volgen als ik de klus geklaard had.'

'Het zal wel overwaaien.'

Fat Charlie zuchtte. 'Ik schaam me dood.'

'En toch,' zei ze, 'is het geen ramp.'

Ze splitsten de rekening en de kelner gaf hun twee gelukskoekjes bij het wisselgeld.

'Wat staat er op die van jou?' vroeg Fat Charlie.

'*Volharding zal vruchten afwerpen*,' las ze. 'En op de jouwe?'

'Hetzelfde,' zei hij. 'Volharding doet het altijd goed.' Hij verfrommelde het papiertje tot een balletje ter grootte van een erwt en liet het in zijn zak glijden. Hij bracht haar naar het metrostation Leicester Square.

'Je hebt geluk vandaag,' zei Daisy.

'Hoezo?'

'Geen vogels in de buurt,' zei ze.

Op dat moment drong het pas tot Fat Charlie door. Er waren geen duiven, geen spreeuwen. Niet eens mussen.

'Maar er zijn altijd vogels op Leicester Square.'

'Vandaag niet,' zei ze. 'Misschien hebben ze iets anders te doen.'

Bij de ondergrondse bleven ze stilstaan en heel even kreeg Fat Charlie het rare idee dat ze hem een afscheidskus ging geven. Dat was niet zo. Ze glimlachte alleen en zei: 'Het ga je goed,' en hij zwaaide zo'n beetje naar haar, een stuntelige handbeweging die voor zwaaien kon doorgaan, maar evengoed een onwillekeurig handgebaar kon zijn. Toen liep ze de trap af en verdween uit het zicht.

Fat Charlie liep terug over Leicester Square en zette koers naar Piccadilly Circus. Hij diepte het strookje van zijn gelukskoekje op uit zijn zak en streek het glad. 'Ik wacht op je bij Eros,' stond er. Daarnaast was haastig iets gekrabbeld wat op een sterretje leek en wat voor hetzelfde geld een spin zou kunnen zijn.

Onder het lopen zochten zijn ogen de lucht af en de gebouwen, maar hij zag geen vogels en dat was vreemd omdat er altijd vogels in Londen waren. Overal waren altijd vogels.

Spider zat aan de voet van het standbeeld *the News of the World* te lezen. Hij keek op toen Fat Charlie dichterbij kwam.

'Eigenlijk is het Eros niet,' zei Fat Charlie. 'Het is het standbeeld van de christelijke naastenliefde.'

'Waarom is het dan naakt en heeft het een pijl en boog in zijn hand? Zo bijzonder liefdadig of christelijk vind ik dat niet.'

'Ik vertel je alleen wat ik heb gelezen.' zei Fat Charlie. 'Waar ben je geweest? Ik heb me zorgen over je gemaakt.'

'Niets aan de hand. Ik ben alleen bezig geweest vogels te ontwijken en te proberen de logica van alles te ontdekken.'

'Is het je opgevallen dat er vandaag geen vogels zijn?' zei Fat Charlie.

'Inderdaad. Ik weet echt niet wat ik ervan moet denken. Maar ik heb nagedacht. En weet je,' zei Spider, 'er klopt iets niet.'

'Wat klopt er eigenlijk wel?' zei Fat Charlie.

'Ik bedoel, dat de vogelvrouw ons wil treffen, daar is iets mis mee.'

'Natuurlijk, dat mag ze niet doen. Het is heel, heel erg verkeerd om dat te doen. Zal ik het haar vertellen of doe jij het?'

'Nee, niet mis op die manier. Het soort mis als... denk nog eens na. Ik bedoel, in weerwil van de Hitchcockfilm zijn vogels niet de meest aangewezen schepsels om iemand pijn te doen. Voor insecten zijn ze wel de gevleugelde dood, maar ze zijn niet echt goed in het aanvallen van mensen. Ze hebben miljoenen jaren geleerd dat het doorgaans de mens is die hén opeet. Hun instinct zegt dat ze ons met rust moeten laten.'

'Niet allemaal,' zei Fat Charlie. 'Niet de gieren of de raven. Maar die laten zich pas op het slagveld zien als de strijd voorbij is. Blijven gewoon wachten tot je dood bent.'

'Hè?'

'Ik zei, behalve de gieren en de raven. Ik bedoelde er niets...'

'Nee.' Spider dacht ingespannen na. 'Nee, ik ben het kwijt. Je zei iets waardoor het me bijna te binnen schoot. Heb je mevrouw Dunwiddy al te pakken gekregen?'

'Ik heb mevrouw Higgler gebeld, maar er wordt niet opgenomen.'

'Wel, ga erheen en praat met ze.'

'Dat kun je wel zo gemakkelijk zeggen, maar ik ben blut. Platzak. Geruïneerd. Ik kan niet aan de gang blijven met dat heen en weer vliegen over de Atlantische Oceaan. Ik heb niet eens meer een baan. Ik ben...'

Spider stak zijn hand in de binnenzak van zijn zwart met rode jack en pakte zijn portefeuille. Hij trok er een stapel bankbiljetten uit van uiteenlopende valuta, drukte die in Fat Charlies hand. 'Hier. Dit moet genoeg zijn voor een retourticket. Zorg dat je de veer krijgt.'

Fat Charlie zei: 'Luister, is het al bij je opgekomen dat onze vader misschien helemaal niet dood is?'

'Hè?'

'Nou, ik heb erover nagedacht. Misschien was het een van zijn grappen. Zoiets zou hij kunnen doen, denk je niet?'

Spider zei: 'Ik weet het niet. Zou kunnen.'

Fat Charlie zei: 'Ik weet zeker dat het zo is. Dat is het eerste wat ik ga doen. Ik ga naar zijn graf en...'

Maar meer zei hij niet, want toen kwamen de vogels. Het waren stadsvogels: mussen en spreeuwen, duiven en kraaien, duizenden en nog eens duizenden, en ze wentelden en draaiden om elkaar heen als een wandtapijt en vormden een muur van vogels die op Fat Charlie en Spider neerdaalde in Regent Street. Een gevederde legerschaar met de kolossale afmetingen van een wolkenkrabber, een perfect vlak, volstrekt onmogelijk, allemaal in beweging, zigzaggend en fladderend en omlaag duikend. Fat Charlie zag het, maar zijn geest kon het niet bevatten, omdat het in zijn hoofd wegglipte en rondtolde en verdampte. Hij keek omhoog en probeerde te begrijpen wat hij zag.

Spider stootte Fat Charlies elleboog aan. Hij schreeuwde: 'Rennen!'

Fat Charlie draaide zich om en wilde wegrennen. Spider was bezig zijn krant zorgvuldig op te vouwen om hem in de afvalbak te gooien.

'Jij moet ook rennen!'

'Het zit niet achter jóú aan. Nog niet,' zei Spider en hij grijnsde. Het was een grijns waarmee hij vroeger een heleboel mensen dingen had laten doen die ze niet wilden; Fat Charlie wilde echt wel rennen.

'Zorg dat je de veer te pakken krijgt. Zorg dat je pa te pakken krijgt, als je denkt dat hij nog leeft. Maar gá.'

Fat Charlie ging.

De muur van vogels kolkte en veranderde, werd een wervelwind van vogels die afstevende op het standbeeld van Eros en de man die eronder zat. Fat Charlie rende een winkel in en zag hoe de voet van de donkere windhoos op Spider inbeukte. Fat Charlie meende dat hij zijn broer kon horen gillen boven het oorverdovende klapperen van vleugels uit. Misschien was dat ook zo.

En toen verspreidden de vogels zich en was de straat leeg. De wind verstrooide een handvol veren over het grijze trottoir.

Fat Charlie stond daar maar en voelde zich niet lekker. Wanneer er al voorbijgangers waren die het hadden opgemerkt, dan had er niemand gereageerd. Maar op de een of andere manier wist hij zeker dat hij de enige was die het had gezien.

Er stond een vrouw onder het standbeeld, bijna op dezelfde plek als waar zijn broer had gezeten. Haar gerafelde bruine regenjas fladderde in de wind. Fat Charlie liep naar haar terug. 'Kijk,' zei hij. 'Toen ik zei dat je hem weg moest jagen, bedoelde ik alleen weg uit mijn leven. Niet wat je hem nu allemaal aandoet.'

Ze keek hem recht in het gezicht en zei niets. Er ligt waanzin in de ogen van sommige roofvogels, een woestheid die volkomen intimiderend kan zijn. Fat Charlie probeerde niet geïntimideerd te raken. 'Ik heb me vergist,' zei hij. 'Ik ben bereid daarvoor te boeten. Neem mij in zijn plaats. Geef hem terug.'

Ze bleef hem aanstaren. Toen zei ze: 'Wacht maar, jouw tijd komt nog, Compé Anansi's kind. Later.'

'Waarom wil je hem?'

'Ik wil hem niet,' zei ze. 'Waarom zou ik? Maar ik heb hem aan iemand beloofd. Nu zal ik hem afleveren en dan heb ik mijn plicht gedaan.'

De krant fladderde en Fat Charlie was alleen.

HOOFDSTUK

ELF

===

WAARIN

ROSIE LEERT OM

NIET MET VREEMDEN

MEE TE GAAN

EN FAT CHARLIE

EEN LIMOEN KRIJGT

Fat Charlie keek naar zijn vaders graf. 'Ben je daar?' vroeg hij hardop. 'Als je er bent, kom er dan uit. Ik moet je spreken.'

Hij liep naar de gedenksteen met de bloem en keek naar de grond. Hij wist niet goed wat hij verwachtte – dat er een hand uit de aarde naar boven kwam, misschien, en naar zijn been greep, maar niets van dat alles gebeurde.

Hij was er zo zeker van geweest.

Fat Charlie liep terug naar de ingang van de begraafplaats en voelde zich even stom als een deelnemer aan een spelletjesshow die een miljoen dollar was misgelopen omdat hij had gewed dat de Mississippi een langere rivier was dan de Amazone. Hij had het kunnen weten. Zijn vader was zo dood als een aangereden kat aan de kant van de weg en hij had Spiders geld verspild aan een zinloze onderneming. Hij ging bij de windmolentjes van Babyland zitten en huilde; het half vergane speelgoed zag er nog triester en eenzamer uit dan de vorige keer.

Ze stond hem op de parkeerplaats op te wachten, terwijl ze tegen haar auto leunend een sigaret rookte. Ze leek slecht op haar gemak.

'Hallo, mevrouw Bustamonte,' zei Fat Charlie.

Na een laatste trekje van haar sigaret liet ze de peuk op het asfalt vallen en drukte hem uit onder de zool van haar platte schoen. Ze was in het zwart. Ze zag er moe uit. 'Hallo, Charles.'

'Ik had eigenlijk mevrouw Higgler verwacht. Of mevrouw Dunwiddy.'

'Callyanne is weg. Ik ben door mevrouw Dunwiddy gestuurd. Ze wil je zien.'

Het lijkt de maffia wel, dacht Fat Charlie. *De postmenopauzemaffia.* 'Om me een voorstel te doen dat ik niet kan weigeren?'

'Dat denk ik niet. Ze voelt zich niet goed.'

'O.'

Hij klom in zijn huurauto, reed achter de Camry van mevrouw Bustamonte aan door de Floridase straten. Hij had het zo zeker geweten van zijn vader. Dat hij hem levend zou aantreffen. Dat zijn vader hem zou helpen...

Ze parkeerden voor mevrouw Dunwiddy's huis. Fat Charlie keek naar de voortuin, naar de verschoten plastic flamingo's en de tuinkabouters en de rode bal van spiegelglas, die als een enorme kerstversiering op een kleine betonnen voet rustte. Hij liep naar de bal, hetzelfde soort bal als hij vroeger had gebroken, en zag zichzelf vervormd terugstaren.

'Waarvoor dient het?' zei hij.

'Nergens voor. Ze vond het mooi.'

In het huis hing de zware, weeë lucht van viooltjes. Fat Charlies oudtante Alanna had altijd een rolletje viooltjessnoepjes in haar handtas gehad, maar zelfs toen hij nog mollig en dol op zoetigheid was, had Fat Charlie ze alleen aangenomen als er niets anders was. Het huis rook precies zoals die snoepjes hadden gesmaakt. Fat Charlie had al twintig jaar niet meer aan viooltjessnoepjes gedacht. Hij vroeg zich af of ze nog werden gemaakt. Hij vroeg zich af waarom iemand ooit op het idee was gekomen om ze te maken...

'Ze is aan het eind van de gang,' zei mevrouw Bustamonte en ze bleef staan en wees. Fat Charlie liep mevrouw Dunwiddy's slaapkamer in.

Het was geen groot bed, maar mevrouw Dunwiddy lag erin als een bovenmaatse pop. Ze droeg haar bril en boven op haar hoofd iets waarvan Fat Charlie besefte dat het de eerste slaapmuts was die hij ooit in zijn leven had gezien, een vergeeld theemutsachtig geval, afgezet met kant. Ze werd omhooggehouden door een berg kussens, haar mond stond open en ze snurkte zacht toen hij binnenkwam.

Hij kuchte.

Mevrouw Dunwiddy tilde met een ruk haar hoofd op, opende haar ogen en keek hem verbaasd aan. Ze wees naar het nachtkastje naast haar bed, en Fat Charlie pakte het glas dat er stond en gaf het aan haar. Ze omvatte het met beide handen zoals een eekhoorn een noot vasthoudt, en ze nam een grote teug waarna ze het glas aan hem teruggaf.

'Ik heb een droge mond,' zei ze. 'Weet je wel hoe oud ik ben?'

'Ahum.' Welk antwoord hij ook gaf, het zou altijd verkeerd zijn. 'Nee.'

'Honderdvier.'

'Dat zou je niet zeggen. U ziet er nog zo goed uit. Ik bedoel, wat geweldig...'

'Hou je mond, Fat Charlie.'

'Sorry.'

'Stop ook eens met dat gesorry. Je lijkt wel een hond die een standje krijgt omdat hij een hoopje in de keuken heeft gedaan. Hou je fier rechtop. Kijk de wereld in het gezicht. Begrepen?'

'Ja. Sorry. Ik bedoel, gewoon ja.'

Ze zuchtte. 'Ze wilden me naar het ziekenhuis brengen, maar ik zei tegen ze: als je de honderdvier hebt gehaald, heb je het recht om in je eigen bed te sterven. In dit bed heb ik baby's gemaakt, lang geleden, in dit bed heb ik baby's gebaard en ik verdom het om ergens anders te sterven. En nog iets...' Ze zweeg, sloot haar ogen en haalde een keer langzaam en diep adem. Toen Fat Charlie ervan overtuigd was dat ze in slaap was gevallen, opende ze haar ogen en zei: 'Fat Charlie, als iemand je vraagt of je honderdvier wilt worden, zeg dan nee. Alles doet pijn. Alles. Ik heb pijn op plaatsen waarvan niemand wist dat ze bestonden.'

'Ik zal eraan denken.'

'Niet zo brutaal.'

Fat Charlie keek naar het vrouwtje in haar witte houten bed. 'Zal ik sorry zeggen?' vroeg hij.

Mevrouw Dunwiddy keek weg, schuldig. 'Ik heb iets ergs gedaan,' zei ze. 'Heel lang geleden heb ik je slecht behandeld.'

'Dat weet ik,' zei Fat Charlie.

Mevrouw Dunwiddy mocht dan wel stervende zijn, maar ze keek Fat Charlie aan met een blik die kinderen onder de vijf gillend naar hun moeder deed rennen. 'Hoe weet je dat?'

Fat Charlie zei: 'Ik ben er zelf achter gekomen. Misschien niet achter alles, maar gedeeltelijk. Ik ben niet dom.'

Ze bekeek hem kil door haar dikke brillenglazen en zei toen: 'Nee. Dat ben je niet. Dat is waar.'

Ze stak haar knoestige hand uit. 'Geef me dat water weer. Zo is het beter.' Ze nam een slokje water, doopte er haar purperen tongetje in. 'Het komt goed uit dat je vandaag bent gekomen. Morgen zit het hele huis vol met rouwende kleinkinderen en achterkleinkinderen, die allemaal proberen me in het ziekenhuis te laten sterven, die zich met me verzoenen zodat ik ze spullen zal geven. Ze kennen me niet. Ik heb al mijn eigen kinderen overleefd. Ieder van hen.'

Fat Charlie zei: 'Gaat u me nog vertellen wat u me hebt aangedaan?'

'Je had mijn glazen bal in de tuin niet mogen breken.'

'Natuurlijk niet.'

Hij wist het weer, op de manier waarop je aan dingen uit je jeugd terugdenkt, half herinnering, half herinnering aan de herinnering. Dat hij achter de tennisbal aan ging die in mevrouw Dunwiddy's tuin was gevallen en toen hij er eenmaal was, bij wijze van experiment de bal met het spiegelende oppervlak optilde om zijn gezicht erin te zien, vervormd en enorm groot; dat hij hem toen op het stenen pad liet vallen en hem in duizend scherven uit elkaar zag spatten. Hij herinnerde zich de sterke hand die hem bij zijn oor pakte en hem uit de tuin naar binnen sleurde...

'U hebt Spider weggestuurd,' zei hij. 'Zo was het toch?'

Als een mechanische buldog klemde ze haar kaken op elkaar.

Ze knikte: 'Ik sprak een banvloek uit,' zei ze. 'Het was niet de bedoeling dat het zo zou gaan. Iedereen kende een beetje magie in die tijd. Ook al hadden we geen dvd's en mobiele telefoons en magnetrons, we wisten een heleboel. Ik wilde je alleen een lesje leren. Je was zo vol van jezelf, een en al kattenkwaad en brutaliteit en opstandigheid. Dus ik trok Spider uit je weg, om je een lesje te leren.'

Fat Charlie hoorde de woorden, maar hij begreep ze niet. 'U trok hem eruit?'

'Ik heb hem van je afgebroken. Alle listigheid. Alle gemeenheid. Alle valsheid. Alles.' Ze zuchtte. 'Stom van me. Niemand heeft me verteld dat als je magie toepast op zo iemand, bijvoorbeeld iemand van je vaders bloedlijn, dat het alles versterkt. Alles wordt veel groter.' Weer een slokje water. 'Je moeder wilde het niet geloven. Niet echt. Maar Spider, die is erger dan jij. Je vader zei er nooit iets van, totdat ik Spider wegtoverde. En toen zei hij alleen dat je het zelf wel kon oplossen, anders was je geen zoon van hem.'

Hij wilde haar tegenspreken, vertellen dat het onzin was, dat Spider geen deel van hem was, net zomin als hij, Fat Charlie, een deel van de zee of de duisternis was. In plaats daarvan vroeg hij: 'Waar is de veer?'

'Welke veer bedoel je?'

'Toen ik van die plek kwam. Die plek met de kliffen en rotsen. Toen had ik een veer bij me. Wat hebt u ermee gedaan?'

'Ik weet het niet meer,' zei ze. 'Ik ben een oude vrouw. Ik ben honderdvier.'

Fat Charlie vroeg: 'Waar is hij?'

'Dat ben ik vergeten.'

'Vertel het me alstublieft.'

'Ik heb hem niet.'

'Wie dan wel?'

'Callyanne.'

'Mevrouw Higgler?'

Ze boog zich vertrouwelijk naar hem toe. 'Die andere twee, die zijn nog jong. Daar kun je niet van op aan.'

'Ik heb mevrouw Higgler gebeld voordat ik vertrok. Ik ben bij haar langs gegaan voordat ik naar de begraafplaats ging. Mevrouw Bustamonte zegt dat ze weg is.'

Mevrouw Dunwiddy schommelde zacht heen en weer in haar bed, alsof ze zichzelf in slaap wiegde. Ze zei: 'Ik maak het niet lang meer. Ik ben gestopt met vast voedsel na de vorige keer dat je hier was. Ik ben op. Drink alleen water. Sommige vrouwen zeggen dat ze van je vader houden, maar ik ken hem al veel, veel langer. Vroeger, toen ik er nog goed uitzag, nam hij me mee uit dansen. Hij tilde me op en draaide me rond. Hij was toen al een oude man, maar hij gaf een meisje altijd het gevoel dat ze bijzonder was. Je voelde je niet...' Ze stopte, nam nog een slokje water. Haar handen trilden. Fat Charlie pakte het lege glas aan. 'Honderdvier,' zei ze. 'En nooit overdag in bed, behalve als ik moest bevallen. En nu ben ik klaar.'

'Ik weet zeker dat u de honderdvijf haalt,' zei Fat Charlie, slecht op zijn gemak.

'Zeg dat niet!' zei ze. Ze keek verschrikt. 'Niet doen! Jouw familie heeft me al genoeg ellende bezorgd. Je mag geen dingen laten gebeuren.'

'Ik lijk niet op mijn vader,' zei Fat Charlie. 'Ik kan niet toveren. De magische kant is helemaal naar Spider toe gegaan, weet u wel?'

Ze scheen niet te luisteren. Ze zei: 'Toen we uit dansen gingen, lang voor de Tweede Wereldoorlog, ging je vader met de bandleider praten en heel vaak riepen ze hem op het podium om ook te zingen. Alle mensen lachten en juichten. Op die manier liet hij dingen gebeuren. Door te zingen.'

'Waar is mevrouw Higgler?'

'Naar huis.'

'Haar huis is leeg. Haar auto staat er niet.'

'*Naar huis.*'

'Eh... bedoelt u dat ze dood is?'

De oude vrouw tussen de witte lakens haalde moeizaam en piepend adem. Ze leek niet in staat nog iets te zeggen. Ze gebaarde naar hem.

Fat Charlie vroeg: 'Moet ik hulp halen?'

Ze knikte en bleef raspen en naar adem happen en piepen, terwijl hij wegliep om mevrouw Bustamonte te zoeken. Ze zat in de keuken naar *Oprah* te kijken op een klein tv-toestel op het aanrecht. 'Ze wil dat u komt.'

Mevrouw Bustamonte liep weg. Ze kwam terug met de lege waterkan. 'Wat heb je gezegd dat ze zo opgewonden is?'

'Had ze een aanval of zo?'

Mevrouw Bustamonte keek hem veelbetekenend aan. 'Nee, Charles. Ze moest om je lachen. Je had haar opgevrolijkt, zei ze.'

'O. Ze vertelde dat mevrouw Higgler naar huis was gegaan. Ik vroeg of ze bedoelde dat ze dood was.'

Toen glimlachte Mevrouw Bustamonte. 'Saint Andrews,' zei ze. 'Callyanne is naar Saint Andrews.' Ze vulde de kan bij aan de gootsteen.

Fat Charlie zei: 'Toen dit allemaal begon, dacht ik dat ik het tegen Spider moest opnemen en dat jullie aan mijn kant stonden. Nu is Spider meegenomen en jullie vier zijn tegen mij. '

Ze draaide de kraan dicht en keek hem stuurs aan.

'Ik geloof niemand meer,' zei Fat Charlie. 'Mevrouw Dunwiddy is natuurlijk helemaal niet ziek. Zodra ik weg ben, springt ze gewoon uit bed en danst de charleston in haar slaapkamer.'

'Ze eet niet meer. Ze zegt dat ze zich rot voelt als ze eet. Ze krijgt niets meer naar binnen. Alleen water.'

'Waar ergens op Saint Andrews is ze?' vroeg Fat Charlie.

'Ga nu maar,' zei mevrouw Bustamonte. 'Jouw familie heeft ons al genoeg ellende bezorgd.'

Fat Charlie keek alsof hij iets wilde zeggen, maar hij zag ervan af. Zwijgend vertrok hij.

Mevrouw Bustamonte bracht de kan water naar mevrouw Dunwiddy, die stil in bed lag.

'Nancy's zoon haat ons,' zei mevrouw Bustamonte. 'Wat heb je hem trouwens verteld?'

Mevrouw Dunwiddy zweeg. Mevrouw Bustamonte luisterde, en toen ze zeker wist dat de oude vrouw nog ademde, zette ze mevrouw Dunwiddy's dikke bril af en legde hem op het nacht-kastje. Daarna trok ze de lakens over mevrouw Dunwiddy's schouders.

En toen wachtte ze gewoon tot het afgelopen was.

Fat Charlie reed weg, al wist hij niet goed waarheen. Hij was voor de derde keer in twee weken de Atlantische Oceaan over-gestoken en het geld dat hij van Spider had gekregen, was bijna op. Hij zat in zijn eentje in de auto en omdat hij alleen was, neu-riede hij.

Hij reed langs een serie Jamaicaanse restaurants toen hij in een etalage een bordje zag staan: *Scherpe prijzen naar de eilan-den.* Hij stopte en ging naar binnen.

'Bij All-In Reizen zijn we u graag van dienst met al uw wen-sen,' zei de reisagent op de gedempte en verontschuldigende toon die artsen gewoonlijk aanslaan als ze iemand meedelen dat het bewuste lichaamsdeel geamputeerd moet worden.

'Eh. Jawel. Dank u. Eh. Wat is de goedkoopste manier om op Saint Andrews te komen?'

'Gaat u op vakantie?'

'Niet echt. Ik wil maar één of twee dagen blijven.'

'Wanneer wilt u vertrekken?'

'Vanmiddag.'

'Een grapje, neem ik aan.'

'Helemaal niet.'

Er werd somber naar een computerscherm gekeken. Er werd op een toetsenbord gehamerd. 'Het lijkt erop dat ik niets heb voor minder dan twaalfhonderd dollar.'

'O.' Fat Charlie liet zijn schouders hangen.

Meer geratel op het toetsenbord. De man snoof. 'Dat kan nooit.' Toen zei hij: 'Wacht even.' Een telefoontje. 'Is dat tarief nog geldig?' Hij pende een paar getallen op een schrijfblokje. Hij keek Fat Charlie aan. 'Als u er een week tussenuit kunt en in het Dolphin Hotel verblijft, kan ik u een week vakantie voor vijf-honderd dollar aanbieden, inclusief de maaltijden in het hotel. Voor de vlucht betaalt u alleen de luchthavenbelasting.'

Fat Charlie knipperde met zijn ogen. 'Zit er een addertje onder het gras?'

'Het is een aanbieding om het toerisme naar het eiland te stimuleren. Het heeft iets te maken met het muziekfestival. Ik wist niet dat het nog geldig was. Maar u weet wat ze zeggen: alle waar is naar zijn geld. En als u niet in het hotel eet, moet u dat zelf betalen.'

Fat Charlie gaf de man vijf verkreukelde biljetten van honderd dollar.

Daisy begon zich het soort agent te voelen dat je alleen in films ziet: onverzettelijk, verbeten en met hart en ziel bereid het systeem aan zijn laars te lappen. Het soort agent dat wil weten of je ervoor voelt hem de dag van zijn leven te bezorgen en vooral het soort agent dat zegt: 'Ik begin te oud te worden voor deze shit.' Ze was zesentwintig en ze wilde tegen de mensen zeggen dat ze te oud was voor deze shit. Ze wist heus wel hoe belachelijk dat klonk, dat hoefde je haar niet te vertellen.

Op dat moment stond ze in hoofdinspecteur Camberwells kantoor en zei: 'Jawel, meneer. Saint Andrews.'

'Jaren geleden ben ik er een keer op vakantie geweest, met de toenmalige mevrouw Camberwell. Erg mooi daar. Rumcake.'

'Dat moet het zijn, meneer. De video-opname op Gatwick is beslist van hem. Reist onder de naam Bronstein. Roger Bronstein vliegt naar Miami, stapt over en neemt het vliegtuig naar Saint Andrews.'

'Weet je zeker dat hij het is?'

'Heel zeker.'

'Nou ja,' zei Camberwell. 'Dan hebben wij het nakijken, hè? Geen uitleveringsverdrag.'

'Er moet toch iets zijn wat we kunnen doen.'

'Mm, we kunnen zijn tegoeden bevriezen en zijn eigendommen confisqueren, en dat zullen we ook doen, maar dat is net zo effectief als een in water oplosbare paraplu, omdat hij bergen geld heeft op plaatsen waar we niet bij kunnen komen.'

Daisy zei: 'Maar dat is níét eerlijk.'

Hij keek haar bevreemd aan. 'Het is geen tikkertje op het schoolplein. Als criminelen zich aan de regels hielden, waren het geen criminelen. Zodra hij terugkomt, arresteren we hem.' Hij rolde een mannetje van klei tot een bal van klei, die hij weer platdrukte door er met duim en wijsvinger in te kneden. 'Vroeger,' zei hij, 'was de kerk een toevluchtsoord. Zolang je daar was, kon je niet gestraft worden. Zelfs niet als je iemand had vermoord. Voor je sociale leven was het wel lastig natuurlijk. Juist.'

Hij keek naar haar alsof hij verwachtte dat ze nu weg zou gaan. Ze zei: 'Hij heeft Maeve Livingstone vermoord. Hij heeft zijn cliënten jarenlang een rad voor de ogen gedraaid.'

'En?'

'We moeten hem voor het gerecht slepen.'

'Maak je niet druk,' zei hij.

Daisy dacht: *ik word te oud voor die shit*. Ze hield haar mond dicht en de woorden bleven gewoon in haar hoofd doormalen.

'Maak je niet druk,' herhaalde hij. Hij vouwde de plak klei op tot iets wat bij benadering een kubus was, waarin hij verwoed met duim en wijsvinger begon te knijpen. 'Ik maak me nergens meer druk over. Bekijk het alsof je parkeerwachter bent. Grahame Coats is gewoon een auto die op de dubbele gele strepen staat geparkeerd, maar wegrijdt voor je hem kunt bekeuren. Zo is het toch?'

'Jawel,' zei Daisy. 'Natuurlijk. Sorry.'

'Juist,' zei hij.

Ze ging terug naar haar bureau, bezocht de interne website van de politie en hield zich een paar uur bezig met het inventariseren van haar mogelijkheden. Ten slotte ging ze naar huis. Carol zat naar *Coronation Street* te kijken en at kip *korma* uit de magnetron.

'Ik ga ertussenuit,' zei Daisy. 'Ik ga op vakantie.'

'Je hebt geen vakantiedagen meer,' merkte Carol verstandig op.

'Pech,' zei Daisy. 'Ik ben te oud voor deze shit.'

'O, waar ga je heen?'

'Ik ga een boef vangen,' zei Daisy.

Fat Charlie vond het een feest met Caribbeair te vliegen. Het was wel een internationale luchtvaartmaatschappij, maar toch had het de sfeer van een plaatselijke busonderneming. De steward noemde hem 'schat' en zei dat hij mocht gaan zitten waar hij wilde.

Hij drapeerde zich languit over drie stoelen en viel in slaap. In zijn droom liep hij onder koperkleurige luchten en de wereld was roerloos en stil. Hij liep naar een vogel, groter dan een stad, met vurige ogen en een opengesperde snavel. Fat Charlie liep bij de snavel naar binnen en door de keel naar beneden.

Toen, zoals dat in dromen gaat, was hij in een kamer waarvan de muren bekleed waren met zachte veren en met ogen zo rond als die van een uil, die niet knipperden.

Spider bevond zich met gespreide armen en benen in het midden van de kamer. Hij hing aan kettingen die van botten waren gemaakt, als de botjes van een kippennek; vanuit elke hoek van het vertrek liep een ketting en hij zat erin gevangen als een vlieg in een web.

'O,' zei Spider. '*Jij bent het.*'

'*Ja,*' zei Fat Charlie in zijn droom.

Spider werd door de benen kettingen uit elkaar getrokken en gerukt, en Fat Charlie zag aan zijn gezicht dat het pijn deed.

'*Nou,*' zei Fat Charlie. '*Het had erger gekund.*'

'*Ik denk niet dat het hierbij blijft,*' zei zijn broer. '*Volgens mij heeft ze nog iets voor me in petto. Voor ons. Ik weet alleen niet wat.*'

'*Het zijn maar vogels,*' zei Fat Charlie. '*Zoveel kwaad kunnen die toch niet doen?*'

'*Ooit van Prometheus gehoord?*'

'*Eh...*'

'*Gaf de mensen het vuur. Werd door de goden voor straf met een ketting aan een rots geketend. Elke dag kwam er een adelaar die zijn lever eruit pikte.*'

'*Raakte die lever nooit op?*'

'*Hij kreeg elke dag een nieuwe. Dat kunnen goden.*'

Er viel een stilte. De twee broers keken elkaar aan.

'*Ik bedenk wel iets,*' zei Fat Charlie. '*Ik vind wel een oplossing.*'

'*Op dezelfde manier als je de rest van je problemen oplost?*' Spider grinnikte vreugdeloos.

'*Het spijt me.*'

'*Het spijt mij.*' Spider zuchtte. '*En, heb je een plan?*'

'*Een plan?*'

'*Nee dus. Doe gewoon wat je moet doen. Haal me hieruit.*'

'*Zit je in de hel?*'

'*Ik weet niet waar ik ben. De hel van de vogels misschien wel. Je moet me hieruit krijgen.*'

'*Hoe?*'

'*Je bent toch een zoon van je vader? Je bent mijn broer. Bedenk iets. Haal me hieruit.*'

Fat Charlie werd rillend wakker. De steward bracht hem koffie, die hij dankbaar opdronk. Hij was nu klaarwakker en wilde niet meer in slaap te vallen, dus las hij het tijdschrift van Caribbeair en kwam veel nuttige dingen over Saint Andrews te weten.

Zo las hij dat Saint Andrews weliswaar niet het kleinste Caribische eiland was, maar dat de mensen het meestal over het hoofd zagen. Rond 1500 werd het door de Spanjaarden ontdekt, een onbewoonde vulkanische berg waar het wemelde van de dieren en met een grote verscheidenheid aan plantensoorten. Het gezegde luidde dat op Saint Andrews alles wat je er neerzette wortel schoot.

Het was eerst van de Spanjaarden en toen van de Engelsen, toen van de Nederlanders, toen weer van de Engelsen en daarna, kort nadat het in 1962 de onafhankelijkheid had gekregen, behoorde het toe aan majoor F.E. Garrett, die een coup pleegde, de diplomatieke betrekkingen met alle landen, behalve Albanië en Congo, verbrak en het land met ijzeren vuist regeerde tot aan zijn tragische dood een paar jaar later, toen hij uit bed viel. Hij viel hard genoeg uit bed om een paar botten te breken, ook al was er een hele eenheid soldaten in zijn slaapkamer aanwezig, die stuk voor stuk verklaarden dat ze hadden geprobeerd majoor Garrets val te breken, maar hadden gefaald, en dat hij, ondanks hun verwoede inspanningen, was overleden tegen de tijd dat ze hem naar het enige ziekenhuis van het eiland hadden overgebracht. Sindsdien wordt Saint Andrews voortreffelijk bestuurd door een gekozen regering en is het met iedereen bevriend.

Het had kilometers zandstrand en een miniem regenwoudje in het midden van het eiland. Het had bananen en suikerriet, een bankstelsel dat gunstig was voor buitenlandse investeringen en offshore bankieren, en het had met geen enkel land een uitleveringsverdrag afgesloten, met uitzondering misschien van Congo en Albanië.

Saint Andrews stond vooral bekend om zijn keuken. De bewoners beweerden dat ze eerder kippenvlees droogden dan op Jamaica, eerder kerriegeit stoofden dan op Trinidad, eerder vliegende vissen bakten dan op Barbados.

Er waren twee steden op Saint Andrews: Williamstown aan de zuidoostkust van het eiland en Newcastle in het noorden. Er waren openluchtmarkten, waar alles wat op het eiland groeide, te koop was en een paar supermarkten met dezelfde spullen, maar voor het dubbele van de prijs. En eens zou Saint Andrews een echt internationaal vliegveld krijgen.

De meningen waren verdeeld of de diepe haven van Williamstown een zegen of een vloek was. Het was een feit dat de diepe haven cruiseschepen aantrok, drijvende eilanden vol mensen, waardoor de natuur en de economie van het eiland veranderden, zoals dat op veel Caribische eilanden gebeurde. Soms lagen er in het hoogseizoen wel zes cruiseschepen in de baai van Williamstown met duizenden mensen aan boord die klaarstonden om aan land te gaan, hun benen te strekken, dingen te kopen. Hoewel de bewoners van Saint Andrews mopperden, ontvingen ze de bezoekers met open armen op de kade, verkochten hun dingen, gaven hun te eten tot ze geen pap meer konden zeggen en stuurden ze daarna terug naar hun schip...

Door de klap waarmee het vliegtuig van Caribbeair landde, liet Fat Charlie zijn tijdschrift vallen. Hij stopte het in het vakje van de stoel voor hem, ging de trap af en liep over de landingsbaan.

Het was in de namiddag.

Fat Charlie liet zich door een taxi van het vliegveld naar zijn hotel brengen. Tijdens de taxirit kwam hij een paar dingen te weten die niet in het tijdschrift van Caribbeair hadden gestaan. Hij vernam bijvoorbeeld dat country-and-western pas echte muziek, goede muziek was. Zelfs de rasta's op Saint Andrews kenden die muziek. Johnny Cash? Een god. Willie Nelson? Een halfgod.

Hij vernam dat er geen reden was om Saint Andrews ooit te verlaten. De taxichauffeur had zelf geen reden gezien om Saint Andrews te verlaten en hij had er goed over nagedacht. Het eiland had een grot en een berg en een regenwoud. Hotels? Op het eiland waren er twintig. Restaurants? Tientallen. Het had een hoofdstad, drie kleinere steden en tal van dorpen. Eten? Alles groeide er. Sinaasappels. Bananen. Muskaatnoten. Het had, zei de taxichauffeur, zelfs limoenen.

Fat Charlie zei: 'Nee, maar!', vooral om de indruk te wekken dat hij aan het gesprek deelnam, maar de chauffeur scheen te denken dat er aan zijn eerlijkheid werd getwijfeld. Hij ging op de rem staan, terwijl hij de taxi met een scherpe bocht naar de kant van de weg stuurde, stapte uit, stak zijn hand over een schutting, plukte iets van een boom en liep terug naar de auto.

'Kijk eens!' zei hij. 'Niemand kan zeggen dat ik een leugenaar ben. Wat is dat?'

'Een limoen?' vroeg Fat Charlie.

'Precies.'

Met een ruk stuurde de chauffeur de wagen weer de weg op. Hij vertelde Fat Charlie dat het Dolphin een uitstekend hotel was. Had Fat Charlie familie op het eiland? Kende hij er mensen?

'Eigenlijk,' zei Fat Charlie, 'ben ik op zoek naar iemand. Een vrouw.'

Dat vond de taxichauffeur een prima idee, want Saint Andrews was de aangewezen plaats om een vrouw te zoeken. Dat kwam, legde hij omstandig uit, omdat de vrouwen van Saint Andrews weelderiger waren gevormd dan de vrouwen van Jamaica, en ze je minder verdriet en hartzeer bezorgden dan de vrouwen van Trinidad. Bovendien waren ze mooier dan de vrouwen van de Dominicaanse Republiek, en konden ze beter koken dan waar ook ter wereld. Als Fat Charlie een vrouw zocht, was hij hier op de juiste plek.

'Niet zomaar een vrouw. Een bepaalde vrouw,' zei Fat Charlie.

De taxichauffeur vertelde Fat Charlie dat het zijn geluksdag was, want de taxichauffeur ging er prat op dat hij iedereen op het eiland kende. Als je je hele leven op dezelfde plek blijft, zei hij, kun je dat. Hij durfde te wedden dat Fat Charlie niet alle mensen in Engeland van gezicht kende. Fat Charlie gaf hem gelijk.

'Ze is een vriendin van de familie,' zei Fat Charlie. 'Ze heet mevrouw Higgler. Callyanne Higgler. Komt die naam u bekend voor?'

De taxichauffeur was even stil. Hij leek na te denken. Toen zei hij dat hij nooit van haar had gehoord. Hij stopte voor het Dolphin hotel en Fat Charlie rekende af.

Fat Charlie ging naar binnen. Er zat een jonge vrouw bij de receptie. Hij liet haar zijn paspoort zien en zijn reserveringsnummer. Hij legde de limoen op de balie neer.

'Hebt u bagage bij u?'

'Nee,' zei Fat Charlie, schuldbewust.

'Niets?'

'Niets. Alleen deze limoen.'

Hij vulde verscheidene formulieren in; ze gaf hem een sleutel en wees hem de weg naar zijn kamer.

Fat Charlie zat in het bad toen er op de deur werd geklopt. Hij wikkelde een handdoek om zijn middel. Het was de piccolo. 'U hebt uw limoen bij de receptie laten liggen.' Hij gaf hem aan Fat Charlie terug.

'Bedankt,' zei Fat Charlie. Hij stapte weer in zijn bad. Daarna ging hij naar bed en droomde onrustig.

In zijn huis op de top van het klif had ook Grahame Coats de vreemdste dromen, duister en ongewenst, zelfs ronduit akelig. Wanneer hij wakker werd, kon hij ze niet goed voor de geest halen, maar de volgende ochtend sloeg hij zijn ogen op met het vage idee dat hij de hele nacht op kleine wezentjes in het lange gras had gejaagd, die hij met een haal van zijn klauwen neersloeg en met zijn tanden aan stukken scheurde. Hij had gedroomd dat zijn tanden vernietigingswapens waren. Met een onrustig gevoel werd hij uit zijn dromen wakker en hij zag op tegen de nieuwe dag.

En elke ochtend begon er een nieuwe dag. Grahame Coats had zijn oude leven nog geen week achter zich had gelaten of hij leed al aan de frustraties van iemand die op de vlucht was. Hij had natuurlijk een zwembad en cacaobomen en grapefruits en nootmuskaatbomen. Hij had een volle wijnkelder en een lege vleeskelder en een kamer met de nieuwste elektronische snufjes. Hij had satelliettelevisie, een uitgebreide dvd-verzameling en niet te vergeten voor duizenden dollars kunst aan alle muren. Hij had een kok die dagelijks voor hem kookte, een huishoudster en een tuinman (een echtpaar dat dagelijks een paar uur voor hem werkte). Het eten was voortreffelijk, het klimaat was – als je van warme, zonnige dagen hield – perfect, maar niets van dat alles maakte Grahame Coats zo gelukkig als hij had verwacht.

Sinds zijn vertrek uit Engeland had hij zich niet meer geschoren, zodat hij nog geen echte baard had, maar wel de beginnende gezichtsbeharing die mannen iets onbetrouwbaars gaf. Zijn ogen lagen verzonken in panda-achtig zwarte oogkassen, en de wallen onder zijn ogen waren zo donker dat het blauwe plekken leken.

Hij zwom één keer per dag in het zwembad, 's morgens, maar verder bleef hij uit de zon. Hij had zijn illegale fortuin niet vergaard om aan huidkanker dood te gaan, zei hij tegen zichzelf. Of aan iets anders.

Hij dacht te vaak aan Londen. In Londen had hij zijn favoriete restaurants gehad, waar de maître d' hem bij naam kende en erop toezag dat hij tevreden wegging. In Londen waren mensen die hem gunsten verschuldigd waren. Daar kostte het hem geen moeite om kaartjes voor een première te krijgen, en trouwens, in Londen waren er tenminste theaters waar je heen kon en waar premières werden gegeven. Hij had altijd gedacht dat ballingschap hem goed zou liggen; nu kreeg hij het angstige vermoeden dat hij zich had vergist.

Omdat hij toch iemand de schuld moest geven, concludeerde hij dat het allemaal door Maeve Livingstone was gekomen. Zij had hem misleid. Ze had geprobeerd hem te beroven. Ze was een feeks, een secreet, een kreng. Ze had haar verdiende loon gekregen. Eigenlijk was ze er nog goed vanaf gekomen. Hij kon al de toon van gekwetste onschuld horen waarmee hij, als hij ooit door de tv werd geïnterviewd, zou uitleggen dat hij zijn eer en bezittingen tegen een doldrieste vrouw had moeten verdedigen. Eerlijk, het was een wonder dat hij levend uit dat kantoor was gekomen...

En hij had het prettig gevonden Grahame Coats te zijn. Nu was hij Basil Finnegan, zoals altijd als hij op het eiland was, en dat irriteerde hem. Hij voelde zich geen Basil. Om Basil te kunnen zijn had hij moeite moeten doen – de echte Basil was als kind gestorven en zijn geboortedatum lag dicht bij die van Grahame. Een kopie van het geboortebewijs plus een brief van een niet-bestaande ambtenaar en daarna had Grahame Coats een paspoort gekregen en een identiteit. Hij had de identiteit in leven gehouden – Basil had op papier een degelijke geschiedenis, Basil reisde naar exotische plaatsen, Basil had zonder voorafgaande bezichtiging een luxe villa op Saint Andrews gekocht. Maar bij Grahame had het idee postgevat dat Basil voor hem werkte, en nu was zijn bediende de baas geworden. Basil Finnegan had hem levend verslonden.

'Als ik hier blijf,' zei Grahame Coats, 'word ik gek.'

'Zei u wat?' vroeg de huishoudster, terwijl ze met een plumeau in haar hand om de hoek van de slaapkamerdeur keek.

'Nee hoor,' zei Grahame Coats,

'Ik dacht dat u zei dat u gek werd als u hier bleef. Waarom gaat u niet een eindje wandelen? Lopen is goed voor u.'

Grahame Coats liep niet; hij had mensen die dat voor hem

deden. Maar, dacht hij, misschien hield Basil Finnegan van wandelen. Hij zette een breedgerande hoed op en verwisselde zijn sandalen voor wandelschoenen. Hij pakte zijn mobiele telefoon, instrueerde zijn tuinman om hem te komen halen als hij belde en liep van zijn huis aan de rand van het klif in de richting van de dichtstbijzijnde stad.

De wereld is klein. Je hoeft niet zo heel lang te leven om dat zelf te ontdekken. Er is een theorie dat er in de hele wereld maar vijfhonderd mensen zijn die er echt toe doen (dat is als het ware de cast; alle andere mensen op de wereld, suggereert de theorie, bungelen er zo'n beetje bij) en bovendien kennen ze elkaar allemaal. Dat is waar, of tot op zekere hoogte waar. In werkelijkheid bestaat de wereld uit duizenden en nog eens duizenden groepen van ongeveer vijfhonderd mensen, die elkaar voortdurend tegen het lijf lopen en elkaar proberen te ontlopen om elkaar in dezelfde onwaarschijnlijke tearoom in Vancouver tegen te komen. Er zit een zekere onontkoombaarheid in dat proces. Het is niet eens toevallig. Het is gewoon hoe de wereld werkt, zonder rekening te houden met individuen of eigendommen.

Zo kwam het dat Grahame Coats onderweg naar Williamstown een cafeetje in liep, waar hij iets fris kon drinken en zijn tuinman kon bellen dat die hem op moest halen.

Hij bestelde Fanta en ging aan een tafeltje zitten. Het café was bijna leeg: twee vrouwen, de ene jong, de andere op leeftijd, zaten in de verste hoek koffie te drinken en kaarten te schrijven.

Grahame Coats keek naar buiten; achter de weg lag het strand. Het was een paradijs, dacht hij. Misschien zou hij zich intensiever met de eilandpolitiek bezig moeten houden – als sponsor van kunst en cultuur. Hij had al een paar grote donaties overgemaakt naar het politiekorps van het eiland en misschien moest hij veiligstellen dat...

Achter hem hoorde hij een stem, opgewonden en onzeker: 'Meneer Coats?' en hij kreeg hartkloppingen. De jongste van de twee vrouwen ging naast hem zitten. Ze had een hartverwarmende glimlach.

'Wat toevallig,' zei ze. 'Bent u ook op vakantie?'

'Zoiets.' Hij had geen idee wie de vrouw was.

'U weet toch wie ik ben? Rosie Noah. Ik ging uit met Fat... met Charlie Nancy. Ja?'

'Hallo, Rosie. Natuurlijk.'

'Ik ben op een cruise met mijn moeder. Ze zit nog briefkaarten naar Engeland te schrijven.'

Grahame Coats keek over zijn schouder. Achter in het kleine café zat een soort Zuid-Amerikaanse mummie, gehuld in een gebloemde jurk, naar hem te loeren.

'Eerlijk gezegd,' ging Rosie verder, 'ben ik geen type voor cruises. Tien dagen van eiland naar eiland hoppen. Is het niet enig om een bekend gezicht te zien?'

'Absolutief,' zei Grahame Coats. 'Begrijp ik het goed dat jij en onze Charles geen eh, stel meer zijn?'

'Ja,' zei ze. 'Ik denk van wel. Ik bedoel, dat is niet meer zo.'

Grahame Coats glimlachte bedrieglijk begripvol. Hij pakte zijn Fanta en liep met Rosie naar het tafeltje in de hoek. Rosies moeder straalde vijandigheid uit zoals een oude metalen radiator kilte kan uitstralen, maar Grahame Green gedroeg zich uitermate charmant en behulpzaam en hij gaf haar op elk punt gelijk. Inderdaad, het was afschuwelijk wat cruisemaatschappijen zich tegenwoordig dachten te kunnen permitteren; het was walgelijk hoe nonchalant de staf van het cruiseschip durfde te zijn; het was verbijsterend hoe weinig er op de eilanden te doen was; en het was in elk opzicht belachelijk welke ontberingen de passagiers voor lief moesten nemen: tien dagen zonder badkuip, alleen een piepkleine douche. Schokkend.

Rosies moeder bracht hem op de hoogte van de sterke antipathieën die ze koesterde tegen sommige Amerikaanse passagiers. Grahame Coats begreep dat hun voornaamste misdrijf bestond uit het volladen van hun borden tijdens het buffet van de *Ziedende Eland* en zonnebaden bij het zwembad op een plaats op het achterdek die Rosies moeder de eerste dag als de hare had geclaimd.

Grahame Coats knikte en terwijl het venijn over hem heen droop, maakte hij meelevende geluidjes, tuttut en humhum en klakklak, tot Rosies moeder bereid was zich over haar afkeer heen te zetten van onbekenden in het algemeen en mensen die met Fat Charlie te maken hadden in het bijzonder, en ze praatte en praatte en praatte. Grahame Coats luisterde amper. Grahame Coats dacht na.

Het zou slecht uitkomen, dacht Grahame Coats, als er uitgerekend nu iemand naar Londen terugging en de autoriteiten informeerde dat Grahame Coats op Saint Andrews was gesignaleerd. Het was onvermijdelijk dat hij een keer gesnapt zou worden, maar dat onvermijdelijke moment kon misschien uitgesteld worden.

'Mag ik,' vroeg Grahame Coats, 'u een oplossing aan de hand doen voor ten minste een van uw problemen? Een eindje verderop heb ik een vakantiehuis. Een erg aardig huis, vind ik zelf. En badgelegenheid is ruimschoots aanwezig. Wilt u niet met me meegaan? Dan kunt u er naar hartenlust gebruik van maken.'

'Nee, dank u,' zei Rosie. Stel dat ze ja had gezegd, dan had haar moeder waarschijnlijk opgemerkt dat ze die middag op tijd in de haven van Williamstown moesten zijn om daar opgehaald te worden, en vervolgens had ze Rosie uitgefoeterd dat ze was ingegaan op de uitnodiging van iemand die ze nauwelijks kenden. Maar Rosie zei nee.

'Dat is bijzonder aardig van u,' zei Rosies moeder. 'Heel graag.'

Niet lang daarna kwam de tuinman in een zwarte Mercedes voorrijden. Grahame Coats hield het achterportier voor Rosie en haar moeder open. Hij beloofde hun dat ze absolutief op tijd terug in de haven zouden zijn om de laatste boot naar hun schip te halen.

'Waarheen, meneer Finnegan?' vroeg de tuinman.

'Naar huis,' zei hij.

'Meneer Finnegan?' vroeg Rosie.

'Een oude familienaam,' zei Grahame Coats, en dat wist hij zeker. In elk geval van iemands familie. Hij sloot het achterportier en liep achterom naar zijn eigen plaats.

Maeve Livingstone was verdwaald. Het was zo goed begonnen.

Eerst wilde ze naar haar huis in Pontefract. Er volgde een flikkering en een harde windvlaag en met een ectoplastische luchtverplaatsing was ze thuis. Ze liep voor het laatst door haar hele huis en ging toen naar buiten, de herfstdag in. Ze wilde haar zus in Rye zien en in een oogwenk was ze in de tuin in Rye en zag ze haar zuster met haar springerspaniël wandelen.

Het had zo gemakkelijk geleken, maar op het moment dat ze had besloten Grahame Coats op te zoeken, was het allemaal mis gegaan. Heel even was ze terug op zijn kantoor aan de Aldwych, toen in een leeg huis in Purley, dat ze zich nog herinnerde van een etentje dat Grahame Coats tien jaar geleden had gegeven en toen...

Toen was ze verdwaald. Waar ze ook heen wilde gaan, het maakte de zaak alleen maar erger.

Ze had geen idee waar ze was. Het leek een soort tuin.

Er viel een korte, hevige bui die alles nat regende maar zelf voelde ze er niets van. Daarna steeg de damp op van de aarde en ze wist dat ze niet in Engeland was. Het werd donker.

Ze ging op de grond zitten en begon te snikken.

Toe nou, zei ze tegen zichzelf. *Maeve Livingstone, stel je niet zo aan*. Maar het snikken werd erger.

'Wil je een zakdoekje?' vroeg iemand.

Maeve keek op. Een oudere man met een groene hoed en een potlooddun snorretje bood haar een zakdoekje aan.

Ze knikte. Toen zei ze: 'Maar ik heb er waarschijnlijk niets aan. Ik kan het toch niet vasthouden.'

Hij glimlachte vriendelijk en gaf haar het zakdoekje. Het viel niet uit haar hand, dus ze snoot haar neus en bette haar ogen. 'Dank je. Sorry. Het werd me allemaal even te veel.'

'Kan gebeuren,' zei de man. Hij nam haar goedkeurend van top tot teen op. 'Wat ben je? Een jorka?'

'Nee,' zei ze. 'Niet dat ik weet... wat is een jorka?'

'Een geest,' zei hij. Met zijn potlooddunne snorretje deed hij haar denken aan Cab Calloway of Don Ameche, sterren die wel ouder werden, maar wier ster bleef stralen. Wie deze oude man ook was, hij had iets van een ster.

'O. Juist. Ik ben een geest. Ahum. En jij?'
'Zoiets,' zei hij. 'In elk geval ben ik dood.'
'O,' zei ze. 'Mag ik vragen waar we zijn?'
'In Florida,' zei hij. 'Op de begraafplaats. Het is goed dat je me treft,' voegde hij eraan toe. 'Ik wilde net een ommetje maken. Zin om mee te gaan?'
'Moet je niet in je graf liggen?' vroeg ze aarzelend.
'Ik verveelde me,' zei hij. 'Ik was toe aan een verzetje. Misschien vind ik wel een visstekje.'
Ze aarzelde, knikte toen. Het was leuk iemand te hebben met wie ze kon praten.
'Wil je een verhaal horen?' vroeg de oude man.
'Niet echt,' zei ze eerlijk.
Hij hielp haar overeind en samen liepen ze de begraafplaats af.
'Prima. Ik zal het kort houden. Dan vertel ik het niet uitgebreid. Weet je, ik kan een verhaal zo vertellen dat het weken duurt. Alles hangt af van de details – wat je erin stopt, wat niet. Ik bedoel, als je weglaat wat voor weer het is en wat mensen aanhebben, sla je al de helft van het verhaal over. Ik heb een keer een verhaal verteld...'
'Kijk,' zei ze, 'als je me zo graag een verhaal wilt vertellen, doe het dan gewoon.' Het was al vervelend genoeg om in de toenemende schemering langs de kant van de weg te lopen. Ze bedacht dat ze niet door een voorbijgaande auto aangereden kon worden, maar dat nam niet weg dat ze zich slecht op haar gemak voelde.
De oude man begon op een zachte, eentonige manier voor te dragen. 'Als ik Tijger zeg,' zei hij, 'moet je begrijpen dat ik niet alleen de gestreepte katachtige uit India bedoel. Tijger is de naam voor alle grote katten bij elkaar – de poema's en de lynxen en de jaguars en de rest. Begrepen?'
'Jawel.'
'Goed. Dus... heel lang geleden,' begon hij, 'had Tijger de verhalen. Alle verhalen die er waren, waren Tijgerverhalen, alle liederen waren Tijgerliederen, en ik zou kunnen zeggen dat alle

grappen Tijgergrappen waren, maar heel vroeger, in Tijgers tijd, werden er geen grappen gemaakt. In de Tijgerverhalen ging het er alleen om hoe sterk je gebit was, hoe je jaagde, hoe je doodde. In de Tijgerverhalen was geen vriendelijkheid, geen slimheid en geen vrede.'

Maeve probeerde zich voor te stellen wat een grote kat zou vertellen. 'Dus verhalen vol geweld?'

'Soms. Maar de verhalen waren vooral slecht. Toen alle verhalen en liederen van Tijger waren, was dat een slechte tijd voor iedereen. Mensen worden gevormd door de liederen en verhalen die hen omringen, vooral als ze geen eigen lied hebben. En in Tijgers tijd waren alle liederen duister. Ze begonnen met bloed en eindigden in tranen; dat waren de enige verhalen die de mensen in de wereld kenden.

Toen kwam Anansi. Wel, ik neem aan dat je alles over Anansi weet...'

'Dat geloof ik niet,' zei Maeve.

'Als ik nu begin te vertellen hoe slim en knap en charmant en vindingrijk Anansi was, zou ik niet voor donderdag klaar zijn,' begon de oude man.

'Laat dan maar zitten,' zei Maeve. 'Dat geloof ik grif. En wat deed die Anansi toen?'

'Nou, Anansi maakte zich meester van de verhalen. Pakte hij ze af? Welnee. Ze kwamen hem eerlijk toe. Hij haalde ze bij Tijger weg en zorgde dat Tijger niet meer in de echte wereld kon komen. Dat hij zich daar niet meer kon vertonen. De verhalen die mensen elkaar vertelden, werden Anansiverhalen. Dat gebeurde, laat eens kijken, tien- tot vijftienduizend jaar geleden.

De Anansiverhalen zaten vol humor en list en wijsheid. Alle mensen, overal ter wereld, dachten niet meer aan jagen of opgejaagd worden. Ze begonnen na te denken om uit de problemen te komen – hoewel ze al denkend soms nog erger in de problemen kwamen. Nog steeds moesten ze zorgen dat ze genoeg te eten hadden, maar nu probeerden ze erachter te komen hoe dat kon zonder ervoor te hoeven werken. Dat was het moment dat de mensen hun verstand begonnen te gebruiken. Sommigen denken dat de eerste voorwerpen die er werden gemaakt, wapens waren, maar dat is niet zo. De werktuigen waren er eerst. De kruk ging vooraf aan de knuppel, zo ging het elke keer. Want toen begonnen de mensen Anansiverhalen vertellen, ze bedachten hoe ze gekust konden worden, hoe ze iets voor niets konden krijgen, door slimmer en geestiger te zijn. Op dat moment gingen ze vorm aan de wereld geven.'

'Dat is maar een legende,' zei ze. 'Want het zijn de mensen die verhalen verzinnen.'

'Wat maakt het uit?' vroeg de oude man. 'Misschien is Anansi in de oertijd bedacht door een jongen uit Afrika met malariamuggen op zijn been, die met zijn kruk in de modder wroette, terwijl hij het een of ander maffe verhaal bedacht over een man van teer. Wat maakt het uit? Mensen zijn ontvankelijk voor verhalen. Ze vertellen zichzelf verhalen. Verhalen doen de ronde, en tijdens het vertellen worden de vertellers door de verhalen veranderd. Want de mensen die nooit aan iets anders dachten dan hoe ze voor leeuwen moesten vluchten en ver genoeg uit de buurt van de rivier moesten blijven om geen gemakkelijke prooi voor de krokodillen te zijn, begonnen nu over een heel ander soort leven te dromen. De wereld was hetzelfde gebleven, maar had een ander aanzien gekregen. Nietwaar? De mensen hadden nog altijd hetzelfde verhaal: ze werden geboren en deden van alles en dan stierven ze, maar het verhaal had een andere betekenis dan vroeger.'

'Bedoel je dat de wereld van vóór de Anansiverhalen primitief en slecht was?'

'Nou en of.'

Ze verwerkte het in stilte. 'In dat geval,' zei ze monter, 'is het maar goed dat de verhalen nu van Anansi zijn.'

De man knikte.

En toen vroeg ze: 'Wil Tijger ze niet terug?'

Hij knikte. 'Hij wil ze al tienduizend jaar terug.'

'Maar hij krijgt ze zeker niet?'

De oude man zweeg. Hij staarde in de verte. Toen haalde hij zijn schouders op. 'Het zou een ramp zijn als dat gebeurde.'

'En Anansi?'

'Anansi is dood,' zei de oude man. 'En een geest kan niet zoveel doen.'

'Als geest,' zei ze, 'stuit dat me tegen de borst.'

'Nou,' zei de oude man, 'geesten kunnen de levenden niet aanraken. Dat weet je toch?'

Ze dacht er een poosje over na. 'En wat kan ik wél aanraken?' vroeg ze.

Op zijn oude gezicht verscheen een slimme, berekenende uitdrukking. 'Je kunt mij aanraken.'

'Ik moet je erop wijzen,' zei ze bits, 'dat ik getrouwd ben.'

Zijn glimlach werd alleen maar breder. Het was een lieve, vriendelijke glimlach, even hartverwarmend als gevaarlijk. 'Normaal gesproken duurt het huwelijk *tot de dood ons scheidt*.'

Maeve was niet onder de indruk.

'Je bent,' vertelde hij haar, 'een immateriële jongedame. Je kunt immateriële dingen aanraken. Zoals mij. Ik bedoel, als je wilt, kunnen we gaan dansen. Er is een dansgelegenheid een eindje verderop. Dat er twee geesten op de dansvloer zijn, zal niemand in de gaten hebben.'

Maeve dacht erover na. Het was lang geleden dat ze uit dansen was geweest. 'Kun je goed dansen?' vroeg ze.

'Nog nooit klachten gehad,' zei de oude man.

'Ik zoek iemand – een man die leeft en Grahame Coats heet,' zei ze. 'Denk je dat je me daarbij kunt helpen?'

'Ik kan je in elk geval een eind op weg helpen,' zei hij. 'En, gaan we dansen?'

Er kroop een glimlach rond haar mondhoeken. 'Is dat een vraag?'

De kettingen waarin Spider geketend had gezeten, lieten hem los. De kwellende en onafgebroken pijn, die als hevige kiespijn zijn lichaam doorsneed, begon te zakken.

Spider zette een stap naar voren.

Hij zag een strook lucht, of wat daar op leek, en liep erheen.

In de verte zag hij een eiland liggen. Hij zag een lage berg midden op het eiland. Hij zag een helderblauwe lucht en wuivende palmbomen, een witte meeuw hoog aan de hemel. Maar onder het kijken leek het of de wereld terugweek. Het was alsof hij door het verkeerde eind van een telescoop keek. De wereld werd kleiner en ontglipte hem; hoe harder hij erheen rende, des te verder gleed alles weg.

Het eiland was een weerspiegeling in een waterplas, en toen was er niets meer.

Hij bevond zich in een grot. De randen van de dingen waren helder – helderder en scherper dan Spider ze ooit had gezien. Dit was een ander soort plaats.

Ze stond in de opening van de grot, tussen hem en de buitenlucht. Hij kende haar. Ze had hem recht in het gezicht gekeken in een Grieks restaurant in Zuid-Londen en er waren vogels uit haar mond gekomen.

'Weet je,' zei Spider, 'ik moet zeggen dat je er wonderlijke ideeën over gastvrijheid op na houdt. Als je naar mijn wereld kwam, zou ik voor je koken, een fles wijn opentrekken, zachte muziek draaien, zorgen dat je een onvergetelijke avond krijgt.'

Haar gezicht was uitdrukkingsloos; het leek uit zwarte rots gekerfd. De wind rukte aan de zoom van haar oude bruine jas. Toen sprak ze, haar stem hoog en eenzaam als de roep van een verre meeuw.

'Ik heb je meegenomen,' zei ze. 'Nu moet je hem roepen.'

'Hem roepen? Wie roepen?'

'Je zult blaten,' zei ze. 'Je zult jammeren. Je angst zal hem aantrekken.'

'Spider jammert niet,' zei hij. Hij wist niet zeker of dat waar was.

Ogen zwart en glanzend als schijfjes lavaglas keken in de zijne. Het waren ogen als zwarte gaten, waar niets van uitging, zelfs geen informatie.

'Als je me doodt,' zei Spider, 'spreek ik een vloek over je uit.' Hij vroeg zich af of hij een vloek had. Waarschijnlijk wel, en als het niet zo was, kon hij er eentje verzinnen.

'Ik ben het niet die je zal doden,' zei ze. Ze hief haar hand op, en het was geen hand maar de klauw van een roofvogel. Ze kraste met haar klauw over zijn gezicht, zijn borst; haar wrede nagels boorden zich in zijn vlees, reten zijn huid open.

Het deed geen pijn, hoewel Spider wist dat de pijn gauw genoeg zou komen. Bloeddruppels kleurden zijn borst rood en dropen langs zijn gezicht. Zijn ogen prikten. Het bloed bedekte zijn lippen. Hij kon het proeven en de geur van ijzer ruiken.

'Nu,' zei ze, als de kreten van verre vogels. 'Nu begint je dood.'

Spider zei: 'We zijn allebei redelijk denkende wezens. Daarom zal ik je een veel praktischer oplossing aan de hand doen waar we beiden profijt van kunnen hebben.' Hij zei het met een vlotte glimlach. Hij zei het overtuigend.

'Je praat te veel,' zei ze hoofdschuddend. 'Dat moet afgelopen zijn.'

Ze duwde haar scherpe klauwen in zijn mond en rukte zijn tong eruit.

'Ziezo,' zei ze. En toen leek ze medelijden met hem te hebben, want op een bijna tedere manier streek ze over Spiders gezicht en zei: 'Ga slapen.'

Hij ging slapen.

Rosies moeder kwam fris, verkwikt en stralend uit de badkamer terug.

'Zal ik jullie een snelle rondleiding door het huis geven voor ik jullie naar Williamstown breng?' vroeg Grahame Coats.

'Nee, dank u, we moeten terug naar het schip,' zei Rosie, die er zich niet toe had kunnen zetten een bad bij Grahame Coats te nemen.

Haar moeder keek op haar horloge. 'We hebben nog anderhalf uur,' zei ze. 'Langer dan een kwartier hebben we niet nodig om terug naar de haven te gaan. Niet zo onbeleefd, Rosie. We willen dolgraag uw huis bekijken.'

Dus Grahame Coats liet hun de zitkamer zien, de studeerkamer, de bibliotheek, de televisiekamer, de eetkamer, de keuken en het zwembad. Hij opende een deur onder de keukentrap, die eruitzag alsof hij naar een bezemkast leidde, en liep voor zijn gasten uit de houten trap af naar een wijnkelder met dikke stenen muren. Hij liet hun de wijn zien, die voor het grootste gedeelte bij de koop van het huis inbegrepen was geweest. Hij leidde hen door de wijnkelder naar het lege vertrek achterin, waar vóór de tijd van de koelkasten het vlees werd bewaard. In de vleeskelder was het altijd koud en de zware kettingen met lege haken aan het plafond lieten zien dat hier vroeger dode beesten hadden gehangen. Grahame Coats hield de zware ijzeren deur beleefd open terwijl de twee vrouwen naar binnen liepen. 'Weet u,' zei hij attent, 'er schiet me iets te binnen. Het lichtknopje zit een eindje terug, waar we daarnet binnenkwamen. Wacht even.' En toen sloeg hij de deur met een klap achter de vrouwen dicht en schoof de grendels erop.

Hij koos een stoffig uitziende fles Chablis Premier van 1995 uit het wijnrek. Met zwierige tred liep hij naar boven en hij stuurde zijn drie werknemers een week met verlof.

Terwijl hij naar boven liep, naar zijn studeerkamer, kreeg hij het gevoel dat er iemand geluidloos achter hem aan sloop, maar toen hij zich omdraaide, zag hij niets. Vreemd genoeg vond hij het een troostrijke gedachte. Hij pakte een kurkentrekker, trok de fles open en schonk zichzelf een glas lichtgekleurde wijn in. Hoewel hij nooit veel op had gehad met rode wijn, merkte hij onder het drinken dat hij naar iets verlangde wat voller en donkerder was. *Het zou,* dacht hij, *de kleur van bloed moeten hebben.*

Na het tweede glas chablis realiseerde hij zich dat hij de verkeerde persoon de schuld had gegeven van zijn onvermijdelijke daad. Maeve Livingstone, begreep hij nu, was maar een onschuldig slachtoffer. Terwijl Fat Charlie overduidelijk en ontegenzeggelijk de ware schuldige was. Zonder zijn inmenging, zijn misdadig inbreken in Grahame Coats' computersysteem, had Grahame Coats niet in ballingschap hoeven gaan, als een blonde Napoleon op een perfect zonnig Elba. Dan zou hij niet zijn opgescheept met de ongelukkige situatie dat er twee vrouwen in zijn vleeskelder opgesloten zaten. *Als Fat Charlie hier was,* dacht hij, *zou ik met mijn tanden zijn strottenhoofd eruit trekken,* en die gedachte vond hij even schokkend als opwindend. Met Grahame Coats viel niet te spotten.

De avond viel en vanuit zijn raam zag Grahame Coats de *Ziedende Eland* langs zijn huis op het klif varen in de richting van de ondergaande zon. Hij vroeg zich af hoe lang het zou duren voor ze doorhadden dat er twee passagiers ontbraken. Hij zwaaide zelfs.

TWAALF

Het Dolphin hotel had een conciërge. Hij was jong en bebrild, en zat een pocketboek te lezen met een roos en een geweer op de kaft.

'Ik zoek iemand,' zei Fat Charlie. 'Op het eiland.'

'Wie?'

'Een vrouw, Callyanne Higgler. Ze komt uit Florida. Ze is een oude vriendin van de familie.'

De jongeman sloot zijn boek met zorg, tuurde toen door zijn half dichtgeknepen ogen naar Fat Charlie. In pocketboeken geeft dat meteen de indruk van gevaarlijke alertheid, maar in het echt zag het eruit alsof de jongeman tegen de slaap vocht. Hij vroeg:

'Bent u de man van de limoen?'

'Hè?'

'De man van de limoen?'

'Ja, dat denk ik wel.'

'Laat 's zien?'

'Mijn limoen?'

De jonge man knikte ernstig.

'Nee, dat gaat niet. Hij ligt op mijn kamer.'

'Maar u bént toch de man met de limoen?'

'Kunt u me helpen mevrouw Higgler te vinden? Zijn er Higglers op het eiland? Kan ik even in het telefoonboek kijken? Op mijn kamer ligt jammer genoeg geen telefoonboek.'

'Het is een erg algemene naam,' zei de jongeman. 'Dus u hebt niets aan een telefoonboek.'

'Hoe algemeen?'

'Nou,' zei de jongeman, 'Ik ben bijvoorbeeld Benjamin Higgler. Daar aan de balie zit Amerila Higgler.'

'O. Juist. Massa's Higglers op het eiland. Ik begrijp het.'

'Is ze op het eiland voor het muziekfestival?'

'Hoezo?'

'Dat duurt de hele week.' Hij overhandigde Fat Charlie een folder waarin stond dat Willie Nelson (afgezegd) de ster van het Saint Andrews Muziekfestival zou zijn.

'Waarom heeft hij afgezegd?'

'Om dezelfde reden als waarom Garth Brooks heeft afgezegd. In de eerste plaats heeft niemand ze er iets over verteld.'

'Ik geloof niet dat ze voor het muziekfestival komt. Ik moet haar echt vinden. Ze heeft iets wat ik nodig heb. Wat zou u in mijn situatie doen om haar te zoeken?'

Benjamin Higgler haalde een kaart van het eiland uit de la van zijn bureau. 'Wij zitten hier, iets ten zuiden van Williamstown...' begon hij, terwijl hij met viltstift een stip op de kaart zette. Hij begon een plan van aanpak te tekenen, door het eiland in segmenten te verdelen die Fat Charlie in een dag kon befietsen. Alle drankwinkels en cafés markeerde hij met een kruisje en hij omcirkelde alle toeristische attracties. Daarna verhuurde hij Fat Charlie een fiets.

Fat Charlie peddelde weg in zuidelijke richting. Saint Andrews bezat informatiepanelen, iets wat Fat Charlie niet had verwacht, omdat hij onwillekeurig had aangenomen dat kokospalmen en mobiele telefoons elkaar uitsloten. Wie hij ook aansprak – oude mannen die in de schaduw aan het dammen waren; vrouwen met borsten als watermeloenen en billen als leunstoelen en de lach van spotlijsters; een nuchtere kordate jonge vrouw van het toerismebureau; een rasta met een baard, een groen-rood-geel gehaakte muts en een soort wollen minirok – ze vroegen allemaal hetzelfde.

'Ben jij de man van de limoen?'

'Ik geloof van wel.'

'Laat je limoen eens zien.'

'Hij ligt in het hotel. Kijk, ik ben op zoek naar Callyanne Higgler. Een jaar of zestig, Amerikaanse. Grote mok koffie in haar hand.'

'Nooit van gehoord.'

Fietsen op het eiland was niet zonder gevaren, ontdekte Fat Charlie al snel. Het voornaamste vervoermiddel van het eiland was de minibus, zonder vergunning en altijd mudvol. De minibusjes maakten het eiland onveilig door toeterend, met piepende remmen en op twee wielen door de bocht te scheuren, terwijl ze erop rekenden dat het gewicht van de passagiers verhinderde dat ze omkiepten. Als ze hun komst niet zouden aankondigen door een lage bas-en-drumdreun uit hun geluidsinstallatie, zou Fat Charlie die eerste ochtend al tientallen keren verongelukt zijn. Hij kon het gebonk al in zijn maag voelen voordat hij de motor hoorde, en dan had hij nog tijd genoeg om met zijn fiets de berm in te duiken.

Hoewel niemand van de mensen die hij sprak, hem wat je noemt echt kon helpen, was iedereen buitengewoon vriendelijk. Fat Charlie stopte een paar keer op zijn dagtocht naar het zuiden om zijn waterfles bij te vullen. Hij stopte bij cafés en bij woonhuizen. Overal werd hij enthousiast begroet, ook al kon niemand hem vertellen waar mevrouw Higgler was. 's Avonds was hij op tijd voor het eten terug in het Dolphin hotel.

De volgende dag fietste hij naar het noorden. Aan het eind van de middag, toen hij weer terugging naar Williamstown, stopte hij op de top van een klif, stapte af en liep met zijn fiets aan de hand door het openstaande hek van een afgelegen villa met uitzicht over de baai. Hij drukte op de bel en riep hallo door de intercom, maar niemand reageerde. Er stond een grote zwarte auto op de oprijlaan. Fat Charlie vroeg zich af of er iemand thuis was, maar op de eerste verdieping zag hij een gordijn bewegen.

Hij drukte opnieuw op de bel. 'Hallo,' riep hij. 'Kan ik hier mijn fles met water vullen?'

Er kwam geen antwoord. Misschien was het verbeelding geweest dat er iemand bij het raam stond. Deze plek maakte de neiging in hem wakker zich van alles in zijn hoofd te halen. Zo kreeg hij bijvoorbeeld het gevoel dat hij werd gadegeslagen, niet vanuit het huis, maar vanuit de struiken aan de kant van de weg. 'Sorry dat ik u heb lastiggevallen,' riep hij door de intercom en hij stapte weer op zijn fiets. Om in Williamstown te komen hoefde hij alleen nog maar af te dalen. Hij wist zeker dat hij op de heenweg een paar cafés had gezien, en nog een huis waar de mensen wel aardig waren.

Hij was bezig aan de afdaling – de kliffen waren geleidelijk overgegaan in een nogal steil naar zee aflopende heuvel – toen er een zwarte auto achter hem opdook en ronkend optrok. Te laat begreep Fat Charlie dat de chauffeur hem niet had gezien, want de wagen schraapte over de volle lengte langs zijn stuur en Fat Charlie tuimelde van zijn fiets en gleed naar beneden. De zwarte auto reed verder.

Halverwege de heuvel krabbelde Fat Charlie overeind. 'Daar ben ik goed vanaf gekomen,' zei hij hardop. Het stuur was verbogen. Hij hees zijn fiets de heuvel op tot hij weer bij de weg was. Een lage basdreun kondigde de komst van een minibus aan. Hij gebaarde naar de bus dat hij mee wilde.

'Kan ik mijn fiets achterin zetten?'

'Geen plek,' zei de chauffeur, maar hij haalde een paar spinnen van onder zijn stoel tevoorschijn waarmee hij de fiets op het dak van de bus bond. Toen grinnikte hij. 'Jij bent vast de Engelsman met de limoen.'

'Ik heb hem niet bij me. Hij ligt in het hotel.'

Fat Charlie wrong zich in de bus, waar de bonkende bas, uiterst verrassend, moeiteloos overging in 'Smoke on the Water' van Deep Purple. Fat Charlie perste zich met moeite naast een grote vrouw die een kip op haar schoot hield. Achter hem bespraken twee blanke meisjes de party's die ze de vorige avond hadden bezocht en de tekortkomingen van hun vakantievriendjes.

Fat Charlie zag de zwarte wagen – een Mercedes – in tegengestelde richting rijden. Er zat een lange kras op de zijkant. Hij voelde zich schuldig en hoopte dat zijn fiets het lakwerk niet al te erg had beschadigd. De glazen waren zo donker getint dat het leek of de wagen zichzelf bestuurde...

Een van de blanke meisjes tikte Fat Charlie op zijn schouder en vroeg of hij wist of er die avond nog goede party's op het eiland waren, en toen hij antwoordde dat hij het niet wist, begon ze hem te vertellen over een feest in een grot, waar ze eergisteravond was geweest, met een zwembad en een geluidsinstallatie en lichten en alles, en dus ontging het Fat Charlie volkomen dat de zwarte Mercedes de minibus naar Williamstown bleef volgen en pas weer verder reed toen de chauffeur zijn fiets van het dak van de minibus af had gehaald ('Neem volgende keer je limoen mee.') en Fat Charlie de fiets de hotellobby in droeg. Pas toen keerde de wagen terug naar het huis boven op het klif.

Benjamin, de conciërge, bekeek de fiets en zei tegen Fat Charlie dat hij er niet over in moest zitten en dat zijn fiets de volgende dag weer tiptop in orde zou zijn.

Fat Charlie liep terug naar zijn in diepzeetinten beklede hotelkamer, waar zijn limoen als een kleine groene boeddha boven op het barretje prijkte.

'Aan jou heb ik ook niets,' zei hij tegen de limoen. Dat verwijt was onterecht. Het was een eenvoudige limoen, die gewoon zijn best deed.

Verhalen zijn als webben waarvan de draden met elkaar zijn verbonden, en je volgt elk verhaal naar het midden, omdat het midden het eind is. Elke persoon is een draad met een verhaal.

Neem Daisy bijvoorbeeld. Daisy zou het nooit zo lang bij de politie hebben uitgehouden als ze niet verstandig was geweest. Dat was de kant die mensen meestal van haar zagen. Ze hield zich aan de wet en ze hield zich aan de regels. Ze begreep dat veel van die regels volstrekt willekeurig waren – waar je moest parkeren bijvoorbeeld, of wanneer de winkels open mochten zijn – maar zelfs die regels hadden zin in een groter geheel. Ze zorgden voor een veilige samenleving. Ze zorgden dat je van dingen op aan kon.

Maar haar huisgenote Carol dacht dat ze gek was geworden. 'Dat kun je niet maken, weggaan en zeggen dat je met vakantie bent. Zo werkt het niet. Het is geen politieserie op de tv, weet je. Je kunt niet kriskras de wereld rond om een spoor te volgen.' 'Nou, dan doe ik het niet,' had Daisy leugenachtig teruggekaatst. 'Dan ga ik gewoon op vakantie.'

Het klonk zo overtuigend dat de verstandige agent in haar achterhoofd eerst stil viel en haar vervolgens haarfijn uitlegde wat er verkeerd aan was: in de eerste plaats nam ze ongeoorloofd verlof op – wat hetzelfde was, mompelde de verstandige agent, als plichtsverzuim – en daarna volgde er een hele waslijst.

Haar innerlijke stemmetje ging door met de reprimande toen ze op weg was naar het vliegveld en tijdens de hele oversteek over de Atlantische Oceaan. En zelfs al zou ze geen blijvende slechte aantekening in haar persoonlijk dossier krijgen of nog erger, haar ontslag, dan moest het er haar toch op wijzen dat ze niets kon doen als ze Grahame Coats had gevonden. Het Britse politiekorps was geen voorstander van het ontvoeren of arresteren van criminelen in het buitenland, en de kans was klein dat ze hem kon overhalen vrijwillig met haar mee terug naar Engeland te gaan.

Pas toen Daisy uit het kleine vliegtuig stapte dat ze op Jamaica had moeten nemen, en de lucht van Saint Andrews rook – aards, kruidig, vochtig, bijna zoet – hield de verstandige agent op met betogen wat een volkomen krankzinnige onderneming het was. Dat kwam doordat deze agent werd verdrongen door een andere stem. 'Boeven, kijk uit!' zong die stem. 'Pas op! Kijk uit! Boef en schavuit!' en Daisy marcheerde op de maat van het lied. Grahame Coats had een vrouw vermoord in zijn kantoor aan de Aldwych en was er vrolijk mee weggekomen, terwijl Daisy er praktisch met haar neus bovenop had gestaan.

Hoofdschuddend pakte ze haar tas, vertelde de immigratiebeambte monter dat ze met vakantie was en liep naar de taxistandplaats.

'Ik zoek een hotel dat niet te duur is, maar ook niet sjofel,' zei ze tegen de taxichauffeur.

'Dan weet ik wel iets,' zei hij. 'Stap maar in.'

Spider opende zijn ogen en ontdekte dat hij met zijn gezicht omlaag was vastgebonden. Zijn armen waren met touwen aan een grote staak bevestigd die vóór hem in de grond stak. Hij kon zijn ledematen niet bewegen en zijn hoofd niet draaien om te kijken hoe het aan de achterkant zat, maar hij nam aan dat zijn benen op dezelfde manier waren vastgebonden. Doordat hij probeerde zich op te richten en achterom te kijken, begonnen zijn schrammen hem pijn te doen.

Hij deed zijn mond open en er druppelde donker bloed uit dat op de grond spetterde.

Toen hij iets hoorde, draaide hij zijn hoofd zo ver mogelijk opzij. Een blanke vrouw bekeek hem nieuwsgierig.

'Gaat het wel? Dat hoef ik eigenlijk niet te vragen. Kijk eens hoe je eruitziet. Ik denk dat je ook een jorka bent. Is dat zo?'

Spider dacht erover na. Hij dacht niet dat hij een jorka was. Hij schudde zijn hoofd.

'Daar hoef je je niet voor te schamen, hoor. Ik blijk zelf ook een jorka te zijn. Dat woord kende ik niet, maar onderweg heb ik een fantastische oudere man ontmoet die me er alles over heeft verteld. Laat me eens kijken of ik je kan helpen.'

Ze hurkte naast hem neer en probeerde de touwen los te maken.

Haar hand gleed door hem heen. Hij voelde haar vingers als mistflarden over zijn huid strijken.

'Ik kan je helaas niet echt aanraken,' zei ze. 'Maar dat betekent dat je nog niet dood bent. Goed nieuws dus.'

Spider hoopte dat deze rare geest-vrouw snel weg zou gaan. Hij kon niet helder nadenken.

'Trouwens, toen ik eenmaal doorhad dat ik dood was, heb ik besloten op aarde te blijven om wraak op mijn moordenaar te nemen. Dat heb ik Morris uitgelegd – hij was op een televisiescherm in Selfridges – maar volgens hem begreep ik niet wat het inhield om de materie achter te laten, maar nou vraag ik je, als ze denken dat ik hun mijn andere wang toekeer dan hebben ze het goed mis. Er zijn er wel meer die na hun dood wraak hebben genomen. En ik weet zeker dat ik Banquo's geestverschijning op het feest prachtig kan nadoen, als ik de kans krijg. Kun je praten?'

Spider schudde zijn hoofd en het bloed droop van zijn voorhoofd in zijn ogen. Het prikte. Spider vroeg zich af hoe lang het zou duren voor er een nieuwe tong was aangegroeid. Prometheus had elke dag een nieuwe lever gekregen, terwijl Spider vrij zeker wist dat een lever meer werk moest zijn dan een tong. In de lever vonden chemische reacties plaats – bilirubine, ureum, enzymen en dat soort dingen. Ze braken alcohol af, en dat moest op zich al behoorlijk veel werk zijn. Tongen waren er alleen om te praten. Nou ja, en om aan iets te likken natuurlijk...

'Ik kan niet blijven kletsen,' zei de blonde geest-vrouw. 'Ik heb nog een heel eind voor de boeg.' Ze wandelde weg en vervaagde onder het lopen. Spider tilde zijn hoofd op en zag haar geleidelijk naar een andere werkelijkheid overgaan, als een foto die in het zonlicht verbleekt. Hij probeerde haar terug te roepen, maar kon alleen gesmoorde, onsamenhangend geluiden maken. Tongloos.

Ergens in de verte hoorde hij de kreet van een vogel. Spider rukte aan de touwen. Ze gaven niet mee.

Hij betrapte zich erop dat hij weer aan Rosies verhaal dacht over de raaf die de man voor de poema had gewaarschuwd. Er was iets aan dat verhaal wat hem meer irriteerde dan de krassen van de vogelklauwen in zijn gezicht en op zijn borst. *Denk goed na.* De man lag op de grond in de zon te lezen. De raaf kraste in de boom. Er lag een grote katachtige in het struikgewas...

En toen combineerde hij alle elementen van het verhaal opnieuw en wist het opeens. Aan het verhaal was niets veranderd. Het was een kwestie hoe je ertegenaan keek.

Stel dat de vogel, dacht hij, de man niet had gewaarschuwd dat hij door een grote kat werd beslopen? Stel dat de raaf kraste om de poema te vertellen dat er een man op de grond lag –

dood of slapende of stervende. En dat de grote kat alleen maar de man moest ombrengen opdat de raaf een feestmaal zou hebben aan zijn karkas...

Spider opende zijn mond om te jammeren; het bloed droop uit zijn mond en vormde een plasje in de rulle aarde. De werkelijkheid vervaagde. De tijd schreed voort. Spider hief tongloos en woedend zijn hoofd op en keek opzij naar de spookachtige vogels die krijsend om hem heen vlogen. Hij vroeg zich af waar hij zich bevond. Dit was niet de grot of het koperkleurige universum van de vogelvrouw, maar het was ook niet wat hij vroeger als de echte wereld had beschouwd. Toch was het dichter bij de echte wereld, zo dichtbij dat hij die bijna kon proeven, als hij tenminste iets anders had kunnen proeven dan de ijzeren smaak van bloed in zijn mond, zo dichtbij dat hij die bijna kon aanraken, als hij niet aan de staken vast had gezeten.

Als hij niet honderd procent overtuigd was geweest van zijn eigen gezonde verstand, een mate van zekerheid die meestal wordt aangetroffen bij mensen die menen dat ze Julius Caesar zijn en uitverkoren om de wereld te redden, had hij misschien gedacht dat hij gek werd. Eerst had hij een blonde vrouw gezien die beweerde een jorka te zijn en toen hoorde hij stemmen. Dat wil zeggen, hij hoorde er één, de stem van Rosie.

Ze zei: 'Weet je, ik dacht dat het vakantie zou zijn, maar als je de armoede ziet waarin die kinderen leven, dan breekt je hart. Ze hebben aan alles gebrek.' En terwijl Spider probeerde te begrijpen wat dat te betekenen had, hoorde hij haar zeggen: 'Ze houdt het lang vol in de badkamer. Maar goed dat er hier warm water in overvloed is.'

Spider vroeg zich af of Rosies woorden belangrijke informatie inhielden, of ze aanwijzingen bevatten waarmee hij uit zijn benarde situatie kon ontsnappen. Dat betwijfelde hij. Toch luisterde hij aandachtiger, want misschien zou de wind nog meer woorden van de ene naar de andere wereld overbrengen. Behalve het breken van de golven in de branding achter hem hoorde hij niets, alleen stilte. Maar het was een speciaal soort stilte. Zoals Fat Charlie een keer had bedacht, waren er vele soorten stiltes. Graven hadden een bepaalde stilte, het heelal had een bepaalde stilte, bergtoppen weer een andere stilte. Dit was de stilte van de jacht. Het was de stilte van het sluipen. In deze stilte bewoog er iets op fluweelzachte kussentjes, maar het had spieren als springveren onder de zachte vacht; het had de kleur van schaduwen in het hoge gras; het was erop bedacht geen enkel geluid te maken dat niet gehoord mocht worden. In deze stilte sloop het van links naar rechts, langzaam en meedogenloos kwam het met elke bocht dichterbij.

Spider hoorde het in de stilte; de haartjes in zijn nek stonden overeind. Hij spuugde bloed op de grond bij zijn gezicht en hij wachtte.

Grahame Coats liep heen en weer door zijn huis bovenop het klif. Hij beende van de slaapkamer naar de studeerkamer, de trap af naar de keuken, de trap op naar de bibliotheek en weer terug naar zijn slaapkamer. Hij verweet zichzelf dat hij zo stom was geweest te denken dat Rosies bezoek toevallig was.

Tot dat besef was hij gekomen toen er was aangebeld en hij Fat Charlies stupide gezicht op het scherm van zijn gesloten tv-circuit had gezien. Geen twijfel mogelijk. *Het was een complot.*

Met de gang van een tijger was hij naar buiten geslopen en hij was in zijn wagen gestapt in de vaste overtuiging dat hij Fat Charlie ongemerkt kon aanrijden: als er een fiets werd gevonden die total loss was gereden, zouden mensen de schuld aan de minibus geven. Waar hij helaas geen rekening mee had gehouden, was dat Fat Charlie vlak langs de kant van de weg fietste, waarnaast een steile helling omlaag liep. Grahame Coats had zijn wagen niet al te dicht langs de afgrond durven sturen en nu had hij daar spijt van als haren op zijn hoofd. De vrouwen in de vleeskelder waren beslist door Fat Charlie gestuurd. Ze waren zijn spionnen. Ze waren onder valse voorwendsels zijn huis binnengedrongen. Hij was blij dat hij hun samenzwering had verijdeld. Hij had de hele tijd geweten dat er iets niet klopte.

Toen hij aan de vrouwen dacht, schoot hem te binnen dat ze

nog niets te eten hadden gekregen. Hij moest hun eten brengen. En een emmer. Na vierentwintig uur hadden ze waarschijnlijk een emmer nodig. Niemand kon zeggen dat hij een beest was. Vorige week had hij in Williamstown een pistool gekocht. Je kon op Saint Andrews vrij gemakkelijk aan wapens komen; zo'n soort eiland was het. De meeste mensen deden geen moeite een wapen te kopen; zo'n soort eiland was het ook. Hij haalde zijn pistool uit de la van zijn nachtkastje en liep naar beneden naar de keuken. Hij pakte een plastic emmer van onder het aanrecht, gooide er een paar tomaten in, een rauwe ham, een half aangebroken stuk cheddar en een pak sinaasappelsap. En toen, trots dat hij eraan had gedacht, pakte hij nog een rol toiletpapier.

Hij liep de trap af naar de wijnkelder. Het was stil in de vleeskelder.

'Ik heb een pistool,' zei hij. 'En ik zal niet aarzelen dat te gebruiken. Straks maak ik de deur open. Loop naar de andere kant, draai je om en leg je handen tegen de muur. Ik heb eten meegenomen. Als jullie meewerken, zal ik jullie niets doen. Dat wil zeggen,' zei hij, dolbij dat hij het hele regiment clichés onbeperkt kon gebruiken, 'geen geintjes.'

Hij deed het licht in het vertrek aan en schoof de grendels van de deur. De muren van de kelder bestonden uit rotsblokken en bakstenen. In het plafond zaten haken waaraan roestige kettingen hingen.

Ze stonden tegen de achterste muur. Rosie met haar gezicht naar de stenen, terwijl haar moeder hem over haar schouder een blik vol woede en haat toewierp, als een rat in het nauw.

Grahame Coats zette de emmer neer, maar hield hen onder schot. 'Een lekker maaltje,' zei hij. 'En beter laat dan nooit, een emmer. Ik zie dat jullie je behoeften in de hoek hebben gedaan. Er is ook toiletpapier. Zeg nooit dat ik niets voor jullie heb gedaan.'

'Je gaat ons doden,' zei Rosie. 'Zo is het toch?'

'Maak hem niet boos, stom kind,' beet haar moeder haar toe. Toen zei ze met een geforceerde glimlach: 'We zijn je erg dankbaar voor het eten.'

'Natuurlijk zal ik jullie niet doden,' zei Grahame Coats. Pas toen hij de woorden hardop uitsprak, gaf hij toe dat hij ze natuurlijk wel moest doden. Er zat niets anders op. 'Maar jullie hebben me niet verteld dat jullie door Fat Charlie zijn gestuurd.' Rosie zei: 'We zijn met een cruiseschip gekomen. Vanavond hadden we op Barbados zullen zijn voor een visbarbecue. Fat Charlie zit in Engeland. Ik denk dat hij niet eens weet dat we op vakantie zijn. Ik heb het hem niet verteld.'

'Klets maar raak,' zei Grahame Coats. 'Ik heb een pistool.'

Hij duwde de deur dicht en vergrendelde hem. Door de dichte deur hoorde hij Rosies moeder zeggen: 'En het beest. Waarom heb je niet gevraagd wat voor beest dat is?'

'Omdat het maar verbeelding is, ma. Dat zeg ik hele tijd. Er zit geen beest hier. Trouwens, die vent is gek. Hij zal je waarschijnlijk gelijk geven. Waarschijnlijk haalt hij zich ook in zijn hoofd dat hij tijgers ziet die er niet zijn.'

Pijnlijk getroffen deed Grahame Coats het licht bij hen uit. Hij pakte een fles rode wijn, liep de trap op en sloeg de kelderdeur met een klap achter zich dicht.

In de duisternis van de kelder deelde Rosie de homp kaas in vieren en at het ene stuk zo langzaam mogelijk op.

'Wat zou hij bedoelen met die toespeling op Fat Charlie?' vroeg ze aan haar moeder, nadat ze de kaas had opgepeuzeld.

'Die afschuwelijke Fat Charlie van jou. Ik wil niets meer over Fat Charlie horen,' zei haar moeder. 'Het is zijn schuld dat we hier opgesloten zitten.'

'Nee, dat we hier zitten, komt doordat die Coats een gestoorde gek is. Een psychopaat met een pistool. Het is niet Fat Charlies schuld.' Ze had geprobeerd niet aan Fat Charlie te denken, want als ze aan hem dacht, dwaalden haar gedachten onwillekeurig af naar Spider...

'Daar is het weer,' zei haar moeder. 'Het beest is terug. Ik heb het gehoord. Ik kan het ruiken.'

'Ja, ma,' zei Rosie. Ze zat op de betonnen vloer en dacht aan Spider. Ze miste hem. Als Grahame Coats tot bezinning kwam en hen liet gaan, zou ze op zoek gaan naar Spider, besloot ze.

Kijken of er ruimte was voor een nieuwe start. Ze wist dat het een dwaze dagdroom was, maar het was een fijne droom en hij troostte haar.

Ze vroeg zich af of Grahame Coats hen morgen zou doden.

Vlakbij, op een afstand niet groter dan een kaarsvlam, lag Spider, vastgebonden aan staken als prooi voor het beest. Het was laat in de middag en de zon stond laag achter hem aan de hemel.

Spider wroette met zijn neus en lippen in de grond. Het was droge aarde geweest voordat hij het had bevochtigd met spuug en bloed. Nu was het een klontje modder, een ruwe knikker van rode klei. Hij had er een soort balletje van gevormd. Toen gaf hij het een zetje door zijn neus eronder te duwen en zijn hoofd op te tillen. Er gebeurde niets, zoals er de vorige keren ook niets was gebeurd. Hoe vaak al? Twintig keer? Honderd? Dat had hij niet bijgehouden. Hij ging gewoon door. Hij begroef zijn gezicht dieper in de modder, duwde zijn neus dieper onder de bal van klei, bracht met een ruk zijn hoofd omhoog en naar voren...

Er gebeurde niets. Er zou niets gebeuren. Hij moest een andere tactiek kiezen.

Hij hapte naar de bal, sloot zijn lippen eromheen. Hij ademde door zijn neus in, zo diep mogelijk. Toen liet hij de lucht door zijn mond ontsnappen. De bal schoot weg, met het ploppende geluid van een champagnekurk en belandde ongeveer vijfentwintig centimeter verder op de grond.

Nu wrikte hij met zijn rechterhand, die met een touw rond zijn pols stevig aan de staak was vastgebonden. Hij trok zijn hand naar achteren, kromde hem. Zijn vingers probeerden het bloederige klompje modder te pakken, maar konden er niet bij. Het scheelde maar een haar...

Spider haalde weer diep adem, maar hij verslikte zich in de droge aarde en moest hoesten. Hij probeerde het opnieuw, draaide zijn hoofd opzij om zijn longen vol te pompen. Toen boog hij zijn hoofd en begon zo hard mogelijk in de richting van de bal te blazen terwijl hij de lucht uit zijn longen perste.

Het kleiballetje rolde weg – een centimeter of twee, maar het was genoeg. Hij stak zijn hand uit en nu kon hij zijn vingers om de klei sluiten. Hij begon de klei tussen zijn wijsvinger en duim te kneden, draaide hem een stukje en kneedde opnieuw. Dat deed hij acht keer.

Hij herhaalde de hele procedure. Deze keer kneep hij in de uitstulpingen die hij had gemaakt om ze dunner te maken. Een van de uitstulpingen brak af en viel op de grond, maar de andere bleven vastzitten. Nu hield hij iets vast wat op een balletje leek met zeven stekels, als een kinderlijke afbeelding van de zon.

Hij bekeek zijn werkstuk met de trots van een peuter die zijn eerste tekening mee naar huis neemt; alle omstandigheden in aanmerking genomen vond hij het een geweldige prestatie van zichzelf.

Het woord, dat zou het moeilijkste gedeelte worden. Het was eenvoudig om een spin, of iets wat erop leek, van bloed en spuug en klei te maken. Alle goden, zelfs plagerige godjes als Spider, wisten hoe ze zoiets moesten doen. Maar het slotstuk van dit Scheppen zou het moeilijkst zijn. Je moest er een naam aan geven.

Hij opende zijn mond. 'Grrurrrrurrr,' zei hij met zijn tongloze mond.

Er gebeurde niets.

Hij probeerde het opnieuw. 'Grrurrrrurrr!' De klei bleef als een dode klomp in zijn hand liggen.

Zijn gezicht viel terug in de modder. Hij was uitgeput. Elke keer als hij zich bewoog, had hij last van de schrammen in zijn gezicht en op zijn borst. Er kwam pus uit, ze schrijnden en erger nog, ze jeukten. *Denk na!* zei hij tegen zichzelf. Er moest een manier zijn om dit te doen... om te praten zonder tong...

Op zijn lippen lag nog steeds een laagje klei. Hij zoog erop, maakte de klei zo vochtig mogelijk, wat zonder tong niet meeviel.

Hij haalde diep adem en liet de lucht zo beheerst mogelijk ontsnappen, terwijl hij het woord uitsprak met zoveel overtuiging dat zelfs het universum hem niet kon tegenspreken. Hij beschreef het ding in zijn hand en noemde zijn eigen naam, wat de beste magie was die hij kende: 'Hhsspphhhaiwur.'

En in plaats van het bloederige klontje modder hield hij een dikke spin in zijn hand, met de kleur van rode klei en zeven spichtige poten.

Help, dacht Spider. *Ga hulp halen.*

De spin keek hem strak aan; zijn oogjes fonkelden in het zonlicht. Toen liet hij zich uit zijn hand op de grond vallen en liep naar één kant overhellend door het gras, met wankele en ongelijkmatige tred.

Spider keek hem na tot hij uit het zicht was verdwenen. Daarna liet hij zijn hoofd op de grond hangen en sloot zijn ogen.

Toen draaide de wind en hij rook de ammoniaklucht van de grote mannetjeskat, die zijn territorium had afgebakend...

Hoog in de lucht hoorde Spider de vogels triomfantelijk krassen.

Fat Charlies maag knorde. Als hij geld over had gehad, was hij ergens uit eten gegaan, al was het maar om even weg te zijn uit het hotel, maar hij was zo goed als blut en het avondeten in het hotel kostte hem niets, dus zodra het zeven uur was, ging hij naar het restaurant.

De maître d' had een oogverblindende glimlach en vertelde hem dat het restaurant over een paar minuten open zou gaan. Ze moesten de band gelegenheid geven zich te installeren. Toen keek ze hem aan. Fat Charlie begon die blik te herkennen.

'Hebt u...?' begon ze.

'Ja,' zei hij berustend. 'Ik heb hem bij me.' Hij haalde de limoen uit zijn jaszak en liet hem zien.

'Wat leuk,' zei ze. 'Dat is inderdaad een limoen. Ik wou eigenlijk vragen: hebt u voorkeur voor de kaart of het buffet?'

'Buffet,' zei Fat Charlie. Het buffet was gratis. Hij stond in de hal voor het restaurant met de limoen in zijn hand.

'Een ogenblikje geduld,' zei de maître d'.

Achter Fat Charlies rug kwam een kleine vrouw vanuit de gang aanlopen. Ze glimlachte naar de maître d' en vroeg: 'Is het restaurant al open? Ik verga van de honger.'

Er klonk een laatste *te-dum-dum* van de basgitaar en een *poink* van de elektrische piano. De band legde de instrumenten neer en zwaaide naar de maître d'. 'De zaal is open,' zei ze. 'U kunt naar binnen.'

De kleine vrouw keek Fat Charlie aan met een uitdrukking van terughoudende verbazing. 'Hallo, Fat Charlie,' zei ze. 'Waarvoor dient die limoen?'

'Dat is een lang verhaal.'

'Nou,' zei Daisy. 'We hebben alle tijd. Vertel het me maar onder het eten.'

Rosie vroeg zich af of gekte besmettelijk was. In het aardedonker onder het huis op het klif had ze iets langs haar armen en benen voelen strijken. Iets zachts en soepels. Iets groots. Iets wat zacht gromde, terwijl het om hen heen draaide.

'Hoorde je dat?' vroeg ze.

'Natuurlijk heb ik het gehoord, dom kind,' zei haar moeder, en toen: 'Is er nog sinaasappelsap?'

Op de tast zocht Rosie in het donker het pak sap en gaf het aan haar moeder. Ze hoorde een klokkend geluid. Toen zei haar moeder: 'Het beest zal ons niet doden. Dat doet híj.'

'Grahame Coats. Ja.'

'Hij is een slecht mens. Hij wordt door iets voortgedreven, zoals een menner zijn paard voortdrijft. Maar dan een slecht paard en hij is ook een slechte man.'

Rosie nam haar moeders knokige hand in de hare. Ze zei niets. Er viel niet veel te zeggen.

'Je moet weten,' zei haar moeder na een tijdje, 'dat ik erg trots op je ben. Je bent een goede dochter voor me geweest.'

'O,' zei Rosie, voor wie het idee dat ze haar moeder niet had teleurgesteld een openbaring was. Ze wist nog niet precies wat ze ervan vond.

'Misschien had je met Fat Charlie moeten trouwen,' zei haar moeder. 'Dan hadden we hier niet gezeten.'

'Nee,' zei Rosie. 'Het is juist goed dat ik niet met Fat Charlie ga trouwen. Ik hou niet van Fat Charlie. Dat had u niet helemaal verkeerd gezien.'

Ze hoorden boven een deur dichtslaan.

'Hij is de deur uit gegaan,' zei Rosie. 'Vlug. Nu hij weg is. Laten we een tunnel graven.' Toen begon ze te giechelen en daarna te huilen.

Fat Charlie probeerde erachter te komen wat Daisy op het eiland deed. Daisy deed net zo hard haar best erachter te komen wat Fat Charlie op het eiland deed. Geen van beiden had veel succes. Een zangeres in een nauwsluitende lange rode jurk, die eigenlijk te goed was voor de vrijdagavondshow van dit kleine hotel-restaurant, stond op het kleine podium aan de andere kant van de zaal en zong 'I've Got You Under My Skin'.

Daisy zei: 'Dus je bent op zoek naar jullie vroegere buurvrouw, omdat ze je misschien kan helpen je broer te vinden.'

'Ik heb een veer gekregen. Als zij hem nog heeft, zou ik hem kunnen ruilen voor mijn broer. Het is het proberen waard.'

Ze nam hem langzaam, bedachtzaam op, terwijl ze volstrekt niet onder de indruk leek, en prikte in haar sla.

Fat Charlie zei: 'En jij bent hier, omdat je denkt dat Grahame Coats naar dit eiland is gevlucht nadat hij Maeve Livingstone heeft vermoord. Je bent hier niet als agent, maar bent op eigen initiatief gekomen, omdat er een kleine kans bestaat dat hij op Saint Andrews is. En als hij er is, kun je nog niets doen.'

Daisy likte een tomatenpitje uit haar mondhoeken en keek ongemakkelijk. 'Ik ben hier niet als politieagent,' zei ze. 'Ik ben toerist.'

'Maar je hebt je werk in de steek gelaten om achter hem aan te gaan. Dat lijkt me strafbaar.'

'In dat geval,' zei ze droog, 'is het maar goed dat Saint Andrews geen uitleveringsverdrag heeft.'

'O god,' mompelde Fat Charlie.

Dat 'O god,' mompelde hij omdat de zangeres van het podium was gekomen en met een microfoon in haar hand door de zaal liep. Op dat moment vroeg ze aan twee Duitse toeristen waar ze vandaan kwamen.

'Wat heeft hij hier te zoeken?' vroeg Fat Charlie.

'Bankgeheim. Goedkope huizen. Geen uitleveringsverdrag. Misschien houdt hij van citrusfruit.'

'Ik heb twee jaar gebeefd voor die man,' zei Fat Charlie. 'Ik haal nog wat van dat vis-met-groene-bananenprutje,' zei Fat Charlie. 'Loop je mee?'

'Nee, dank je,' zei Daisy. 'Ik wil een gaatje voor het nagerecht houden.'

Fat Charlie liep naar het buffet, met een grote omweg om niet de aandacht van de zangeres trekken. Ze was erg mooi en het licht viel op haar rode glitterjurk, die glansde als ze bewoog. Ze was beter dan de band. Hij had liever gehad dat ze weer naar het podium ging om haar vaste repertoire te zingen – hij had genoten van haar vertolking van 'Night and Day' en een bijzonder gevoelige uitvoering van 'Spoonful of Sugar' – en dat ze de gasten met rust zou laten. Of in elk geval, dat ze de gasten aan zijn kant van de zaal met rust zou laten.

Hij laadde zijn bord vol met alles wat hij de eerste keer lekker had gevonden. Door dat fietsen over het eiland, dacht hij, kreeg je erg veel honger.

Toen hij terugliep, zat Grahame Coats naast Daisy aan hun tafeltje. Hij had de schaduw van een stoppelbaard op zijn kaken en grijnsde als een wezel op speed. 'Fat Charlie,' zei Grahame Coats, ongemakkelijk gniffelend. 'Wat een verrassing, zeg. Ik kom hier voor jou, voor een klein onderonsje, en wat krijg ik als bonus? Deze aantrekkelijke kleine politieagente. Ga zitten en hou je rustig.'

Fat Charlie bleef als een wassen beeld staan.

'Ga zitten,' herhaalde Grahame Coats. 'Mijn pistool wijst nu op de maag van juffrouw Day.'

Daisy keek Fat Charlie smekend aan en ze knikte. Haar handen lagen plat op het tafelkleed.

Fat Charlie ging zitten.

'Leg je handen zo dat ik ze kan zien. Plat op de tafel, zoals die van haar.'

Fat Charlie gehoorzaamde.

Grahame Coats snoof. 'Ik wist wel dat je een mol was, Nancy,' zei hij. 'Een agent-provocateur, hè? Gaat op mijn kantoor werken, maakt me verdacht, plukt me kaal.'

'Ik heb nooit...' zei Fat Charlie, maar toen hij de blik in Grahame Coats' ogen zag, hield hij zijn mond.

'Je vond jezelf heel slim,' zei Grahame Coats. 'Jullie dachten allemaal dat ik erin zou tuinen. Daarom heb je die andere twee toch gestuurd? Die twee in mijn huis. Dacht je dat ik ook maar even heb geloofd dat ze echt van een cruiseschip kwamen? Je moet vroeg opstaan om mij voor de gek te houden, weet je. Wie heb je het verder nog verteld? Wie weten het nog meer?'

Daisy zei: 'Ik snap niet goed wat je bedoelt, Grahame Coats.'

De zangeres was aan het eind gekomen van 'Some of These Days'. Ze had een volle, bluesachtige stem, die hen als een fluwelen sjaal omhulde.

Er komt een dag
Dat je me missen zult, schat
Er komt een dag
Dat je eenzaam zult zijn
En mijn omhelzing mist
En mijn kussen...

'Jij gaat afrekenen,' zei Grahame. 'Daarna zal ik jou en de jongedame naar de auto begeleiden. En dan gaan we naar mijn huis voor een goed gesprek. Geen geintjes, of ik knal jullie allebei neer. Capisci?'

Fat Charlie capisciede. Hij capisciede ook wie die middag de zwarte Mercedes had bestuurd en hoe dicht hij die dag al bij zijn dood was geweest. Hij begon te capisciën dat Grahame Coats volstrekt gestoord was en dat Daisy en hij weinig kans hadden om er het leven van af te brengen.

De zangeres hield op met zingen. De andere mensen, die her en der in het restaurant zaten, klapten. Fat Charlie bleef zitten met zijn handpalmen op de tafel. Hij keek langs Grahame Coats heen naar de zangeres, en knipoogde naar haar met het oog dat Grahame Coats niet kon zien. Ze had er genoeg van dat iedereen vermeed haar aan te kijken. Fat Charlies knipoog kwam haar erg goed uit.

Daisy zei: 'Grahame, het klopt dat ik speciaal voor jou naar het eiland ben gekomen, maar Charlie is hier alleen maar...' Ze zweeg en haar gezicht vertrok op de manier van iemand die een pistool in zijn maag geduwd krijgt.

Grahame Coats zei: 'Luister goed. Ter wille van de onschuldige omstanders doen we alsof we hier als goede vrienden bij elkaar zitten. Ik zal het wapen in mijn jaszak stoppen, maar ook daar blijft het op jullie gericht. We staan op. We lopen naar mijn wagen. En we zullen...'

Hij zweeg. Een vrouw met een glimmende rode jurk en een microfoon in haar hand liep breed glimlachend op hun tafeltje af. Ze richtte zich tot Fat Charlie en vroeg door de microfoon: 'Hoe heet je?' Ze hield de microfoon onder Fat Charlies neus.

'Charlie Nancy,' zei Fat Charlie. Zijn stem haperde en beefde.

'En waar kom je vandaan, Charlie?'

'Engeland. Mijn vrienden en ik, wij komen allemaal uit Engeland.'

'En wat doe je, Charlie?'

Alles vertraagde. Het leek op een duik vanaf het klif in de oceaan. Het was zijn enige uitweg. Hij ademde diep in en durfde het eindelijk uit te spreken. 'Ik zit tussen twee banen in,' begon hij. 'Maar eigenlijk ben ik zanger. Ik zing. Net als jij.'

'Net als ik? Wat zing je zoal?'

Fat Charlie slikte. 'Wat heb je voor me?'

Ze richtte zich tot de andere twee aan Fat Charlies tafeltje. 'Denken jullie dat we hem kunnen overhalen om voor ons te zingen?' vroeg ze, gebarend met haar microfoon.

'Eh, dat denk ik niet. Nee. Absolutief geen sprake van,' zei Grahame Coats. Daisy haalde haar schouders op en hield haar handen plat op de tafel.

De vrouw in de rode jurk wendde zich tot de rest van de zaal.

'En wat denken jullie ervan?' vroeg ze.

Er werd beschaafd geklapt door de gasten aan de andere tafels en enthousiaster door het bedienend personeel. De barman riep: 'Zing iets voor ons.'

De zangeres boog zich naar Fat Charlie over, legde haar hand op de microfoon en zei: 'Ik zou iets kiezen wat de jongens kennen.'

Fat Charlie vroeg: 'Kennen ze "Under the Boardwalk"?' Ze knikte, kondigde het nummer aan en overhandigde hem de microfoon.

De band begon te spelen. De zangeres bracht Fat Charlie naar het kleine podium, terwijl zijn hart in zijn keel klopte.

Fat Charlie begon te zingen en het publiek begon te luisteren.

Het enige wat hem voor ogen stond was dat hij tijd moest winnen, maar hij voelde zich op zijn gemak. Niemand bekogelde hem met voorwerpen. Het leek of hij genoeg ruimte in zijn hoofd had om na te denken. Hij was zich van iedereen in de zaal bewust: de toeristen en het bedienend personeel en de mensen aan de bar. Hij registreerde alles: hij zag de barman een cocktail afmeten en de oude dame in de hoek een grote plastic mok met koffie volgieten. Hij was nog steeds bang, nog steeds kwaad, maar hij legde al zijn angst en boosheid in het lied, liet het allemaal bij elkaar komen in dit lied over een dagje luieren en de liefde. En onder het zingen dacht hij na.

Wat zou Spider doen? dacht Fat Charlie. *Wat zou mijn vader doen?*

Hij zong. In zijn lied vertelde hij iedereen precies wat hij van plan was onder de promenade van het strand te doen, en daarvan was liefde het voornaamste bestanddeel.

De zangeres in de rode jurk glimlachte en knipte met haar vingers en deinde met haar hele lichaam mee op de muziek. Ze boog zich over de microfoon van de keyboardspeler en begon mee te zingen.

Ik zing echt voor een zaal met mensen, dacht Fat Charlie. *Krijg nou wat.*

Hij verloor Grahame Coats geen moment uit het oog. Bij het laatste refrein hief hij zijn armen omhoog, begon in zijn handen te klappen en al gauw klapte de hele zaal, de gasten en kelners en koks, iedereen behalve Grahame Coats, wiens handen onder de tafel waren, en Daisy, wier handen plat op de tafel lagen. Daisy keek naar hem met een blik alsof hij niet alleen knettergek was, maar een idioot moment had gekozen om zijn innerlijke driften te botvieren.

Het publiek klapte; Fat Charlie glimlachte en zong, en onder het zingen wist hij opeens zeker dat alles in orde zou komen. Ze zouden er goed vanaf komen, hij en Spider en Daisy en Rosie, waar ze ook was; het zou allemaal goed aflopen. Hij wist ook wat hij moest doen. Het was raar en ongebruikelijk en een krankzinnige zet, maar het zou werken. En terwijl de laatste noten van het lied wegstierven, zei hij: 'Aan mijn tafeltje zit een jonge vrouw. Ze heet Daisy Day en ze komt ook uit Engeland. Daisy, wil je even naar iedereen zwaaien?'

Daisy keek hem vuil aan, maar ze hief haar ene hand op en zwaaide.

'Er is iets wat ik Daisy wil vragen. Ze weet niet dat ik dit ga vragen.' *Als het niet werkt*, fluisterde een stemmetje in zijn achterhoofd, *is Daisy er geweest. Weet je dat?* 'Maar laten we hopen dat ze ja zegt. Daisy, wil je met me trouwen?'

De zaal was stil. Fat Charlie keek Daisy strak aan, probeerde met zijn blik te seinen dat ze het spel moest meespelen.

Daisy knikte.

De gasten applaudisseerden. Wat een geweldige show. De zangeres, de maître d' en een paar obers liepen naar hun tafel, trokken Daisy omhoog en sleepten haar naar het midden van de zaal. Ze brachten haar naar Fat Charlie, en terwijl de band 'I Just Called to Say I Love You' speelde, sloeg hij zijn arm om haar heen.

'Heb je een ring voor haar?' vroeg de zangeres.

Hij stopte zijn hand in zijn jaszak. 'Hier,' zei hij tegen Daisy. 'Die is voor jou.' Hij trok haar in zijn armen en kuste haar. Als een van ons wordt neergeschoten, dacht hij, gebeurt het nu. Toen was de kus voorbij en de mensen schudden zijn hand en omarmden hem – een man, die voor het muziekfestival in de stad was, drukt hem zijn visitekaartje in de hand. Daisy hield de limoen die hij haar had gegeven, met een vreemde uitdrukking op haar gezicht vast. En toen hij omkeek naar het tafeltje waaraan ze hadden gezeten, was Grahame Coats verdwenen.

DERTIEN

DAT VOOR

SOMMIGE MENSEN

EEN SLECHTE

AFLOOP HEEFT

De vogels waren opgewonden. Ze krasten en krijsten en kwetterden in de boomtoppen. *Het beest komt eraan*, dacht Spider en hij vloekte. Hij was doodop en had geen greintje energie meer. Hij voelde niets dan moeheid, niets dan uitputting. Hij vroeg zich af hoe het zou zijn om levènd verslonden te worden. Het was, concludeerde hij, in alle opzichten een waardeloze manier om te sterven. Terwijl hij betwijfelde of hij een nieuwe lever kon laten aangroeien, wist hij vrij zeker dat het wezen dat hem besloop, niet van plan was alleen zijn lever op te eten.

Hij begon aan de staak te morrelen. Hij telde tot drie en trok zijn armen zo dicht mogelijk naar zich toe, waardoor er spanning op het touw en de staak zelf kwam te staan. Toen telde hij weer tot drie en herhaalde de procedure.

Hij had evengoed kunnen proberen een berg te verzetten. Een twee drie... trék. En trék. En trék.

Hij vroeg zich af of het beest gauw zou komen.

Een twee drie... trék. Een twee drie... trék.

Ergens hoorde hij iemand zingen. En het lied toverde een glimlach op Spiders gezicht. Hij wou dat hij nog een tong had. Dan had hij hem naar de tijger uitgestoken als die zich eindelijk liet zien. De gedachte gaf hem kracht.

Een twee drie... trék.

Opeens gaf de staak mee. Hij voelde dat er beweging in zat. Nog een ruk en hij trok de staak uit de grond met het gemak waarmee koning Arthur het zwaard uit de steen trok. Hij trok aan de touwen en hield de staak in zijn hand. Die was ongeveer een meter lang. Aan het uiteinde zat een punt om hem in de grond te kunnen steken. Met gevoelloze handen duwde hij de staak door de lussen van het touw. De touwen bungelden nu slap om zijn polsen. Hij tilde de staak met zijn rechterhand op. Daar moest hij het maar mee doen. Toen besefte hij dat hij werd gadegeslagen, dat het beest hem al een tijdje gadesloeg, zoals een kat voor een muizengat op de loer lag.

Het kwam vrijwel geluidloos op hem af; het kroop heimelijk vooruit, zoals overdag de schaduw zich ongemerkt verplaatst. Spider zag alleen zijn staart, die ongeduldig heen en weer zwiepte. Als hij dat niet had gezien, had het een standbeeld kunnen zijn, of een berg zand die door een speling van het licht op een monsterlijk dier leek, want zijn vacht was zandkleurig en zijn ogen, die niet knipperden, waren zo groen als een winterse zee. Het had de brede, wrede kop van een panter. Op de eilanden noemen ze elke grote kat Tijger, en dit was elke grote kat die er ooit was geweest – of zelfs groter, gemener, gevaarlijker.

Spiders enkels zwabberden en hij kon amper lopen. In zijn handen en voeten prikten duizenden naaldjes. Hij hupte van de ene voet op de andere en probeerde de indruk te wekken dat hij het expres deed, als een soort krijgsdans, en niet omdat het pijnlijk was om te lopen.

Hij wilde hurken om het touw rond zijn enkels los te halen, maar durfde het beest geen moment uit het oog te verliezen. De staak was zwaar en dik; te kort om een speer te zijn, maar te onhandelbaar en groot om als ander wapen dienst te doen. Spider hield hem vast aan de smalle kant, waar hij in een punt uitliep, en keek de andere kant op naar de zee. Met opzet keek hij niet in de richting van het beest en vertrouwde op zijn perifere gezichtsvermogen.

Wat had ze gezegd? *Je zult blaten. Je zult jammeren. Je angst zal hem aantrekken.*

Spider begon te jammeren. Toen blaatte hij, als een gewonde geit, een mals hapje, verdwaald en moederziel alleen.

Toen een flitsende zandkleurige beweging, nauwelijks genoeg tijd om de tanden en klauwen te zien die als een waas op hem af vlogen. Spider zwaaide de staak als een honkbalknuppel zo hard mogelijk rond en tot zijn voldoening kwam die met een doffe klap neer op de neus van het beest.

Tijger stopte, staarde hem aan, alsof hij zijn ogen niet kon geloven, maakte toen een geluid van diep uit zijn keel, een verongelijkt grommen en liep met stramme poten terug naar de struiken waar hij uit was gekomen, alsof hij een belangrijke afspraak had, waar hij niet onderuit kon. Over zijn schouder keek hij Spider haatdragend aan, als een gewond dier, met een blik die verried dat hij terug zou komen.

Spider keek hem na.

Toen ging hij zitten, ontwarde de touwen en bevrijdde zijn enkels. Een beetje wankel liep hij langs de rand van het klif en daalde geleidelijk af. Al gauw kwam hij bij een beek die zich als een bruisende waterval over de rand van het klif naar beneden stortte. Spider viel op zijn knieën, vormde een kommetje met zijn handen en dronk van het frisse water.

Toen begon hij stenen te verzamelen. Stevige, vuistdikke stenen. Hij stapelde ze op, alsof het sneeuwballen waren.

'Je hebt bijna niets gegeten,' zei Rosie.

'Eet jij maar. Je hebt het meer nodig dan ik,' zei haar moeder. 'Ik heb een beetje kaas genomen. Dat is genoeg.'

Het was koud in de vleeskelder en het was donker. Niet het soort donker waar je ogen zich op instellen. Er was geen spatje licht. Rosie had de hele omtrek van de kelder verkend door met haar vingers over de witkalk en rotsblokken en bakstenen te strijken, in de vergeefse hoop iets nuttigs te vinden.

'Vroeger at je wel,' zei Rosie. 'Toen pa nog leefde.'

'Je vader,' zei haar moeder, 'at vroeger ook. En wat heeft hem dat opgeleverd? Een hartaanval op zijn eenenveertigste. In wat voor wereld leven we eigenlijk?'

'Maar hij hield van eten.'

'Waar hield hij niet van?' merkte haar moeder verbitterd op.

'Hij hield van eten, hij hield van mensen, hij hield van zijn dochter. Hij hield van koken. Hij hield van mij. Wat heeft hem dat opgeleverd? Alleen een vroegtijdige dood. Het is niet goed om zoveel van dingen te houden. Dat heb ik je toch gezegd.'

'Ja,' zei Rosie. 'Ik geloof van wel.'

Ze liep naar het geluid van haar moeders stem, met haar hand voor haar gezicht om te voorkomen dat ze haar hoofd zou stoten tegen de ijzeren kettingen die in het midden van het vertrek hingen. Toen ze haar moeders benige schouder vond, sloeg ze een arm om haar heen.

'Ik ben niet bang,' zei Rosie in het donker.

'Dan ben je niet goed wijs,' zei haar moeder.

Rosie liet haar moeder los, liep weer naar het midden van het vertrek. Er klonk opeens een knarsend geluid. Stof en witkalk dwarrelden ritselend van het plafond.

'Rosie? Wat doe je daar?' vroeg Rosies moeder.

'Aan de ketting schommelen.'

'Voorzichtig. Als die ketting losraakt, breek je binnen de kortste keren je nek.' Haar dochter gaf geen antwoord. Mevrouw Noah zei: 'Dat zeg ik. Je bent gek.'

'Nee,' zei Rosie, 'Dat ben ik niet. Ik ben alleen niet bang meer.'

Boven in het huis, viel de voordeur met een klap dicht.

'Blauwbaard is thuis,' zei Rosies moeder.

'Ik weet het. Ik heb het gehoord,' zei Rosie. 'Ik ben nog steeds niet bang.'

De mensen bleven Fat Charlie op zijn rug kloppen en drankjes met parapluutjes voor hem kopen; bovendien had hij vijf visitekaartjes verzameld van mensen uit de muziekwereld die vanwege het festival op het eiland waren.

Overal in de zaal keken de mensen hem glimlachend aan. Hij had zijn arm om Daisy geslagen en voelde dat ze beefde. Ze bracht haar mond vlak bij zijn oor. 'Je bent volkomen geschift, weet je dat?'

'Maar het werkte, hè?'

Ze keek hem aan. 'Je zit vol verrassingen.'

'Kom mee,' zei hij. 'We zijn er nog niet.'

Hij liep naar de maître d'. 'Pardon... ik heb een vrouw gezien. Toen ik aan het zingen was. Ze kwam binnen, schonk haar mok bij met koffie uit de pot daar, bij de bar. Waar is ze naartoe?'

De maître d' knipperde met haar ogen en haalde haar schouders op. 'Ik weet het niet...'

'Ja, dat weet u wel,' zei Fat Charlie. Hij voelde zich ad rem en vol zelfvertrouwen. Gauw genoeg zou hij weer zichzelf zijn, maar hij had voor een zaal gezongen en ervan genoten. Hij had het gedaan om Daisy's en zijn eigen leven te redden, wat hem allebei was gelukt.

'Laten we dit buiten even bespreken.'

Het kwam door het lied. Onder het zingen was alles hem volkomen duidelijk geworden. Het was nog steeds duidelijk. Hij liep naar de hal; Daisy en de maître d' volgden.

'Hoe heet u?' vroeg hij aan de maître d'.

'Clarissa.'

'Hallo, Clarissa. Wat is je achternaam?'

Daisy zei: 'Charlie, moeten we de politie niet waarschuwen?'

'Momentje. Clarissa en verder?'

'Higgler.'

'En in welke relatie sta je tot Benjamin? De conciërge?'

'Dat is mijn broer.'

'En in welke relatie staan jullie precies tot mevrouw Higgler? Callyanne Higgler?'

'Ik ben hun tante, Fat Charlie,' zei mevrouw Higgler vanuit de deuropening. 'En nu kun je beter naar je verloofde luisteren en de politie inschakelen. Vind je niet?'

Spider zat bij de beek boven op het klif, met zijn rug naar het klif en een stapel stenen voor zich, toen er een man door het hoge gras kwam aanlopen. De man was naakt, maar om zijn middel hing een roodbruine bontpels met een staart eraan. Hij droeg een ketting van scherpe, witte, puntige tanden. Hij had lang zwart haar. Ongedwongen kwam hij aankuieren, alsof hij alleen een ochtendwandeling maakte en Spiders aanwezigheid een aangename verrassing was.

Spider pakte een steen ter grootte van een grapefruit op en hief zijn hand op.

'Hei daar, Anansi's zoon,' zei de vreemdeling. 'Loop ik hier toevallig langs, kom ik jou tegen. Kan ik je ergens mee helpen?' Zijn neus zag er gebutst en gehavend uit.

Spider schudde zijn hoofd. Hij miste zijn tong.

'Toen ik je zag, dacht ik, arme Anansi's zoon, wat zal hij een honger hebben.' De vreemdeling glimlachte veel te breed. 'Hier. Ik heb eten genoeg bij me om het met je te delen.' Over zijn schouder droeg hij een zak. Hij maakte hem open, stak zijn rechterhand erin en haalde er een pasgeslacht lam met een zwarte staart uit. Hij hield het bij zijn nekvel vast. De kop hing slap omlaag.

Spider zag bijna sterretjes van de honger. Als hij zijn tong nog had gehad, zou hij misschien *ja* hebben gezegd in het volste vertrouwen dat hij zich er weer uit kon praten, maar hij had geen tong. Hij nam een tweede steen in zijn linkerhand.

'Laat ons een feestmaal aanrichten en vrienden zijn; laten we alle misverstanden uit de wereld helpen,' zei de vreemdeling.

Dan zullen de gier en de raaf mijn botten afkluiven, dacht Spider.

De vreemdeling deed een stap naar voren, waarop Spider besloot dat dit het teken was om de eerste steen te gooien. Hij had goede ogen en een prima worp, dus de steen trof het doel waar hij op had gemikt: de rechterarm van de vreemdeling. De man liet het lam vallen. De volgende steen trof de vreemdeling bij zijn slaap. Spider had eigenlijk gemikt op de plek tussen zijn wijd uiteen staande ogen, maar de man was weggesprongen.

Toen nam de vreemdeling de benen, half springend, half rennend, zijn staart zo recht als een vlaggenstok achter zich aan. En onder het rennen leek hij de ene keer op een mens, de andere keer op een dier.

Zodra de man verdwenen was, liep Spider naar waar hij had gestaan om het lam met de zwarte staart op te halen. Het dier bewoog toen hij dichterbij kwam en hij dacht even dat het nog leefde, maar toen zag hij dat het vlees vol maden zat. Het stonk en de stank van het kadaver deed Spider een tijdje vergeten hoe hongerig hij was.

Hij hield het dode lam een armlengte van zich af en gooide het de zee in. Daarna waste hij zijn handen in de beek.

Hij had geen idee hoe lang hij al op die plek was. De tijd leek zich hier afwisselend uit te rekken en samen te ballen. Het was tegen zonsondergang.

Als de zon is ondergegaan maar de maan nog niet is opgekomen, dacht Spider. *Dan zal het beest terugkomen.*

De onverstoorbaar opgewekte vertegenwoordiger van het politiekorps van Saint Andrews zat samen met Daisy en Fat Charlie in het kantoor van het hotel en hoorde hun hele relaas aan met een kalme, maar onaangedane glimlach op zijn brede gezicht. Soms bewoog hij zijn hand om aan zijn snor te krabben.

Ze vertelden de agent dat ze onder het eten waren benaderd door een zekere Grahame Coats, die op de vlucht was voor justitie en Daisy met een vuurwapen had bedreigd. Helaas moesten ze toegeven dat Daisy de enige was die het wapen had gezien. Daarna bracht Fat Charlie verslag uit van het incident met de zwarte Mercedes en zijn fiets, dat die middag had plaatsgevonden. Maar nee, hij had eigenlijk niet gezien wie er achter het stuur zat. Hij wist wel waar de wagen vandaan kwam. Hij vertelde de agent over het huis bovenop het klif.

De man streek peinzend over zijn peper-en-zoutkleurige snor. 'Er staat inderdaad een huis op de plaats die u beschrijft, maar dat huis is niet van uw man Coats. Integendeel, daar woont Basil Finnegan, een buitengewoon respectabele man. Meneer Finnegan legt een gezonde belangstelling aan de dag voor het handhaven van de openbare orde. Hij geeft donaties aan de scholen, maar hij heeft bovendien een substantiële bijdrage geleverd aan de bouw van ons nieuwe politiebureau.'

'Hij heeft een pistool op mijn borst gezet,' zei Daisy. 'Hij dreigde te schieten als we niet met hem meegingen.'

'Als het meneer Finnegan is geweest, mevrouwtje' zei de politieagent, 'dan is er vast een goede verklaring voor.' Hij sloeg zijn aktetas open, haalde er een stapel papieren uit. 'Weet u wat. Denk er nog eens over na. Slaap er een nachtje over. Als u morgen zeker weet dat het geen gewone kwajongensstreek was, hoeft u alleen dit formulier in te vullen en het in drievoud op het politiebureau in te leveren. Vraag naar het nieuwe politiebureau, aan de achterzijde van het stadsplein. Iedereen weet waar het is.'

Hij gaf hun allebei een hand en ging ervandoor.

'Je had hem moeten vertellen dat je ook bij de politie werkt,' zei Fat Charlie. 'Dan had hij je misschien serieuzer genomen.'

'Ik denk niet dat het veel had uitgemaakt,' zei ze. 'Als iemand je "mevrouwtje" noemt, weet je al dat je niet bij de categorie hoort waarnaar geluisterd gaat worden.'

Ze liepen naar de receptie van het hotel.

'Waar is ze naartoe?' vroeg Fat Charlie.

Benjamin Higgler antwoordde: 'Tante Callyanne wacht op jullie in de conferentiezaal.'

'Zie je wel,' zei Rosie. 'Ik wist dat het zou lukken als ik maar doorging met schommelen.'

'Hij vermoordt je.'

'Dat wil hij toch al doen.'

'Het werkt niet.'

'Mam, heb je een beter idee?'

'Hij ziet je vast.'

'Mam, hou alsjeblieft op met dat negatieve gedoe. Als je zinvolle suggesties hebt, zeg het dan. En laat me anders mijn gang gaan. Oké?'

Stilte.

Dan: 'Ik kan hem mijn kont laten zien.'

'Hè?'

'Je hebt het heus wel gehoord.'

'Eh, in plaats van?'

'Nee, allebei.'

Stilte. Toen zei Rosie: 'Nou, kwaad kan het niet.'

'Hallo, mevrouw Higgler,' zei Fat Charlie. 'Ik wil de veer terug.'
'Waarom denk je dat ik je veer heb gekregen?' vroeg ze, met haar armen gekruist voor haar enorme boezem.
'Dat heeft mevrouw Dunwiddy me verteld.'
Mevrouw Higgler klonk voor het eerst verbaasd. 'Heeft Louella gezegd dat ik die veer heb gekregen?'
'Ze zei dat u de veer had.'
'Ik pas er goed op.' Mevrouw Higgler gebaarde met haar mok koffie naar Daisy. 'Als je maar niet denkt dat ik ga praten waar zij bij zit. Ik ken haar niet.'
'Dit is Daisy. Alles wat u tegen mij zegt, mag zij ook weten.'
'Ze is je verloofde,' zei mevrouw Higgler. 'Ik heb het gehoord.'
Fat Charlie voelde dat hij een kleur kreeg. 'Ze is niet mijn... dat wil zeggen, we zijn niet echt verloofd. Ik moest iets doen om haar uit de buurt van die man met zijn pistool te krijgen. Toen bedacht ik dat.'
Mevrouw Higgler keek hem aan. Haar ogen twinkelden achter haar dikke brillenglazen. 'Dat weet ik,' zei ze. 'Ik heb je horen zingen. In het openbaar.' Ze schudde haar hoofd, zoals ouderen doen als ze de dwaasheid van de jeugd overdenken. Ze deed haar zwarte tasje open, haalde er een envelop uit, gaf die aan Fat Charlie. 'Ik heb Louella beloofd er goed op te passen.'
Fat Charlie pakte de veer uit de envelop, die half geplet was doordat hij hem in de nacht van de seance zo stevig had vastgehouden. 'Oké,' zei hij. 'Veer. Geweldig. En nu?' vroeg hij aan mevrouw Higgler. 'Wat moet ik er precies mee doen?'
'Weet je dat niet eens?'
Fat Charlie had vroeger van zijn moeder geleerd om tot tien te tellen voordat hij zijn zelfbeheersing verloor. Dus hij telde in stilte en op zijn gemak tot tien, en barstte toen los. 'Natuurlijk weet ik niet wat ik ermee moet doen, stom wijf! In de afgelopen twee weken ben ik gearresteerd, ben ik mijn verloofde en mijn baan kwijtgeraakt, heb ik mijn semi-imaginaire broer door een muur van vogels verzwolgen zien worden, ben ik als een krankzinnige trans-Atlantische pingpongbal over de oceaan heen en weer gevlogen, en vandaag heb ik gezóngen voor een hele zaal

omdat mijn psychopathische ex-baas mijn tafelgenote met een pistool onder schot hield. Ik probeer alleen maar de puinhoop op te ruimen waarin mijn leven is veranderd sinds ú hebt geopperd dat ik misschien met mijn broer zou willen praten. Dus, nee! Nee, ik weet niet wat ik met die klereveer moet doen. Verbranden? Versnipperen en opeten? Er een nest van bouwen? In mijn hand houden en ermee uit het raam springen?'

Mevrouw Higgler keek nors. 'Je moet het aan Louella Dunwiddy vragen.'

'Ik denk dat dat niet meer kan. De laatste keer dat ik haar zag, ging het helemaal niet goed met haar. En zoveel tijd hebben we niet meer.'

Daisy zei: 'Fijn. Jij hebt je veer terug. Zullen we het dan nu over Grahame Coats hebben?'

'Het is niet zomaar een veer. Het is dé veer. Ik heb hem geruild voor mijn broer.'

'Ruil hem terug en laten we doorgaan. We moeten aan de slag.'

'Zo simpel is het niet,' zei Fat Charlie. Toen zweeg hij, want hij dacht na over wat er even daarvoor was gezegd. Bewonderend keek hij Daisy aan. 'Verdorie, wat ben je slim,' zei hij.

'Ik doe mijn best,' zei ze. 'Wat zei ik eigenlijk?'

Ze hadden geen vier oude dames, maar ze hadden mevrouw Higgler, Benjamin en Daisy. Het diner was bijna afgelopen, dus Clarissa, de maître d', vond het geen bezwaar ook mee te doen. Ze hadden geen vier kleuren aarde, maar ze haalden wit zand van het strand achter het hotel, zwarte aarde uit het bloemperk aan de voorkant, rode modder uit de grond naast het hotel en veelkleurig zand uit de buisjes die in de cadeauwinkel werden verkocht. De kaarsen leenden ze bij de bar van het zwembad. Deze keer waren ze kort en wit in plaats van lang en zwart. Mevrouw Higgler verzekerde hun dat de benodigde kruiden allemaal op het eiland groeiden, maar Fat Charlie liet Clarissa een zakje gemengde kruiden uit de keuken halen.

'Volgens mij is het een kwestie van vertrouwen,' legde Fat Charlie uit. 'De details zijn uiteindelijk niet zo belangrijk. Het gaat om de magische sfeer.'

Wat in dit geval afbreuk deed aan de magische sfeer was dat Benjamin Higgler voortdurend rondkeek en het uitproestte van het lachen, terwijl Daisy steeds opmerkte dat het allemaal onzin was.

Mevrouw Higgler strooide de gemengde kruiden over het bodempje witte wijn in de schaal.

Mevrouw Higgler begon te neuriën. Ze hief haar handen op om de anderen aan te moedigen en ze begonnen ook te neuriën, als dronken bijen. Fat Charlie wachtte tot er iets zou gebeuren.

Er gebeurde niets.

'Fat Charlie,' zei mevrouw Higgler. 'Jij moet ook neuriën.'

Fat Charlie slikte. Er is niets om bang voor te zijn, zei hij tegen zichzelf. Hij had gezongen voor een zaal met mensen; hij had een vrouw die hij nauwelijks kende, publiekelijk ten huwelijk gevraagd. Neuriën was geen kunst.

Hij stemde af op de noot die mevrouw Higgler aan het neuriën was en liet die vibreren in zijn keel...

Hij hield de veer vast. Hij concentreerde zich en hij zoemde.

Benjamin hield op met proesten. Zijn ogen werden groot. Op zijn gezicht verscheen een verschrikte uitdrukking. Fat Charlie wilde stoppen met neuriën om te vragen wat hem dwars zat, maar het gezoem kwam nu van binnenuit en de kaarsen flakkerden...

'Kijk hem eens!,' zei Benjamin. 'Hij...'

Fat Charlie kreeg geen gelegenheid meer om zich af te vragen wat er met hem aan de hand was.

Mistflarden weken uiteen. Fat Charlie liep over een brug, een lange witte voetbrug over een breed grijs water. Een eindje verder, in het midden van de brug, zat een man op een kleine houten stoel. De man was aan het vissen. Hij had een groene gleufhoed over zijn ogen getrokken. Het leek of hij een dutje deed en toen Fat Charlie dichterbij kwam, verroerde hij zich niet.

Fat Charlie herkende de man. Hij legde een hand op zijn schouder.

'Weet je,' zei hij, 'ik wist dat je het in scène had gezet. Ik wist wel dat je niet dood was.'

De man op de stoel bewoog zich niet, maar hij glimlachte.

'Dan weet je niet veel,' zei Anansi. 'Ik ben morsdood.' Hij rekte zich uitgebreid uit, pakte een klein zwart sigaartje vanachter zijn oor en stak het met een lucifer aan. 'Ja. Ik ben dood. Ik denk dat ik nog een tijdje dood blijf. Als je niet af en toe doodgaat, gaan mensen je als iets vanzelfsprekends beschouwen.'

Fat Charlie zei: 'Maar.'

Anansi bracht zijn vinger naar zijn lippen om hem tot stilte te manen. Hij pakte zijn hengel op en begon hem in te halen. Hij wees naar een schepnet. Fat Charlie pakte het schepnet en hield het op, terwijl zijn vader er een grote zilveren vis in liet kronkelen. Anansi trok de haak uit de bek van de vis, liet hem in een witte emmer vallen. 'Zo,' zei hij. 'Voor vanavond hebben we iets te eten.'

Op dat moment viel het Fat Charlie pas op dat het avond was toen hij met Daisy en de Higglers rond de tafel had gezeten, terwijl de zon hier wel laag stond, maar nog niet was ondergegaan.

Zijn vader klapte het stoeltje op en gaf de stoel en de emmer aan Fat Charlie, die ze voor hem moest dragen. Ze begonnen de brug af te lopen. 'Weet je,' zei meneer Nancy. 'Ik heb altijd gedacht dat ik je een heleboel zou moeten vertellen als je met me kwam praten, maar je lijkt het aardig te redden in je eentje. Dus waarom kom je hier?'

'Dat weet ik niet zo goed. Ik was eigenlijk op zoek naar de vogelvrouw. Ik wil haar de veer teruggeven.'

'Je had je niet met haar moeten inlaten,' zei zijn vader monter. 'Daar komt alleen maar ellende van. Die vrouw is een vat vol rancune, maar ze is ook een lafaard.'

'Het was Spider...' zei Fat Charlie.

'Eigen schuld. Dat je de helft van jezelf door die oude bemoeial laat wegsturen.'

'Ik was maar een kind. Waarom heb jíj niets gedaan?'

Anansi schoof zijn hoed naar achteren. 'Die ouwe Dunwiddy kon niets met je doen wat jij niet toeliet,' zei hij. 'Per slot van rekening ben je míjn zoon.'

Fat Charlie dacht erover na. Toen zei hij: 'Maar waarom heb je het me niet vertéld?'

'Je doet het prima. Je heb het helemaal alleen ontdekt. Je weet nu ook hoe het met de liedjes zit, hè?'

Fat Charlie voelde zich nog onhandiger en dikker en een nog grotere teleurstelling worden in zijn vader ogen, maar toch zei hij niet zomaar 'nee'. In plaats daarvan vroeg hij: 'Wat denk je zelf?'

'Ik denk dat je het door begint te krijgen. Het belangrijkste van liedjes is dat ze op verhalen lijken. Je kunt er geen barst mee als de mensen er niet naar luisteren.'

Ze naderden het eind van de brug. Fat Charlie wist, zelfs al werd dat niet met zoveel woorden gezegd, dat dit de laatste kans was dat ze ooit met elkaar konden praten. Er waren veel dingen die hij moest uitzoeken, zo veel dingen die hij wilde weten. Hij vroeg: 'Pa, toen ik klein was. Waarom heb je me toen voor schut gezet?'

De oude man trok een rimpel in zijn voorhoofd. 'Je voor schut gezet? Ik hield van je.'

'Je heb me als president Taft verkleed naar school laten gaan. Noem je dat liefde?'

Zijn vader stootte een schril geluid uit dat voor lachen kon doorgaan en nam een trekje van zijn sigaar. De rook steeg op en vormde een spookachtige tekstballon boven zijn mond. 'Daar heeft je moeder ook een rol in gespeeld.' Toen zei hij: 'We hebben niet veel tijd, Charlie. Wil je voor de rest alleen ruzie maken?'

Fat Charlie schudde zijn hoofd. 'Nee, dat niet.'

Ze waren aan het eind van de brug gekomen. 'En nu,' zei zijn vader, 'wil ik dat je je broer iets van me geeft als je hem ziet.'

'Wat?'

Zijn vader stak zijn hand uit en trok Fat Charlie naar zich toe. Toen kuste hij hem zacht op zijn voorhoofd. 'Dat,' zei hij.

Fat Charlie ging rechtop staan. Zijn vader keek naar hem met een uitdrukking die Fat Charlie bij ieder ander als trots had herkend. 'Laat me die veer eens zien,' zei zijn vader.

Fat Charlie stak zijn hand in zijn jaszak. Daar was de veer, nog erger gekreukt en verfomfaaid dan eerst.

Zijn vader maakte een tsj-geluid en hield de veer omhoog tegen het licht. 'Dit is een prachtige veer,' zei zijn vader. 'Die mag eigenlijk niet vies worden. Als hij zo lelijk is, neemt ze hem niet terug.' Meneer Nancy streek over de veer en hij was weer als nieuw. Fronsend keek hij ernaar: 'En hou hem nu netjes.' Hij blies op zijn nagels, wreef ze glanzend over zijn jasje. Toen had hij een besluit genomen. Hij nam zijn hoed af en schoof de veer in de band van zijn hoed. 'Hier, een nette hoed kun je in elk geval gebruiken.' Hij zette de hoed op Fat Charlies hoofd. 'Hij staat je goed,' zei hij.

Fat Charlie zuchtte. 'Pa, ik draag nooit hoeden. Hij staat me belachelijk. Ik zie eruit als een watje. Waarom wil je me altijd voor gek laten lopen?'

In de toenemende schemering keek de oude man zijn zoon aan. 'Denk je dat ik lieg? Zoon, om een hoed te dragen heb je alleen flair nodig. En dat heb je. Waarom zou ik zeggen dat die hoed je staat als het niet waar is? Je ziet er blits uit. Geloof je me niet?'

Fat Charlie zei: 'Niet echt.'

'Kijk,' zei zijn vader. Hij wees naar beneden over de rand van de brug. Het water onder hen was roerloos en spiegelglad, en de man die hem vanuit het water aankeek, zag er blits uit met zijn nieuwe groene hoed.

Fat Charlie keek op om zijn vader te vertellen dat hij hem misschien ten onrechte voor leugenaar had uitgemaakt, maar de oude man was verdwenen.

Toen liep hij de brug af, de duisternis in.

'En nu wil ik precies weten waar hij is. Waar is hij naartoe gegaan? Wat heeft u met hem gedaan?'

'Ik heb niets gedaan. Heremetijd,' zei mevrouw Higgler. 'De vorige keer is dit niet gebeurd.'

'Alsof hij naar het moederschip werd overgestraald,' zei Benjamin. 'Gaaf, zeg. Het leek wel echt.'

'U moet hem terughalen,' zei Daisy fel. 'Ik wil hem nú terug.'

'Ik weet niet eens waar hij is,' zei mevrouw Higgler. 'Ik heb hem daar niet heen gestuurd. Dat heeft hij zelf gedaan.'

'En trouwens,' zei Clarissa, 'stel dat hij daar bezig is met wat hij moet doen en wij laten hem terugkomen. Misschien bederven we alles wel.'

'Precies,' zei Benjamin. 'Je laat de bemanning ook niet halverwege hun missie terugstralen.'

Toen Daisy erover nadacht, besefte ze tot haar ergernis dat het logisch klonk, voor zover er de laatste dagen van enige logica sprake was.

'Als hier verder niets meer gebeurt,' zei Clarissa, 'moet ik naar het restaurant om te kijken of daar alles goed loopt.'

Mevrouw Higgler nam een slokje van haar koffie. 'Hier gebeurt niets,' zei ze instemmend.

Daisy liet haar hand met een klap op de tafel neerkomen. 'Neem me niet kwalijk. Daarbuiten loopt een moordenaar rond. En nu is Fat Charlie overgestraald naar het moederschap.'

'Moederschip,' verbeterde Benjamin.

Mevrouw Higgler knipperde met haar ogen. 'Goed,' zei ze. 'We moeten iets doen. Wat had je gedacht?'

'Ik weet het niet,' zei Daisy, al vond ze het afschuwelijk om dat toe te geven. 'De tijd doden, denk ik.' Ze pakte de *Williamstown Courier*, waarin mevrouw Higgler had zitten lezen, en nam hem vluchtig door.

Op de derde pagina stond was een kolom gewijd aan het verhaal over de vermiste toeristen, de vrouwen die niet naar het cruiseschip waren teruggekeerd. *'Die twee in mijn huis,'* hoorde ze Grahame Coats zeggen. *'Dacht je dat ik ook maar even heb geloofd dat ze van het schip kwamen?'*

Als het erop aankwam, bleef Daisy in hart en nieren agent. 'Geef me de telefoon eens,' zei ze.

'Wie ga je bellen?'

'Eerst de minister van toerisme en de hoofdinspecteur van politie, en dan hoop ik dat het balletje vanzelf gaat rollen.'

De zon verdween bloedrood achter de horizon. Als Spider niet Spider was geweest, zou hij in deze situatie hebben gewanhoopt.

Op het eiland waar hij zich bevond, was een duidelijke scheiding tussen dag en nacht. Spider keek toe hoe het laatste schijfje zon door de zee werd opgeslokt. Hij had zijn stenen en de twee staken. Hij wou dat hij vuur had.

Hij vroeg zich af of de maan zou opkomen. Als de maan opkwam, had hij misschien een kans.

De zon ging onder – het allerlaatste zweempje rood zonk in de donkere zee en het was nacht.

'Kind van Anansi,' zei een stem vanuit het duister. 'Weldra kom ik mijn maal verorberen. Je zult pas weten dat ik er ben als je mijn hete adem in je nek voelt. Ik stond boven je toen je aan de staken vastzat. Toen had ik je strot door kunnen bijten, maar ik bedacht me. Het zou me geen voldoening geven om je in je slaap te doden. Ik wil dat je voelt dat je doodgaat. Ik wil dat je weet waarom ik je van het leven beroof.'

Spider gooide een steen naar waar de stem vandaan leek te komen en hoorde hem in het struikgewas ploffen zonder doel te raken.

'Jij hebt vingers,' zei de stem, 'maar ik heb klauwen die scherper zijn dan messen. Jij hebt twee benen, maar ik heb vier poten die nooit moe worden, waarmee ik tien keer sneller kan rennen dan jij en dat veel langer volhoud. Met jouw tanden kun je vlees eten, mits het zacht en smakeloos is geworden op het vuur, want jouw kleine apentanden zijn geschikt om op zacht fruit en kriebelbeestjes te kauwen; maar met mijn tanden kan ik het vlees van iemands botten scheuren en trekken; ik kan iemand levend verslinden terwijl het bloed nog metershoog de lucht in spuit.'

En toen maakte Spider een geluid. Het was een geluid dat hij zonder tong kon maken, zonder zelfs zijn mond open te doen. Het was het mwah-geluid van geamuseerde minachting. *Misschien kun je dat allemaal wel, Tijger,* leek hij ermee te zeggen, *maar wat dan nog? Alle verhalen die er ooit zijn geweest, zijn van Anansi. Niemand vertelt Tijgerverhalen.*

Er steeg een gebrul op in het duister, een gebrul van woede en frustratie.

Spider begon de wijs van 'Tiger Rag' te neuriën. Dat is een

oud lied om tijgers te plagen. De tekst luidt: 'Houd de tijger,' en 'Waar is de tijger?'

Deze keer klonk de stem in het duister dichterbij.

'Ik heb je vrouw, Anansi's kind. Als ik met jou heb afgerekend, zal ik haar aan stukken scheuren. Haar vlees zal lekkerder smaken dan dat van jou.'

Spider deed 'pff!', het geluid dat mensen maken als ze weten dat iemand hun voorliegt.

'Ze heet Rosie.'

Toen maakte Spider een geluid dat hij niet had willen maken. In de duisternis begon iemand te lachen. 'En wat de ogen betreft,' zei de stem. 'Met jouw ogen kun je, als je geluk hebt, op klaarlichte dag de meest voor de hand liggende dingen zien, terwijl wij met onze ogen de haartjes op je armen rechtop zien staan nu ik met je praat en de angst op je gezicht kunnen lezen, zelfs 's nachts. Wees bevreesd, kind van Anansi, en als je nog je laatste gebeden wilt opzeggen, doe dat dan nu.'

Spider had geen gebeden, maar hij had stenen waarmee hij kon gooien. Als hij geluk had, kon hij misschien zijn tegenstander in het donker met een van de stenen raken. Spider wist dat het een wonder zou zijn, maar hij had zijn hele leven al op wonderen vertrouwd.

Hij pakte een andere steen.

Er streek iets over de rug van zijn hand.

Hallo, hoorde hij het spinnetje van klei in gedachten zeggen.

Hoi, zei Spider in gedachten. *Kijk, ik heb het nogal druk met zorgen dat ik niet word opgegeten, dus als je me even niet in de weg zou willen lopen...*

Maar ik heb ze meegebracht, dacht de spin. *Zoals je me hebt gevraagd.*

Zoals ik heb gevraagd?

Je zei dat ik hulp moest zoeken. Ik heb ze meegenomen. Ze hebben mijn spinnenwebdraad gevolgd. Er zijn geen spinnen in de wereld waar je nu bent, dus ik ben teruggeglipt en heb een web van daar naar hier gesponnen en van hier weer naar daar. Ik heb de strijders meegenomen. Ik heb de krijgers meegenomen.

'Een cent voor je gedachten,' zei de stem van de grote kat in het duister. En toen zei hij met verholen leedvermaak: 'Wat is er aan de hand? Heb je je tong verloren?'

Een spin in zijn eentje is stil. Ze cultiveren de stilte. Zelfs de spinnen die geluid kunnen maken, houden zich meestal zo stil mogelijk en wachten. Spinnen houden zich vooral bezig met wachten.

Plotseling was de nacht vol zacht geritsel.

Dankbaar en trots dacht Spider aan het spinnetje met de zeven poten dat hij van bloed en spuug en aarde had gemaakt. De spin rende van de rug van zijn hand omhoog naar zijn schouder.

Spider kon ze niet zien, maar hij wist dat ze er allemaal waren: grote spinnen en kleine spinnen, giftige spinnen en bijtende spinnen, enorme harige spinnen en elegante spinnen met een glad pantser. Hun ogen maakten gebruik van het beetje licht dat er was, maar ze keken vooral met hun poten, die gevoelig waren voor trillingen. Zo vormden ze zich een beeld van hun omgeving.

Ze waren met een heel leger.

Tijger sprak weer in de duisternis: 'Als je dood bent, Anansi's kind – als je hele bloedlijn dood is – zullen de verhalen van mij zijn. De mensen zullen weer Tijgerverhalen vertellen. Ze zullen bij elkaar komen om mijn slimheid en mijn kracht te eren, mijn wreedheid en mijn succes. Elk verhaal zal van mij zijn. Elk lied zal van mij zijn. De wereld zal weer worden wat hij was: een harde, duistere plaats.'

Spider luisterde naar het ritselen van zijn leger. Hij was met opzet aan de rand van het klif gaan zitten. Hoewel hij niet verder achteruit kon wijken, betekende het ook dat Tijger niet onverhoeds aan kon vallen, alleen kruipend.

Spider begon te lachen.

'Waarom lach je, kind van Anansi? Heb je je verstand verloren?'

Toen moest Spider nog langer en harder lachen.

Uit het duister steeg een gejank op. Tijger was in aanraking gekomen met Spiders leger.

Het vergif van een spin manifesteert zich op veel manieren. Vaak duurt het een hele tijd voordat het effect van een beet in zijn volle omvang wordt ontdekt. Biologen bestuderen dit verschijnsel al jaren. Sommige spinnenbeten veroorzaken eerst een wond die gaat zweren, waaraan iemand vervolgens sterft, soms ruim een jaar later. Op de vraag waarom spinnen dit doen, is het antwoord simpel. Spinnen doen dat omdat ze het leuk vinden en omdat ze niet willen dat je ze vergeet.

Een zwarte weduwe beet in Tijgers gekneusde neus, een vogelspin beet in zijn oren. In een oogwenk begonnen al zijn gevoelige plaatsen te steken en te kloppen, op te zetten en te jeuken. Tijger begreep niet wat er aan de hand was. Hij voelde alleen de stekende pijn en opeens werd hij bang.

Spider lachte, langer en luider, en luisterde naar het geluid van een reusachtig dier dat zich brullend van angst en pijn in het struikgewas stortte.

Hij ging zitten en wachtte af. Tijger zou ongetwijfeld terugkomen. Het was nog niet voorbij.

Spider tilde het spinnetje met de zeven poten van zijn schouder en aaide het, streek het over zijn brede rug.

Een eindje heuvelafwaarts gloeide een koud groen schijnsel. Als de lichten van een kleine stad flikkerde het aan en uit in de nacht. Het kwam zijn kant uit.

Het flikkerlicht bleek te bestaan uit duizenden vuurvliegjes. Scherp afgetekend midden in het vuurvliegjeslicht liep een donkere gestalte, de gedaante van een man. Hij liep gestaag de heuvel op.

Spider hief een steen op en bereidde zijn spinnenleger mentaal voor op de volgende aanval. En toen bleef hij stil zitten. Iets kwam hem bekend voor aan de figuur in het vuurvliegjeslicht; hij droeg een groene gleufhoed.

Grahame Coats had bijna het hele flesje rum naar binnen gewerkt dat hij in de keuken had gevonden. Die rum had hij opengemaakt omdat hij geen zin had naar de wijnkelder af te dalen en omdat hij aannam dat hij er sneller dronken van zou worden dan van wijn. Dat laatste was helaas niet waar. Hij merkte er weinig van, en het bracht hem al helemaal niet de emotionele verdoving waar hij zo'n behoefte aan had. Hij liep door het huis met het flesje in zijn ene hand en een halfvol glas in zijn andere, waaruit hij beurtelings een slok nam. Hij zag zichzelf in de spiegel, terneergeslagen en zwetend. 'Kop op,' zei hij hardop. 'Misschien gebeurt het wel nooit. Zon achter de wolken. Gaat niet over rozen. Twee kapiteins op een schip. Zo de wind waait.' De rum was bijna op.

Hij liep terug naar de keuken. Daar trok hij een paar kastjes open totdat hij de fles sherry vond die helemaal achterin stond. Grahame pakte de fles en sloot hem dankbaar in zijn armen, als een oude vriend die na een jarenlange zeereis was teruggekeerd.

Hij schroefde de dop van de fles los. Het was zoete sherry voor keukengebruik, maar hij dronk het als limonade.

Er waren andere dingen die Grahame Coats had gezien toen hij in de keuken op zoek was naar alcohol. Er waren bijvoorbeeld messen. Sommige waren scherp. In een la lag zelfs een roestvrijstalen ijzerzaagje. Dat kon Grahame Coats instemming wegdragen. Het zou een erg eenvoudige oplossing zijn voor het probleem in de kelder.

'*Habeas corpus,*' zei hij. '*Of habeas delicti.* Een van beide. Zonder lijk is er geen misdrijf. *Ergo. Quod erat demonstrandum.*'

Hij haalde het pistool uit zijn jaszak en legde het op de keukentafel neer. Hij schikte de messen in een cirkel, als de spaken van een wiel. 'Wel,' zei hij, op de toon waarmee hij vroeger argeloze jongensbandjes had overtuigd dat het tijd werd een contract met hem af te sluiten, hun roem te omarmen en impliciet afstand te doen van hun fortuin: 'Van uitstel komt afstel.'

Hij stak drie keukenmessen met het lemmet naar beneden achter zijn riem, stopte het ijzerzaagje in zijn jaszak en toen liep hij met het pistool in zijn hand de keldertrap af. Hij deed het licht aan, keek met zijn ogen knipperend naar de wijnflessen die in het rek lagen, allemaal netjes op hun kant en bedekt met een dun laagje stof. Toen stond hij voor de deur van de vleeskelder.

'En nu,' schreeuwde hij, 'zullen jullie wel opgelucht zijn te horen dat ik jullie niets aan zal doen. Ik laat jullie allebei gaan. Het was een klein misverstand. Maar zand erover. Gedane zaken nemen geen keer. Ga tegen de achterste muur staan. In de houding. Geen geintjes.'

Terwijl hij de grendels wegtrok, bedacht hij hoe geruststellend het was dat er zoveel clichés bestonden voor mensen met een vuurwapen in hun hand. Het gaf Grahame Coats het gevoel dat hij bij de club hoorde: Bogart stond naast hem en Cagney en alle anderen die in politieseries naar elkaar schreeuwden.

Hij schakelde het licht aan en trok de deur open. Rosies moeder stond tegen de achterwand met haar rug naar hem toe. Toen hij binnenkwam, tilde ze haar rok op en zwaaide met haar verbazingwekkend magere bruine achterwerk.

Zijn mond viel open. Op dat moment liet Rosie een stuk van de roestige ketting met een klap op Grahame Coats' pols neerkomen, zodat het pistool door de kelder vloog.

Met het vuur en de nauwgezetheid van een veel jongere vrouw gaf Rosies moeder Grahame Coats een schop onder de gordel. Hij greep naar zijn kruis en sloeg dubbel, terwijl hij geluiden uitstootte op een frequentie die alleen honden en vleermuizen konden horen. Rosie en haar moeder stommelden de vleeskelder uit.

Ze duwden de deur dicht. Rosie schoof een van de grendels erop. Ze omhelsden elkaar.

Ze waren nog steeds in de wijnkelder toen het licht uitviel.

'Het zijn de stoppen maar,' zei Rosie om haar moeder gerust te stellen. Ze wist niet of ze het zelf geloofde, maar het leek de meest voor de hand liggende verklaring.

'Je had allebei de grendels erop moeten doen,' zei haar moeder. En toen: 'Au,' omdat ze haar teen had gestoten, en ze vloekte.

'Het lichtpuntje is,' zei Rosie, 'dat híj ook in het donker zit. Hou mijn hand maar vast. Ik denk dat de trap die kant op is.'

Toen het licht uitging, kroop Grahame Coats in het donker op handen en voeten over de betonnen vloer. Er droop iets warms langs zijn been. Even kreeg hij het onbehaaglijke idee dat hij het in zijn broek had gedaan, tot hij begreep dat het lemmet van een van de messen die hij achter zijn riem had gestopt, een diepe snee in zijn bovenbeen had gemaakt.

Toen verroerde hij zich niet meer en ging op de grond liggen. Hij bedacht dat het erg verstandig was geweest om zoveel te drinken; hij was praktisch verdoofd. Hij besloot te gaan slapen. Maar hij was niet alleen in de vleeskelder. Er was nog iemand. Iets wat zich op vier poten voortbewoog.

Iemand snauwde: 'Sta op.'

'Kan niet. Ben gewond. Wil naar bed.'

'Wat ben jij een miserabel ventje. Je bakt er echt niks van. Sta op.'

'Zou niets liever willen,' zei Grahame Coats op de redelijke toon van een dronkaard. 'Kan niet. Moet even blijven liggen. Trouwens, ze heeft de deur vergrendeld. Ik heb het gehoord.'

Er klonk een schrapend geluid aan de andere kant van de deur, alsof er langzaam een grendel werd weggeschoven.

'De deur is open. Als je blijft liggen, ga je dood.' Een ongeduldig geruis, het zwiepen van een staart, een brul, half gedempt achter in de keel. 'Geef me je hand en geef je over. Laat me bij je binnen.'

'Dat begrijp ik n...'

'Geef me je hand of anders bloed je dood.'

In het duister van de vleeskelder stak Grahame Coats zijn hand uit. Iemand – iets – pakte die en hield hem geruststellend vast. 'Ben je bereid me toe te laten?'

In een moment van koele nuchterheid begreep Grahame Coats dat hij al veel te ver was gegaan. Erger kon het niet meer worden.

'Absolutíéf,' fluisterde Grahame Coats, en meteen begon hij van gedaante te veranderen. In het donker kon hij even gemakkelijk zien als bij daglicht. Even meende hij iets te zien wat naast hem stond, groter dan een mens, met scherpe, scherpe tanden. Toen was het weg en Grahame Coats voelde zich fantastisch. Het bloed stroomde niet meer langs zijn been.

In het donker kon hij uitstekend zien. Hij trok de messen vanachter zijn riem, liet ze op de grond vallen. Zijn schoenen trok hij ook uit. Er lag een pistool op de grond, maar hij liet het liggen. Werktuigen waren voor apen en koeien en zwakkelingen. Hij was geen aap.

Hij was een jager.

Hij trok zichzelf op tot hij op handen en knieën stond en sloop op vier voeten de wijnkelder in.

De vrouwen kon hij zien. Ze hadden de trap naar boven gevonden en schuifelden op de tast naar boven, hand in hand in het donker.

De ene vrouw was oud en taai. De andere jong en mals. Het water liep hem in de mond, een mond die nog maar gedeeltelijk van Grahame Coats was.

Fat Charlie liep de brug af, met zijn vaders groene gleufhoed achter op zijn hoofd en wandelde de schemering in. Hij liep het rotsachtige strand op, gleed uit over de stenen, stapte in de getijdepoelen. Toen trapte hij op iets wat bewoog. Half struikelend haalde hij zijn voet weg.

Het verhief zich en werd steeds groter. Wat het ook was, het was kolossaal. Eerst leek het of het de afmetingen van een olifant kreeg, maar het werd nog groter.

Licht, dacht Fat Charlie. Hij zong het, en alle lichtgevende insecten, de vuurvliegjes die daar waren, dromden om hem heen. Hun koude groene schijnsel flikkerde aan en uit, en in dat licht kon hij twee ogen onderscheiden, groter dan etensborden, die hem strak aankeken vanuit een hooghartig reptielengezicht.

Hij keek strak terug. 'Goeienavond,' zei hij opgewekt.

De stem van het schepsel was glad als boterolie. 'Hallo,' zei het. 'Dingdong. Je ziet er uit als een lekker hapje.'

'Ik ben Charlie Nancy,' zei Charlie Nancy. 'Wie ben jij?'

'Ik ben Draak,' zei de draak. 'En ik ga je langzaam in één hap oppeuzelen, mannetje met de hoed.'

Charlie knipperde met zijn ogen. *Wat zou mijn vader doen?* vroeg hij zich af. *Wat zou Spider gedaan hebben?* Hij had werkelijk geen idee. *Kom op. Per slot van rekening is Spider een stuk van mezelf. Ik kan alles wat hij kan.*

'Eh. Je hebt vast genoeg van dit gesprek, dus nu ga je me door-laten,' zei hij tegen de draak met al zijn overtuigingskracht.

'Gossie. Leuk geprobeerd. Maar dat denk ik niet,' zei de draak enthousiast. 'Eigenlijk ga ik je opeten.'

'Je bent zeker niet bang voor limoenen?' vroeg Charlie. Te laat herinnerde hij zich dat hij de limoen aan Daisy had gegeven. Het schepsel lachte smalend. 'Ik,' zei het, 'ben voor niets bang.'

'Niets?'

'Niets,' zei het.

Charlie zei: 'Ben je verschríkkelijk bang voor niets?'

'Absoluut doodsbang,' gaf de draak toe.

'Weet je,' zei Charlie, 'ik heb niets in mijn zakken. Wil je het zien?'

'Nee,' zei de draak zenuwachtig. 'Dat wil ik beslist niet.'

Vleugels klapperden als zeilen. Toen was Charlie alleen op het strand. 'Dat,' zei hij tegen zichzelf, 'was veel te gemakkelijk.'

Hij liep verder. Hij verzon een lied voor deze wandeling. Char-lie had altijd liedjes willen bedenken, maar had dat nooit gedaan, vooral omdat hij bang was dat als hij een lied had geschreven, iemand hem zou vragen om het te zingen en dat zou geen pret-je zijn, net zoals de dood aan de galg geen pretje zou zijn. Nu kon het hem steeds minder schelen, dus hij zong zijn lied voor de vuurvliegjes die met hem meevlogen de heuvel op. Hij zong over een ontmoeting met de vogelvrouw en dat hij zijn broer te-rug wilde. Hij hoopte dat de vuurvliegjes het mooi vonden; het leek of hun licht pulseerde en flikkerde op het ritme van de me-lodie.

De vogelvrouw stond hem op te wachten boven op de heu-vel. Charlie nam zijn hoed af. Hij trok de veer uit de band van de hoed.

'Hier. Die is van jou, geloof ik.'

Ze maakte geen aanstalten hem aan te pakken.

'Onze afspraak geldt niet meer,' zei Charlie. 'Ik heb de veer voor je meegenomen. Ik wil mijn broer hebben. Jij hebt hem af-gepakt. Ik wil hem terug. Ik had geen recht je Anansi's bloed-lijn te geven.'

'En als ik je broer niet meer heb?'

Hoewel het moeilijk te zien was in het licht van de vuur-vliegjes, dacht Charlie niet dat hij haar lippen had zien bewe-gen. Hij hoorde haar woorden in alle dingen om hem heen, in het ratelende geluid van de nachtzwaluwen en in het klaaglijke oehoe van de uilen.

'Ik wil mijn broer terug,' zei hij tegen haar. 'Ik wil hem heel-huids en ongedeerd terug. En ik wil hem nu. Zo niet, dan is al-les wat er al die jaren tussen jou en mijn vader is gebeurd nog maar het begin, weet je. De ouverture.'

Charlie had nog nooit iemand bedreigd. Hij had geen idee hoe hij zijn dreigementen ten uitvoer moest brengen – maar hij twijfelde er niet aan dat hij dat inderdaad zou doen.

'Ik heb hem gehad,' zei ze in de verre verbitterde klanken. 'Maar ik heb hem tongloos in Tijgers wereld achtergelaten. Ik kan je vaders bloedlijn geen kwaad doen. Tijger kan dat wel, als hij moed heeft verzameld.'

Een diepe stilte. De nachtkikkers en de nachtvogels zwegen. Ze keek hem onbewogen aan; haar gezicht ging bijna op in de schaduwen. Haar hand tastte in haar jaszak. 'Geef me de veer,' zei ze.

Charlie legde hem in haar hand.

Hij voelde zich lichter, alsof ze meer van hem had afgenomen dan een oude veer...

Toen legde ze iets in zijn hand, iets kouds en nats. Het voel-de aan als een klomp vlees. Charlie moest zich beheersen om het niet weg te gooien.

'Geef het hem terug,' zei ze, met de stem van de nacht. 'We hebben geen ruzie meer.'

'Hoe kom ik in Tijgers wereld?'

'Hoe ben je hier gekomen?' vroeg ze, bijna geamuseerd en het was volkomen donker en Charlie stond alleen op de heuvel.

Hij opende zijn hand en keek naar de vleesklomp die erin lag, slap en gerimpeld. Het leek op een tong en hij wist wiens tong het moest zijn.

Hij zette de gleufhoed weer op zijn hoofd en dacht: *Ik zal even mijn denkhoed opzetten*, en ineens klonk dat niet zo raar. De groene gleufhoed was geen denkhoed, maar wel het soort hoed dat wordt gedragen door iemand die al denkend tot belangrijke en wezenlijke inzichten komt.

Hij stelde zich de werelden voor als een web: een fel oplichtend web in zijn geest, dat hem verbond met iedereen die hij kende. De draad die hem met Spider verbond, was sterk en helder en gaf hetzelfde koude licht als een vuurvliegje of een ster. Spider was ooit een deel van hem geweest. Aan die kennis hield hij zich vast en hij liet het web zijn geest vullen. In zijn hand lag de tong van zijn broer. Tot voor kort was die een deel van Spider geweest. Hij wenste vurig dat die weer deel van hem zou worden. Levende dingen hebben een geheugen.

Het uitbundige licht van het web straalde om hem heen. Charlie hoefde alleen maar de draad te volgen...

Dat deed hij en de vuurvliegjes dromden om hem heen en reisden met hem mee.

'Hé,' riep hij. 'Ik ben het.'

Spider maakte een hartverscheurend geluidje.

In het glinsterende licht van de vuurvliegjes zag Spider er afschuwelijk uit: opgejaagd en gepijnigd. Zijn gezicht en borst zaten vol korsten.

'Ik denk dat deze van jou is,' zei Charlie.

Spider nam met een theatraal dankjewel-gebaar de tong in ontvangst, stopte hem in zijn mond, drukte hem aan en hield hem een tijdje op zijn plaats. Charlie keek toe en wachtte. Al gauw leek Spider tevreden. Hij bewoog zijn mond om het uit te proberen, duwde zijn tong afwisselend tegen de ene en de andere wang, alsof hij zich voorbereidde op het afscheren van zijn snor, deed zijn mond wijd open en draaide zijn tong rond. Hij deed zijn mond dicht en stond op. Ten slotte zei hij met een stem die nog een beetje beverig klonk: 'Leuke hoed.'

Rosie was als eerste boven aan de trap en ze duwde de deur van de wijnkelder open. Ze strompelde het huis in. Toen wachtte ze op haar moeder, sloeg de deur van de kelder dicht en vergren delde hem. De elektriciteit was uitgevallen, maar een bijna volle maan stond hoog aan de hemel en vergeleken met de duisternis van daarvoor had het bleke maanlicht dat door de keukenramen viel, de kracht van een schijnwerper.

In de maneschijn, in de maneschijn, dacht Rosie, *klom ik op het trapje naar het...*

'Bel de politie,' zei haar moeder.

'Waar is de telefoon?'

'Hoe weet ik nou waar die telefoon is? Hij zit nog in de kelder.'

'Juist,' zei Rosie, terwijl ze zich afvroeg of ze op zoek moest gaan naar een telefoon om de politie te bellen of gewoon naar buiten vluchten. Voordat ze een besluit had genomen, was het al te laat.

Er klonk een knal zo hard dat hij pijn aan haar oren deed en de deur naar de kelder vloog open.

Uit de kelder kwam een schim. Een echte schim. Ze wist dat hij echt was. Ze keek ernaar. Maar het kon niet waar zijn: het was de schim van een grote kat, ruwharig en reusachtig. Vreemd genoeg werd hij donkerder toen het maanlicht erop viel. Rosie kon de ogen niet zien, maar ze wist dat hij naar haar keek en dat hij honger had.

Het beest zou haar vermoorden. Nu was het afgelopen.

Haar moeder zei: 'Hij aast op jou, Rosie.'

'Weet ik.'

Rosie pakte het dichtstbijzijnde grote voorwerp, een houten blok waarin messen hadden gezeten en dat slingerde ze zo hard mogelijk naar de schim toe en zonder af te wachten of ze hem had geraakt, rende ze zo snel mogelijk de keuken uit, de gang in. Ze kon zich nog herinneren waar de voordeur was...

Iets donkers, iets viervoetigs, rende sneller. Het sprong over haar hoofd heen, kwam nagenoeg geruisloos voor haar neer.

Rosie drukte zich tegen de muur. Haar mond was kurkdroog.

Het beest versperde de weg naar de voordeur en sloop langzaam op Rosie af, alsof het alle tijd van de wereld had.

Toen kwam haar moeder de keuken uit rennen, rende Rosie

voorbij. Wild met haar armen maaiend en met onzekere tred kwam ze op de grote schim aflopen. Met haar magere vuisten stompte ze het beest in zijn ribben. Er viel een stilte, alsof de wereld zijn adem inhield, en toen viel het haar aan. Een wervelende beweging en toen lag Rosies moeder op de grond, terwijl de schim haar tussen zijn kaken heen en weer schudde zoals een hond met een lappenpop speelt.

Er werd aangebeld. Rosie wilde om hulp roepen, maar in plaats daarvan begon ze gillen, luid en onophoudelijk. Als Rosie onverwacht geconfronteerd werd met een spin in de badkuip, kon ze gillen als een B-actrice bij haar eerste confrontatie met een man in een rubberen pak. Nu zat ze in een donker huis met een schimmige tijger en een potentiële seriemoordenaar en een van die wezens, of misschien allebei, had zojuist haar moeder aangevallen. Terwijl haar hoofd dacht aan de paar dingen die ze kon doen (*het pistool*: het pistool lag in de kelder. Ze zou naar beneden moeten om het wapen te halen. Of de deur – ze kon proberen langs haar moeder en de schim te glippen en de voordeur van het slot te halen) konden haar longen en haar mond alleen gillen.

Er werd op de deur gebonkt. *Ze proberen hem open te breken*, dacht ze. *Ze komen er niet doorheen. Het is een stevige deur.*

Haar moeder lag in een plas maanlicht op de grond en de schim hing ineengedoken over haar heen, wierp zijn hoofd in zijn nek en brulde, een diep gorgelend gebrul om angst aan te jagen, uit te dagen en zijn bezit veilig te stellen.

Ik ben aan het hallucineren, dacht Rosie met plotselinge zekerheid. *Ik heb twee dagen in een kelder opgesloten gezeten, dus nu ben ik aan het hallucineren. Er is geen tijger.*

Om dezelfde reden was het onmogelijk dat er in het maanlicht een bleke vrouw was verschenen, ook al kon Rosie haar door de hal zien lopen; een vrouw met blond haar en de lange, lange benen en smalle heupen van een danseres. De vrouw bleef voor de schim van de tijger staan. Ze zei: 'Hallo, Grahame.'

Het schimmenbeest hief zijn enorme kop op en gromde.

'Denk maar niet dat je je kunt verstoppen in dat rare dierenkostuum,' zei de vrouw. Ze keek niet blij.

Rosie besefte dat ze door de vrouw heen keek en het venster kon zien. Geschrokken deinsde ze achteruit en drukte zich plat tegen de muur.

Het beest gromde weer, deze keer minder overtuigend. De vrouw zei: 'Ik geloof niet in geesten, Grahame. Ik heb in mijn hele leven geen moment in geesten geloofd. En toen kwam ik jou tegen. Jij hebt de carrière van Morris om zeep geholpen. Jij hebt ons bestolen. Jij hebt me vermoord. En tot overmaat van ramp ben ik door jou in geesten gaan geloven.'

De schimmige grote-kat-gedaante jankte klaaglijk en week achteruit door de gang.

'Denk maar niet dat je me kunt ontlopen, waardeloos kereltje. Je kunt nog zo je best doen om op een tijger te lijken, maar je bent geen tijger. Je bent een rat. Nee, dat is een belediging voor dat edele en talrijke knaagdierenras. Je bent nog minder dan een rat. Je bent een dwergmuis. Je bent een wézel.'

Rosie rende door de hal. Ze rende voorbij het schimmenbeest, voorbij haar moeder op de grond. Ze rende dóór de bleke vrouw heen, wat het gevoel gaf alsof ze door een mistbank heen liep. Ze kwam bij de voordeur en morrelde aan de grendels.

Er was een woordenwisseling aan de gang in Rosies hoofd of in de werkelijkheid. Iemand zei:

Je moet haar gewoon negeren, stommeling. Ze kan je niets doen. Het is maar een spook. Ze is niet echt. Pak het meisje! Hou het meisje tegen!

En iemand anders antwoordde:

Dat is een sterk argument. Maar ik betwijfel of je het van alle kanten hebt bekeken, vis-à-vis, nou ja, voorzichtigheid, ahum, de moeder van de porseleinkast, als je begrijpt wat ik bedoel. Ik leid. Jij volgt.

Maar...

'Wat ik zou willen weten,' zei de bleke vrouw, 'is uit hoeveel geest je op het ogenblik bestaat. Ik bedoel, mensen kan ik niet aanraken. Ik kan zelfs dingen niet echt aanraken. Maar geesten wél.'

De bleke vrouw schopte naar de kop van het beest. De schimmenkat siste en week een stap achteruit. De voet miste hem op een haar na.

De volgende schop was raak en het beest jankte. Nog een schop, die hard terecht kwam op waar zich ongeveer zijn schimmige neus bevond en het beest krijste als een kat die in het bad wordt gedaan, een eenzaam gekrijs van afgrijzen, woede, schaamte en gekrenkte trots.

In de hal weerklonk het gelach van een dode vrouw, een uitbundige, vrolijke lach. 'Wezel,' herhaalde de bleke vrouw. 'Grahame, je bent een Wezel. '

Een koude wind woei door het huis.

Rosie opende de laatste grendel en draaide de deur van het slot. De voordeur viel open. Er waren lichtbundels uit zaklantaarns, oogverblindend. Mensen. Wagens. Een vrouwenstem zei: 'Het is een van de vermiste toeristen.' En toen: 'Mijn god.'

Rosie draaide zich om.

In de lichtkring van de zaklantaarn zag Rosie haar moeder liggen, een hoopje ellende op de betegelde vloer, en naast haar, schoenloos en bewusteloos en onmiskenbaar menselijk, Grahame Coats. Hij lag in een plas rode vloeistof, als dieprode verf, en heel even had Rosie geen idee wat het was.

Een vrouw was tegen haar aan het praten. Ze zei: 'Jij moet Rosie Noah zijn. Ik heet Daisy. Zullen we ergens gaan zitten. Vind je dat goed?'

Iemand moest de stoppenkast hebben gevonden, want op dat moment gingen alle lichten in het hele huis aan.

Een grote agent in uniform stond over de lichamen gebogen. Hij keek op en zei: 'Het is beslist meneer Finnegan. Hij ademt niet meer.'

Rosie zei: 'Ja, ik zou dolgraag willen zitten.'

Charlie zat naast Spider op de rand van het klif in het maanlicht; hij liet zijn benen bungelen.

'Weet je,' zei hij, 'dat je vroeger een deel van mij was. Toen we klein waren.'

Spider hield zijn hoofd scheef. 'Echt waar?'

'Ik geloof het wel.'

'Nou, dat zou wel iets verklaren.' Hij stak zijn hand uit. Een spinnetje van klei met zeven poten zat op zijn vingers naar lucht te happen. 'Wat nu? Neem je me weer terug of zo?'

Er verscheen een rimpel in Charlies voorhoofd. 'Zo ben je leuker geworden dan als je bij mij was gebleven. En je hebt veel meer plezier gehad.'

Spider zei: 'Rosie. Tijger weet het van Rosie. We moeten iets doen.'

'Natuurlijk,' zei Charlie. Het leek op boekhouden, dacht hij: je zette bedragen in de ene kolom, trok ze af van de bedragen in de andere kolom en als je het goed had gedaan, moest alles onderaan de bladzij op nul uitkomen. Hij pakte de hand van zijn broer.

Hij stond op en deed een stap naar voren, weg van de rand van het klif – en alles was helder...

Er waaide een koude wind tussen de werelden.

Charlie zei: 'Jij bent niet het magische deel van mij, weet je.'

'O nee?' Spider zette nog een stap. De sterren vielen nu met tientallen tegelijk, een lichtspoor trekkend over de donkere lucht. Iemand, ergens, speelde lieflijke ijle muziek op een fluit.

Nog een stap en nu loeiden er in de verte sirenes. 'Nee,' zei Charlie. 'Dat is niet zo. Volgens mij dacht mevrouw Dunwiddy van wel. Ze deelde ons doormidden, maar ze heeft nooit goed begrepen wat ze deed. We zijn eerder de helften van een zeester. Jij hebt je ontwikkeld tot een heel eigen persoonlijkheid. En ik ook,' zei hij. Door het uit te spreken besefte hij dat het zo was.

Ze stonden aan de rand van het klif in de dageraad. Een ambulance met zwaailichten reed de heuvel op, gevolgd door een tweede ziekenwagen. Ze parkeerden aan de kant van de weg, naast een paar politiewagens.

Daisy was iedereen aanwijzingen aan het geven.

'Daar kunnen we niet veel doen. Nog niet,' zei Charlie. 'Kom mee.' De laatste vuurvliegjes vlogen knipperend weg om te gaan slapen.

Met de eerste minibus reden ze terug naar Williamstown.

Maeve Livingstone zat boven in de bibliotheek van Grahame Coats' huis, omringd door Grahame Coats' kunst en boeken en dvd's, en ze staarde uit het raam. Beneden was de spoedeisende hulpdienst van het eiland bezig Rosie en haar moeder naar de ene ambulance te brengen, Grahame Coats naar de andere.

Ze bedacht dat ze ervan had genoten om het beest waarin Grahame Coats was veranderd, in elkaar te trappen. Ze vond dat het meest bevredigende wat ze sinds haar dood had gedaan – hoewel ze moest toegeven dat dansen met meneer Nancy een goede tweede plaats bezette. De oude baas was opmerkelijk kwiek en lichtvoetig geweest.

Ze was moe.

'Maeve?'

'Morris?' Ze keek om zich heen, maar het vertrek was leeg.

'Ik wil je niet storen als je nog bezig bent, mop.'

'Dat is erg lief van je,' zei ze. 'Maar ik denk dat ik klaar ben.'

De muren van de bibliotheek begonnen te vervagen. Ze verloren hun kleur en vorm. De wereld achter de muren werd zichtbaar en in het licht stond een kleine man in een vlot pak op haar te wachten.

Ze legde haar hand in de zijne. Ze vroeg: 'Waar gaan we heen, Morris?'

Hij vertelde het haar.

'O, wat leuk. Weer iets heel anders,' zei ze. 'Daar heb ik altijd al heen willen gaan.'

En hand in hand liepen ze weg.

VEERTIEN

Charlie werd wakker doordat er op een deur werd gebonsd. Verward keek hij rond. Hij bevond zich in een hotelkamer. Door zijn hoofd zwermden de meest onwaarschijnlijke gebeurtenissen, als motten om een kaal peertje. Terwijl hij daar lijn in probeerde te brengen, liet hij zijn voeten opstaan en naar de deur van zijn hotelkamer lopen. Hij tuurde naar het schema op de achterkant van de deur dat hem instrueerde waar hij heen moest als er brand uitbrak, en probeerde zich de gebeurtenissen van de afgelopen nacht te herinneren. Toen haalde hij de deur van het slot en trok hem open.

Daisy keek hem aan en vroeg: 'Heb je geslapen met die hoed op?'

Charlie voelde of hij iets op zijn hoofd had. Hij droeg inderdaad een hoed. 'Ja,' zei hij. 'Dat zal wel.'

'Hemel,' zei ze. 'Nou ja, je hebt je schoenen tenminste uitgetrokken. Weet je dat je gisteravond een hoop spannende dingen hebt gemist?'

'Is dat zo?'

'Poets je tanden,' raadde ze hem aan. 'En trek een schoon overhemd aan. Ja, dat is zo. Toen jij...' Ze aarzelde. Bij nader inzien leek het erg onwaarschijnlijk dat hij midden in een seance was verdwenen. Zulke dingen gebeuren niet. Niet in de echte wereld. 'Toen jij weg was, kreeg ik het hoofd van de politie einde-lijk zover dat hij een inval deed in Grahame Coats' huis. Hij hield die toeristen vast.'

'Toeristen...?'

'Het kwam door iets wat hij aan ons tafeltje zei, dat we die twee mensen op hem af hadden gestuurd, die twee in zijn huis. Het bleek dat hij jouw verloofde en haar moeder in de kelder had opgesloten.'

'Is alles goed met ze?'

'Ze liggen in het ziekenhuis.'

'O.'

'Haar moeder is er slecht aan toe. Je verloofde komt er wel bovenop.'

'Wil je haar niet de hele tijd zo noemen? Ze is mijn verloof-de niet meer. Ze heeft het met me uitgemaakt.'

'Ja, maar jij toch niet met haar?'

'Ze is niet verliefd op mij,' zei Charlie. 'Nu ga ik mijn tanden poetsen en een schoon overhemd aantrekken en dat doe ik graag alleen.'

'Ik zou ook maar douchen,' zei ze. 'En die hoed stinkt naar sigaren.'

'Het is een familiestuk,' zei hij. Toen liep hij naar de badka-mer en deed de deur op slot.

Het ziekenhuis lag op tien minuten lopen vanaf het hotel. Spi-der zat in de wachtkamer met een beduimeld tijdschrift in zijn handen, een exemplaar van *Entertainment Weekly*, en deed alsof hij las.

Charlie tikte hem op de schouder en Spider schrok. Hij keek argwanend op. Toen hij zijn broer zag, ontspande hij zich een heel klein beetje. 'Ik mag niet naar haar toe,' zei Spider. 'Want ik ben geen familie of zo.'

'Nou, dan zég je toch gewoon dat je familie van haar bent? Of haar arts?' opperde Charlie.

Spider zag er zenuwachtig uit. 'Zulke dingen gaan me moei-teloos af als het me niet uitmaakt of ik naar binnen mag of niet.

Maar nu maakt het wel uit. Ik zou niet graag in de weg lopen of iets verkeerds doen, en ik bedoel, als ik het probeer en ze zeggen nee, en dan... Waarom moet je lachen?'

'Gewoon,' zei Charlie. 'Omdat het me zo bekend in de oren klinkt. Kom, laten we Rosie opzoeken. Weet je,' zei hij tegen Daisy, terwijl ze een willekeurige gang in liepen, 'je kunt op twee manieren door een ziekenhuis lopen. Of je probeert eruit te zien alsof je er werkt – Kijk, Spider. Daar hangt een witte jas aan de deur, precies jouw maat. Trek hem aan – of je ziet er zo misplaatst uit dat niemand je lastigvalt. Iedereen denkt gewoon dat een ander het maar moet uitzoeken.' Hij begon te neuriën.

'Welk liedje is dat?' vroeg Daisy.

'Yellow Bird', zei Spider.

Charlie duwde zijn hoed naar achteren en ze liepen de ziekenzaal op waar Rosie lag.

Rosie zat in bed een tijdschrift te lezen en keek zorgelijk. Toen ze het drietal binnen zag komen, keek ze nog zorgelijker. Ze keek van Spider naar Charlie, en weer terug.

'Jullie twee zijn ver van huis,' was het enige wat ze zei.

'Dat geldt voor ons allemaal,' zei Charlie. 'Spider ken je. En dit is Daisy. Ze werkt bij de politie.'

'Dat is nog maar de vraag,' zei Daisy. 'Misschien ben ik al ontslagen.'

'Jij was toch die vrouw van gisteravond? Die de eilandpolitie naar het huis heeft gestuurd?' Rosie zweeg. Ze vroeg: 'Hoe staat het met Grahame Coats?'

'Hij ligt op de intensive care, net als je moeder.'

'Als mijn moeder eerder bijkomt dan hij,' zei Rosie, 'denk ik dat ze hem afmaakt.' Toen zei ze: 'De artsen willen niets loslaten over mijn moeder. Het enige wat ze zeggen, is dat het ernstig is en dat ze het me vertellen als er iets te vertellen valt.' Ze keek Charlie met een heldere blik aan. 'Mijn moeder is niet zo erg als je denkt, echt waar. Je moet haar leren kennen. Toen we daar in het donker opgesloten zaten, hebben we veel tijd gehad om met elkaar te praten. Ze is best aardig.'

Toen snoot ze haar neus en zei: 'De artsen denken niet dat ze het haalt. Dat hebben ze niet met zoveel woorden gezegd, maar ze zeggen het door er niets over te zeggen. Het is gek. Ik dacht dat ze het eeuwige leven had.'

Charlie zei: 'Ik ook. Ik heb wel eens bedacht dat je moeder en kakkerlakken de enige wezens waren die een kernoorlog zouden overleven.'

Daisy ging op zijn voet staan. Ze vroeg: 'Is al bekend hoe ze gewond is geraakt?'

'Dat heb ik ze verteld,' zei Rosie. 'Er was een soort beest in dat huis. Misschien was het Grahame Coats zelf wel. Ik bedoel, het leek op hem, maar het was ook iets anders. Het wilde me aanvallen, mijn moeder leidde zijn aandacht af en toen viel het haar aan...' Ze had het die ochtend allemaal zo goed mogelijk aan de eilandpolitie verteld. Over de blonde geest-vrouw had ze haar mond gehouden. Onder druk kan iemand doordraaien en het leek haar beter als niemand dat te weten kwam.

Rosie viel stil. Ze keek Spider met grote ogen aan, alsof ze hem nu pas herkende. Ze zei: 'Ik haat je nog steeds, weet je.'

Spider zei niets, maar trok een diepongelukkig gezicht en leek niet meer op een arts. Hij leek gewoon op een man die een witte jas van een deur had gepikt en bang was dat iemand dat zou merken. Er kwam een dromerige klank in haar stem. 'Maar,' zei ze, 'toen ik daar vastzat in het donker, had ik het gevoel dat je me hielp. Dat je het beest bij me weghield. Wat is er met je gezicht gebeurd? Je zit onder de schrammen.'

'Die zijn van een dier,' zei Spider.

'Weet je,' zei ze, 'nu ik jullie bij elkaar zie, lijken jullie helemaal niet op elkaar.'

'Ik ben veel knapper,' zei Charlie. Voor de tweede keer plantte Daisy haar voet op zijn tenen.

'Ach gossie,' zei Daisy zacht. En toen harder: 'Charlie? Ik moet onder vier ogen iets met je bespreken. Meteen.'

Ze liepen naar de gang van het ziekenhuis en lieten Spider achter.

'Waarom?' zei Charlie.

'Waarom waarom?' zei Daisy.

'Wat moeten we bespreken?'

'Niets.'

'Wat doen we dan hier? Je hebt het gehoord. Ze haat hem. We hadden ze niet alleen moeten laten. Ze vermoordt hem waarschijnlijk.'

Daisy keek hem aan met de blik waarmee Jezus had gekeken als iemand Hem had verteld dat hij allergisch was voor brood en vis, dus of Hij misschien voor kipsalade kon zorgen. Een meewarige blik vol grenzeloos mededogen.

Ze legde een vinger op haar lippen en trok hem naar de deuropening. Hij keek de ziekenhuiszaal in. Rosie was niet bezig Spider te vermoorden. Het leek er niet op. 'O,' zei Charlie.

Ze waren aan het zoenen. Dat is nog veel te zwak geformuleerd, want dan denk je aan een gewone zoen met de volle lippen en de huid en misschien zelfs een beetje tong. Maar dat zegt nog niets over hoe hij lachte, hoe zijn ogen fonkelden. En hoe hij daarna, toen de zoen voorbij was, stond als een man die zojuist de kunst van het staan heeft ontdekt en heeft uitgevonden hoe hij dat beter kan dan wie dan ook.

Charlies aandacht verplaatste zich naar de gang, waar Daisy in gesprek was met een paar artsen en met de politieagent van de vorige avond.

'Wel, we hebben altijd gedacht dat hij niet deugde,' zei de agent tegen Daisy. 'Ik bedoel, eerlijk gezegd zien we dit soort gedrag alleen bij buitenlanders. De eilandbewoners doen zoiets niet.'

'Natuurlijk niet,' zei Daisy.

'Heel erg dankbaar,' zei het hoofd van de politie, die Daisy op haar schouders klopte op een manier die haar de kriebels gaf. 'Dit vrouwtje heeft het leven van die dame gered,' vertelde hij Charlie en gaf hem voor de zekerheid ook een neerbuigend schouderklopje, waarna hij met de artsen de gang uit liep.

'Wat is er aan de hand?' vroeg Charlie.

'Grahame Coats is dood,' zei ze. 'Zo goed als. En Rosies moeder geven ze ook weinig hoop.'

'Ik begrijp het,' zei Charlie. Hij dacht erover na. Toen hield hij op met denken en kwam tot een besluit. 'Vind je het erg als ik een kort babbeltje met mijn broer heb? We moeten iets bespreken.'

'Ik was toch van plan terug naar het hotel te gaan. Mijn e-mail checken. Waarschijnlijk vaak sorry zeggen door de telefoon. Uitzoeken of ik nog een baan heb.'

'Maar je bent toch een held?'

'Ik denk niet dat ik betaald word om een held te zijn,' zei ze een beetje mismoedig. 'Kom me in het hotel opzoeken als je klaar bent.'

Spider en Charlie liepen in de ochtendzon door de hoofdstraat van Williamstown.

'Weet je, dat is echt een mooie hoed,' zei Spider.

'Meen je dat?'

'Jawel. Mag ik hem even op?'

Charlie gaf Spider de groene gleufhoed. Spider zette hem op, keek naar zijn spiegelbeeld in een etalage. Hij trok een vies gezicht en gaf de hoed aan Charlie terug. 'Nou,' zei hij teleurgesteld, 'jou staat hij in elk geval goed.'

Charlie zette zijn gleufhoed achter op zijn hoofd. Sommige hoeden kunnen alleen gedragen worden als je flair hebt, als je ze scheef zet en er met een zwierige tred mee loopt, bijna alsof je aan het dansen bent. Ze stellen hoge eisen aan de drager. Dit was zo'n soort hoed en Charlie kon het aan. Hij zei: 'Rosies moeder gaat dood.'

'Ja.'

'Ik mocht haar écht helemaal niet.'

'Ik ken haar niet zo goed als jij, maar als ik haar langer had gekend, weet ik zeker dat ik ook echt een hekel aan haar had gehad.'

Charlie zei: 'Maar we moeten haar leven proberen te redden, hè?' Hij zei het zonder enthousiasme, zoals iemand aankondigt dat het tijd wordt naar de tandarts te gaan.

'Ik geloof niet dat we dat soort dingen kunnen.'

'Pa deed zoiets voor onze moeder. Hij heeft haar genezen, een tijdje.'

'Maar dat is iets anders. Ik zou niet weten hoe we dat moesten doen.'

Charlie zei: 'Die plaats aan het eind van de wereld. Met de grotten.'

'Het begin van de wereld, niet het eind. Wat is daarmee?'

'Kunnen we daar niet gewoon heen? Zonder al die poespas met kaarsen en kruiden?'

Spider zweeg. Toen knikte hij. 'Ik denk het wel.' Ze draaiden zich samen om, sloegen een richting in die er normaal niet was en lieten de hoofdstraat van Williamstown achter zich.

De zon kwam op. Charlie en Spider liepen over een strand dat bezaaid was met schedels. Het waren geen gewone menselijke schedels en ze bedekten het strand als gele kiezels. Charlie probeerde er niet op te trappen, terwijl Spider er knerpend overheen liep. Aan het eind van het strand sloegen ze links af een pad in, waar ze de rest van de wereld links lieten liggen, en de bergen van het begin van de wereld torenden boven hen uit en de kliffen liepen steil af naar beneden.

Charlie herinnerde zich de vorige keer dat hij hier was geweest, al leek het duizend jaar geleden. 'Waar is iedereen?' vroeg hij hardop en zijn stem echode tegen de rotsen en kaatste naar hem terug. 'Hallo?' riep hij hard.

En toen waren ze er en keken naar hem. Allemaal. Ze leken indrukwekkender nu, minder menselijk, dierlijker, wilder. Hij besefte dat hij ze de vorige keer als mensen had gezien omdat hij mensen had verwacht. Maar het waren geen mensen. Op de rotsen boven hen stonden ze opgesteld, Leeuw en Olifant, Krokodil en Python, Konijn en Schorpioen en de rest, honderden van hen, en ze keken naar hem met ogen die niet lachten. Er waren dieren die hij herkende, maar ook dieren die niemand zou kunnen thuisbrengen. Alle dieren waarvan mensen hebben gedroomd, die ze hebben vereerd of geprobeerd gunstig te stemmen. Charlie zag ze allemaal.

Het is iets heel anders, dacht hij, *om je eigen leven te redden door spontaan te zingen in een restaurant vol gasten terwijl iemand een*

revolver richt op het meisje dat je...
Dat je...
O.
Nou ja, dacht Charlie, *daar zal ik me later druk over maken.*
Zoals de zaken er nu voor stonden, wilde hij het liefst in een bruine papieren zak ademen of verdwijnen.

'Het moeten er honderden zijn,' zei Spider met ontzag in zijn stem.

Een windstoot en op een nabijgelegen rots verscheen de vogelvrouw. Ze sloeg haar armen over elkaar en keek hen met een strakke blik aan.

'Wat je ook van plan bent om te doen,' zei Spider, 'doe het gauw. Ze blijven niet eeuwig wachten.'

Charlie had een droge mond. 'Juist.'

Spider zei: 'Ahum, wat gaan we precies doen?'

'We gaan voor ze zingen,' zei Charlie doodleuk.

'Hè?'

'Zo maken we dingen in orde. Dat heb ik ontdekt. We moeten het allemaal zingen, jij en ik.'

'Ik begrijp het niet. Wát zingen we dan?'

Charlie zei: 'Het líéd. Je zingt het lied, je maakt dingen in orde.' Nu klonk hij wanhopig. 'Het líéd.'

Spiders ogen leken op plassen na een regenbui en Charlie zag er dingen in die hij nooit eerder had gezien: genegenheid misschien, en verwarring, en vooral een gevoel van tekortschieten. 'Ik snap niet wat je bedoelt.'

Leeuw keek naar hen vanaf de zijkant van een rotsblok. Aap keek naar hen vanuit de top van een boom. En Tijger...

Charlie zag Tijger. Hij liep behoedzaam op vier poten. Zijn kop was opgezet en gekneusd, maar in zijn ogen blonk een goed, alsof hij maar al te graag revanche wilde nemen.

Charlie deed zijn mond open. Er kwam een schor geluidje uit, alsof Charlie onlangs een bijzonder nerveuze kikker had ingeslikt.

'Het heeft geen zin,' fluisterde hij Spider toe. 'Wat een stom idee van mij, hè?'

'Ja.'

'Denk je dat we gewoon weg kunnen lopen?' Nerveus liet Charlie zijn blik over de bergwand en de grotten glijden, over al die honderden totemdieren van voor de allereerste oertijd. Er stond iemand die hij de eerste keer niet had gezien: een kleine man met citroengele handschoenen en een potlooddun snorretje, maar zonder gleufhoed om zijn uitdunnende haar te bedekken.

De oude man knipoogde toen hij Charlies blik opving. Het was niet veel, maar het was genoeg. Charlie zoog zijn longen vol lucht en begon te zingen. 'Ik ben Charlie,' zong hij. 'Ik ben Anansi's zoon. Luister naar mijn lied. Luister naar mijn leven.'

Hij zong voor hen het lied van een jongen die voor de helft een god was en doormidden was gedeeld door een oude vrouw met een grief. Hij zong over zijn vader en hij zong over zijn moeder.

Hij zong over namen en woorden, over de bouwstenen onder de werkelijkheid, werelden die werelden maken, waarheden achter de feiten. Hij zong over een gepast einde en een gerechtvaardigde straf voor iedereen die hem en de zijnen kwaad had gedaan.

Hij zong de wereld.

Het was een goed lied en het was van hem. Soms had het lied woorden en soms niet.

Terwijl hij zong, begonnen alle wezens die naar hem luisterden, te klappen en te stampen en mee te neuriën. Charlie had het gevoel dat hij de vertolker was van een groot, alomvattend lied. Hij zong over de vogels, over de betovering als je opkeek en de vogels in hun vlucht zag, over de weerschijn van de vroege zon op een vleugelveer.

Toen dansten de totemdieren, de dans van hun soort. De vogelvrouw danste de wielende dans van vogels, terwijl ze haar staartveren uitspreidde en haar snavel naar achteren wierp.

Er was maar één wezen op de berghelling dat niet danste.

Tijger zwiepte met zijn staart. Hij klapte, zong of danste niet. Zijn gezicht was beurs en paars, zijn lichaam bedekt met striemen en beten. Hij was de rotsen af geslopen, stap voor stap, tot hij vlak voor Charlie stond.

'De liederen zijn niet van jou,' grauwde hij.

Charlie keek naar hem, en toen zong hij over Tijger en Grahame Coats en iedereen die op onschuldige slachtoffers aast. Hij draaide zich om; Spider keek hem bewonderend aan.

Tijger brulde van woede en Charlie nam zijn gebrul over en weefde er een lied omheen. Daarna begon hij ook te brullen, op dezelfde manier als Tijger. Dat wil zeggen, hij begon op Tijgers manier te brullen, maar gaandeweg veranderde hij er iets aan zodat het opeens heel raar klonk. Alle schepsels die vanaf de rotsen toekeken, moesten erom lachen. Dat ging vanzelf. Charlie herhaalde het rare gebrul. Zoals bij elke imitatie, elke perfecte karikatuur gebeurt, was het voorwerp van spot voorgoed lachwekkend geworden. Niemand kon Tijger nog horen brullen zonder Charlies gebrul ernaast te horen. 'Wat brult die raar,' zouden ze zeggen.

Tijger keerde Charlie de rug toe. Met grote, soepele passen beende hij door de menigte en hij brulde onder het lopen, waardoor iedereen nog harder moest lachen. Nijdig trok Tijger zich terug in zijn grot.

Spider gebaarde met zijn handen, kort maar krachtig. Er klonk een gerommel en een kleine aardverschuiving blokkeerde de ingang van Tijgers grot. Spider keek voldaan. Charlie ging gewoon door met zingen.

Hij zong het lied van Rosie Noah en Rosies moeder. Hij zong voor een lang leven van mevrouw Noah en voor het geluk dat ze verdiende.

Hij zong over zijn eigen leven, over al hun levens. In zijn lied zag hij het patroon van hun leven als een web waarin een vlieg was gevlogen, en met zijn lied omwikkelde hij de vlieg, zorgde dat die nooit meer kon ontsnappen en repareerde het web met nieuwe draden.

Toen liep het lied op een natuurlijke manier ten einde.

Charlie besefte tot zijn niet geringe verbazing, dat hij het heerlijk vond om voor anderen te zingen en op dat moment wist hij wat hij de rest van zijn leven wilde doen. Hij zou zingen: geen grote, magische liederen om werelden te maken of het bestaan te herscheppen. Gewoon kleine liedjes waardoor mensen een poosje gelukkig waren, in beweging kwamen, hun problemen vergaten. En hij wist dat er altijd de angst voor het optreden zou zijn, de plankenkoorts die nooit over zou gaan, maar hij begreep ook dat het zoiets was als in het water springen – de eerste paar seconden akelig koud, maar daarna was het weer over en zou het goed zijn...

Nooit meer zó goed. Zo goed werd het niet meer. Maar goed genoeg.

En toen was hij klaar. Charlie boog zijn hoofd. De wezens op het klif lieten de laatste noten wegsterven, hielden op met stampen, klappen en dansen. Charlie zette zijn vaders groene hoed af en waaide zichzelf koelte toe.

Spider fluisterde: 'Dat was fantastisch.'

'Dat had jij ook gekund,' zei Charlie.

'Ik denk het niet. Wat gebeurde er aan het eind? Ik had het gevoel dat je iets dééd, maar ik zou niet kunnen zeggen wat.'

'Ik heb dingen in orde gemaakt,' zei Charlie. 'Voor ons. Denk ik. Ik weet het niet zeker...'

En dat was zo. Nu het lied voorbij was, begon de inhoud te vervagen, zoals een droom 's morgens bij het ontwaken.

Hij wees naar de ingang van de grot die door rotsblokken was versperd. 'Heb jij dat gedaan?'

'Ja,' zei Spider. 'Dat was het minste wat ik kon doen. Maar op den duur zal Tijger zich wel weer uitgraven. Eerlijk, ik wou dat ik iets ergers had gedaan dan alleen de deur voor zijn neus dichtslaan.'

'Maak je geen zorgen,' zei Charlie. 'Dat heb ik gedaan. Iets veel ergers.'

Hij keek hoe de dieren zich verspreidden. Zijn vader was nergens te bekennen, wat hem niet verbaasde. 'Kom,' zei hij. 'We moesten maar eens teruggaan.'

Spider ging tijdens het bezoekuur naar Rosie terug. Hij had een grote doos bonbons bij zich, de grootste die in het cadeauwinkeltje van het ziekenhuis werd verkocht.

'Voor jou,' zei hij.

'Dank je wel.'

'Ik heb gehoord,' zei ze, 'dat mijn moeder het waarschijnlijk haalt. Ze heeft haar ogen opengedaan en om pap gevraagd. De arts zegt dat het een wonder is.'

'Ja. Dat je moeder wil eten lijkt me inderdaad een wonder.'

Ze gaf hem een tik op zijn arm, maar liet haar hand daarna liggen.

'Weet je,' zei ze na een tijdje, 'je zult het wel raar van me vinden, maar toen ik daar met mijn moeder in het donker zat, had ik het idee dat je me hielp. Het leek of je het beest bij me weg hield. Alsof hij ons anders zou hebben gedood.'

'Ahum. Misschien was dat wel zo.'

'Heus?'

'Ik weet het niet. Het zou kunnen. Ik had het ook moeilijk en ik dacht aan je.'

'Had je het erg moeilijk?'

'Heel erg. Ja.'

'Wil je een glas water voor me inschenken?'

Dat deed hij. Ze vroeg: 'Spider, wat dóé je eigenlijk?'

'Wat ik doe?'

'Voor werk?'

'Van alles en nog wat.'

'Ik denk,' zei ze, 'dat ik een tijdje hier blijf. De verpleegkundigen zeggen almaar dat ze hier hard onderwijzers nodig hebben. Ik zou me graag nuttig willen maken.'

'Dat lijkt me leuk.'

'En wat ga jij dan doen?'

'O, nou, als jij hier blijft, vind ik ook wel iets om mezelf bezig te houden.'

Hun vingers verstrengelden zich zo vast als een schippersknoop.

'Denk je dat het iets wordt met onze relatie?' vroeg ze.

'Ik denk het wel,' zei Spider ernstig. 'En als je me gaat vervelen, ga ik gewoon weg om iets anders te doen. Dus maak je geen zorgen.'

'O,' zei Rosie. 'Ik maak me geen zorgen.' En dat was zo. Er lag een onbuigzame klank in haar stem, ondanks haar vriendelijkheid. Je kon zien van wie haar moeder dat had.

Charlie vond Daisy in een ligstoel op het strand. Hij dacht dat ze in de zon lag te slapen. Toen zijn schaduw over haar heen viel, zei ze: 'Hallo, Charlie.' Ze hield haar ogen dicht.

'Hoe wist je dat ik het was?'

'Je hoed stinkt naar sigaren. Dat ding gooi je toch zeker gauw weg?'

'Nee,' zei Charlie. 'Ik zei het al. Een familiestuk. Ik ben van plan hem tot aan mijn dood te dragen om hem daarna aan mijn kinderen door te geven. En? Zit je nog bij de politie?'

'Min of meer,' zei ze. 'Volgens mijn baas is er besloten dat ik een burn-out had van het harde werken en nu ben ik met ziekteverlof tot ik genoeg ben hersteld om weer aan het werk te gaan.'

'Aha. En wanneer is dat?'

'Weet ik nog niet,' zei ze. 'Kun je me de zonnebrandolie aangeven?'

Er zat een doosje in zijn zak. Hij haalde het eruit en legde het op de leuning van de ligstoel. 'Momentje. Eh.' Hij zweeg. 'Weet je,' zei hij, 'het lastigste gedeelte hebben we onder bedreiging van een vuurwapen al gedaan.' Hij deed het doosje open. 'Maar deze is voor jou. Van mij, of eigenlijk heeft Rosie hem teruggegeven. We kunnen hem ruilen voor eentje die naar je eigen smaak is. Een andere uitkiezen. Waarschijnlijk past hij je niet eens. Maar hij is voor jou. Als je hem wilt hebben. En ahum. Mij erbij.'

Ze pakte de verlovingsring uit het doosje.

'Nou ja,' snoof ze. 'Goed dan. Als je het maar niet doet om de limoen terug te krijgen.'

Tijger sloop rond. Zijn staart zwiepte geïrriteerd heen en weer terwijl hij voor de ingang van zijn grot op en neer beende. Zijn ogen brandden als smaragdgroene toortsen in de schaduw.

'De hele wereld en alles was van mij,' zei Tijger. 'De maan en sterren en zon en verhalen. Allemaal van mij.'

'Ik moet je er even op attent maken,' zei een stemmetje van achter uit de grot, 'dat je in herhalingen vervalt.'

Tijger bleef staan, draaide zich toen om en liep heimelijk naar de achterkant van zijn grot; zijn huid golfde onder het lopen als een bontvacht over een hydraulische vering. Hij sloop naar achteren tot hij bij het karkas van een os kwam en vroeg heel zacht: 'Wat moet dat voorstellen?'

Er klonk een gekrabbel in het skelet. Het puntje van een neus stak uit de ribbenkast. 'Eigenlijk,' zei het, 'was ik het als het ware met je eens. Dat moet het voorstellen.'

Kleine witte pootjes trokken een dun reepje gedroogd vlees tussen twee ribben uit en er werd een diertje zichtbaar met de kleur van vuile sneeuw. Het zou een albino mangoest kunnen zijn of een bijzonder sluwe wezel met een wintervacht. Het had de ogen van een aaseter.

'De hele wereld was van mij. De maan en sterren en zon en verhalen. Allemaal van mij.' Hij voegde eraan toe: 'En dat zou allemaal weer van mij zijn geweest.'

Tijger keek omlaag naar het beestje. Toen liet hij zonder voorafgaande waarschuwing een enorme poot neerkomen, verbrijzelde de ribbenkast, brak het karkas in smerig ruikende stukken en drukte het diertje tegen de grond; het wrong zich in allerlei bochten, maar kon niet ontsnappen.

'Jij bent hier,' zei Tijger, zijn enorme kop neus aan neus met het vuilwitte kopje van het diertje, 'jij bent hier omdat ik je gedoog. Begrepen? Want zodra je weer iets irritants zegt, bijt ik je kop er af.'

'Mmmff,' zei het wezelding.

'Je zou het niet leuk vinden als ik je kop eraf beet, hè?'

'*Nngk,*' zei het diertje. Zijn ogen waren lichtblauw, twee ijskorrels, en ze fonkelden terwijl het angstig onder het gewicht van de grote poot kronkelde.

'Dus beloof me dat je je gedraagt en je mond houdt,' gromde

Tijger. Hij tilde zijn poot een stukje op om het beest gelegenheid te geven iets te zeggen.

'Maar uiteraard,' zei het kleine witte ding uiterst beleefd. Toen draaide het zich met een wezelachtige beweging om en zette zijn tandjes in Tijgers poot. Tijger schreeuwde het uit van pijn, trok snel zijn poot terug, zodat het diertje door de lucht vloog. Het klapte tegen het plafond van de grot, stuiterde naar een richel en schoot toen als een vieze witte veeg naar het achterste gedeelte van de grot, waar het gewelf laag en dicht bij de grond was en er veel verstopplaatsen voor een klein diertje waren, plaatsen waar een groter dier niet kon komen.

Tijger liep zo ver mogelijk door naar de achterkant van de grot. 'Denk je dat ik niet kan wachten?' vroeg hij. 'Op den duur moet je tevoorschijn komen. Ik blijf hier.' Tijger ging liggen. Hij sloot zijn ogen en begon tamelijk overtuigende snurkgeluiden te maken.

Nadat Tijger ongeveer een halfuur had gesnurkt, kroop het lichtgekleurde diertje tussen de rotsen tevoorschijn en sloop van schaduw naar schaduw, op weg naar een groot bot waar nog een royale hoeveelheid lekker vlees aan zat, als je tenminste geen bezwaar had tegen een zekere ranzigheid, en dat had het niet. Maar om bij het bot te kunnen, moest het langs het grote beest. Het diertje hield zich schuil in de schaduwen, waagde daarna op kleine geluidloze pootjes de oversteek.

Toen het de slapende Tijger passeerde, schoot opeens een voorpoot uit en met een klap kwam er een klauw neer op de staart van het schepseltje dat tegen de grond werd gedrukt. Een andere poot greep het diertje bij zijn nekvel. De grote kat opende zijn ogen. 'Eerlijk gezegd,' zei hij, 'ziet het ernaar uit dat we met elkaar opgescheept zitten. Dus ik vraag alleen of je je best wilt doen. Laten we allebei ons best doen. Ik betwijfel of we ooit vrienden worden, maar misschien kunnen we leren elkaar te tolereren.'

'Ik begrijp wat je bedoelt,' zei het kleine fretachtige wezentje. 'We moeten zogezegd van de nood een deugd maken.'

'Dat bedoel ik dus,' zei Tijger. 'Je moet leren wanneer je je mond houdt.'

'Er waait geen wind,' zei het diertje, 'of hij is iemand gedienstig.'

'Nu irriteer je me alweer,' zei Tijger. 'Dat zeg ik juist. Irriteer me niet, anders bijt ik je kop eraf.'

'Je hebt het de hele tijd over "mijn kop afbijten". Ik neem aan dat als je dreigt met "bijt ik je kop er af" het eigenlijk een soort beeldspraak is, dat je bedoelt dat je misschien erg boos wordt en tegen me gaat schreeuwen.'

'Dan bijt ik je kop eraf. Knaag ik hem fijn. Kauw ik hem. Slik ik hem in,' zei Tijger. 'Wij kunnen hier pas weg als Anansi's zoon ons is vergeten. Die schoft lijkt het zo geregeld te hebben dat als ik je 's morgens doodmaak, je aan het eind van de middag weer in deze verdomde grot bent gereïncarneerd. Dus irriteer me niet.'

Het witte diertje zei: 'Ach. Elke dag is...'

'Als je "een nieuwe dag" zegt,' zei Tijger, 'raak ik geïrriteerd, en sta ik niet in voor de gevolgen. Dus. Zeg. Niets. Irritants. Begrepen?'

Het was even stil in de grot aan het eind van de wereld. Een stilte die werd verbroken door een wezelachtig stemmetje: 'Absolutíéf.'

Het begon 'au!' te gillen, maar dat geluid werd plotseling en doeltreffend gesmoord.

En toen klonk er alleen nog een knagend geluid.

Wat nergens in de literatuur over doodskisten wordt vermeld, omdat het eerlijk gezegd geen pluspunt is voor de mensen die ze kopen, is dat ze reuze comfortabel zijn.

Meneer Nancy was buitengewoon tevreden over zijn doodskist. Nu alle opwinding voorbij was, was hij weer in zijn doodskist gekropen en lag lekker te soezen. Af en toe werd hij wakker en herinnerde hij zich waar hij was, waarna hij zich omdraaide en weer in slaap viel.

Een graf is dus, zoals eerder opgemerkt, een prettige plaats met veel privacy en daarom een uitstekende plaats om je een beetje te ontspannen. Een meter tachtig onder de grond, beter kon het niet. Nog een jaar of twintig, dacht hij, en dan moest

hij er zoetjes aan over denken om weer eens op te staan.
Hij deed één oog open toen de begrafenis begon.

Boven kon hij ze horen: Callyanne Higgler en die vrouw Bustamonte en de andere, de magere, om maar te zwijgen van de horde kleinkinderen, achterkleinkinderen en achterachterkleinkinderen, die allemaal zuchtten en jammerden en tranen met tuiten huilden om de overleden mevrouw Dunwiddy.

Meneer Nancy kreeg even de neiging om zijn hand door de graszoden te steken en Callyanne Higgler bij haar enkel te pakken. Dat was iets wat hij altijd al had willen doen sinds hij *Carrie* in een drive-inbioscoop had gezien, dertig jaar geleden, maar nu de gelegenheid zich voordeed, weerstond hij de verleiding. Het was hem eerlijk gezegd te veel moeite. Ze zou alleen schreeuwen en een hartaanval krijgen en sterven, en dan zou het nog drukker worden op die verdomde begraafplaats dan het al was.

Te veel inspanning ook. Er wachtten hem mooie dromen in de wereld onder de grond. *Twintig jaar*, dacht hij. *Hooguit vijfentwintig*. Tegen die tijd had hij misschien kleinkinderen. Het is altijd boeiend te zien wat er van kleinkinderen gaat worden.

Hij kon Callyanne Higgler boven zijn hoofd horen jammeren en tekeergaan. Toen verkondigde ze tussen twee snikken door: 'Maar toch. Ze heeft een mooi leven gehad en lang. Die vrouw was honderddrie toen ze ons is ontvallen.'

'Honderdvier!' riep een geïrriteerde stem naast hem onder de grond.

Meneer Nancy strekte zijn ene immateriële hand uit en tikte venijnig op de nieuwe doodskist naast hem. 'Hou je rustig, vrouw,' snauwde hij. 'Er zijn hier mensen die willen slapen.'

Rosie had Spider goed duidelijk gemaakt dat hij een vaste baan moest zoeken van het soort dat inhield dat hij 's morgens zijn bed uit kwam en ergens heen ging.

Dus de ochtend voordat Rosie uit het ziekenhuis zou worden ontslagen, stond Spider vroeg op en ging naar de stadsbibliotheek. Hij logde in op de bibliotheekcomputer, begaf zich op het internet en haalde uiterst zorgvuldig alle bankrekeningen van Gra-

hame Coats leeg die nog niet waren opgespoord door de politie-
korpsen van de verschillende werelddelen. Hij gaf opdracht een
stoeterij in Argentinië te verkopen. Hij kocht een klein confec-
tiebedrijf, doneerde er geld aan en liet het als liefdadigheidsinstelling registreren. Hij stuurde een e-mail uit naam van Roger
Bronstein, waarmee hij een jurist in dienst nam om de belangen
van de stichting te behartigen, en hij stelde de jurist voor om juffrouw Rosa Noah, afkomstig uit Londen, momenteel woonach-
tig op Saint Andrews, in dienst te nemen om Goed te Doen.

Rosie kreeg haar aanstelling. Ze begon met het zoeken van
een geschikte kantoorruimte.

Toen dat was geregeld, bracht Spider vier dagen lopend (en
's nachts slapend) door op het strand dat het eiland grotendeels
omringde, en testte het eten uit in elk eettentje dat hij onderweg tegenkwam totdat hij bij Dawson's Fish Shack kwam. Hij
probeerde de gebakken vliegende vis, de gekookte groene vijgen,
de gegrilde kip en de kokostaart. Daarna liep hij naar achteren,
naar de keuken, waar hij de kok en tevens eigenaar van de zaak
vond, en bood hem een royale som geld in ruil voor een aandeel
in de zaak en kooklessen.

Dawson's Fish Shack is een restaurant geworden en meneer
Dawson is met pensioen. Spider staat afwisselend in de zaak en
in de keuken. Als je erheen gaat en naar hem uitkijkt, zul je hem
daar aantreffen. Het is het beste restaurant van het hele eiland.
Spider is dikker dan hij was, maar als hij alles blijft proeven wat
hij kookt, zal hij nog dikker worden.

Niet dat het Rosie iets kan schelen. Ze geeft zo nu en dan les,
helpt hier en daar een beetje en Doet een heleboel Goed. Misschien mist ze Londen af en toe, maar dat laat ze niet merken.
Rosies moeder daarentegen mist Londen voortdurend en windt
daar geen doekjes om. Toch beschouwt ze elke hint dat ze dan
maar terug moet gaan, als een poging om haar te scheiden van
haar nog ongeboren (en zelfs nog niet verwekte) kleinkinderen.

Niets zou de schrijver een groter genoegen doen dan je te vertellen dat Rosies moeder na haar terugkeer uit de schaduwen des
doods een heel ander mens was geworden, een opgewekte vrouw

met een vriendelijk woordje voor iedereen en dat haar herwonnen eetlust slechts werd geëvenaard door haar enorme levenslust. Helaas, de waarheid gebiedt volstrekte eerlijkheid en de waarheid is dat Rosies moeder toen ze uit het ziekenhuis kwam nog steeds de oude was, even achterdochtig en onaardig als vroeger, alleen erg verzwakt en bang in het donker. Met veel aplomb deelde ze mee dat ze haar flat in Londen zou verkopen en Spider en Rosie waar ook ter wereld zo volgen om bij haar kleinkinderen te kunnen zijn. Op den duur begon ze kritische opmerkingen te maken over het uitblijven van kleinkinderen, de kwantiteit en kwaliteit van Spiders sperma, de frequentie en standjes van Spiders en Rosies seksleven en hoe betaalbaar en eenvoudig een ivf-behandeling was, totdat Spider serieus overwoog om niet meer met Rosie naar bed te gaan, alleen maar om Rosies moeder dwars te zitten. Dat overwoog hij ongeveer elf seconden nadat Rosies moeder hem op een middag fotokopieën overhandigde van een artikel waarin stond dat Rosie een halfuur op haar hoofd moest blijven staan nadat ze seks hadden gehad. Toen hij die avond aan Rosie vertelde wat hij had gedacht, moest ze lachen en zei dat haar moeder niet in hun slaapkamer mocht komen en dat ze niet van plan was op haar hoofd te staan als ze met hem naar bed was geweest, voor geen goud.

Mevrouw Noah heeft nu een flat in Williamstown, vlak bij Spider en Rosie. Twee keer per week komt een van Callyanne Higglers talrijke nichten langs, haalt een stofzuiger door het huis, stoft het glazen fruit af (want wasfruit smelt op dit warme eiland), maakt een beetje eten klaar en zet het in de koelkast. Soms eet Rosies moeder het op en soms laat ze het staan.

Charlie is zanger geworden. Hij heeft veel van zijn rondheid verloren. Tegenwoordig is hij een slanke man met een onafscheidelijke gleufhoed. Hij heeft een hele verzameling hoeden in verschillende kleuren. Zijn favoriete hoed is groen.

Charlie heeft een zoon die Marcus heet. Hij is vierenhalf en bezit de diepe ernst en oprechtheid die uitsluitend bij kleine kinderen en berggorilla's wordt aangetroffen.

Niemand noemt Charlie nog 'Fat Charlie' en dat vindt hij eerlijk gezegd wel eens jammer.

Het was zomer, vroeg in de ochtend en al licht toen hij geluiden hoorde in de kamer naast hem. Charlie liet Daisy slapen. Hij stapte zacht uit bed, pakte een T-shirt en korte broek, en liep naar de andere kamer, waar hij zijn zoon in zijn blootje op de vloer zag spelen met een houten speelgoedtrein. Allebei trokken ze hun T-shirt en korte broek en sandalen aan, Charlie zette een hoed op en ze liepen naar het strand.

'Pap?' zei de jongen. Hij had een vastberaden kin en leek over iets na te denken.

'Ja, Marcus?'

'Wie was de kortste president?'

'De kleinste bedoel je?'

'Nee, de kortste tijd.'

'Harrison. Hij kreeg longontsteking tijdens zijn inauguratie en daaraan is hij overleden. Hij is veertig-en-nog-wat dagen president geweest en het grootste deel van zijn ambtsperiode heeft hij op sterven gelegen.'

'O. Wie was dan de langste?'

'Franklin Delano Roosevelt. Hij heeft drie hele termijnen uitgezeten. In zijn vierde ambtsperiode overleed hij. Hier trekken we onze schoenen uit.'

Ze zetten hun schoenen neer op een rots en liepen verder naar de golven; hun tenen maakten kuiltjes in het natte zand.

'Hoe komt het dat je zoveel over presidenten weet?'

'Toen ik nog klein was, vond mijn vader dat ik er iets vanaf moest weten.'

'O.'

Ze waadden door het water naar een grote steen, die alleen bij eb te zien was. Na een tijdje tilde Charlie de jongen op en zette hem op zijn schouders.

'Pap?'

'Ja, Marcus?'

'P'tunna zegt dat je beroemd bent.'

'Wie is Petunia?'

'Een meisje uit mijn groep. Ze zegt dat haar mam al je cd's heeft. Ze zegt dat ze dol is op je liedjes.'

'Aha.'

'Bén je beroemd?'

'Niet echt. Een beetje.' Hij zette Marcus boven op de steen, klom er daarna zelf op. 'Oké. Klaar om te zingen?'

'Ja.'

'Wat wil je zingen?'

'Mijn lievelingsliedje.'

'Ik weet niet of ze daarvan houdt.'

'Jawel.' Marcus had de onverzettelijkheid van muren, van bergen.

'Goed. Een, twee, drie...'

Samen zongen ze 'Yellow Bird', dat die week het favorietste liedje van Marcus was. Daarna zongen ze 'Zombie Jamboree', dat zijn tweede favoriet was, en 'She'll Be Coming Round the Mountain', zijn derde favoriet. Marcus, die betere ogen had dan Charlie, zag haar tegen het eind van 'She'll Be Coming Round the Mountain', en hij begon te zwaaien.

'Daar is ze, pap.'

'Weet je het zeker?'

In de ochtendnevel liepen zee en lucht als een witte waas in elkaar over en Charlie tuurde met zijn ogen halfdicht naar de horizon. 'Ik zie niets.'

'Ze is onder water gedoken. Ze zal zo wel komen.'

Met een plons dook ze vlak onder hen op. Ze reikte, zwaaide en draaide tot ze naast hen op de steen zat; haar zilveren staart bungelde in de Atlantische Oceaan en waterdruppels glinsterden op haar schubben. Ze had lang oranjerood haar.

Nu zongen ze alle drie, de man en de jongen en de zeemermin. Ze zongen 'The Lady Is a Tramp' en 'Yellow Submarine' en daarna leerde Marcus haar de woorden van de herkenningsmelodie van de Flintstones.

'Hij doet me aan jou denken,' zei de meermin tegen Charlie, 'toen je klein was.'

'Kende je me toen al?'

Ze glimlachte. 'Jij en je vader wandelden vroeger over het strand. Je vader,' zei ze, 'was een echte heer.' Ze zuchtte. Zeemerminnen kunnen beter zuchten dan wie dan ook. Toen zei ze: 'Nu moeten jullie teruggaan. Het wordt vloed.' Ze streek haar lange haar naar achteren en dook rechtstandig in de oceaan. Even stak ze haar hoofd uit de golven, bracht haar vingertoppen naar haar lippen en blies Marcus een kushandje toe, waarna ze onder water verdween.

Charlie zette zijn zoon op zijn schouders en waadde door de zee naar het strand, waar hij zijn zoon weer van zijn rug in het zand liet glijden. Hij nam zijn oude gleufhoed af en zette hem op het hoofd van Marcus. De hoed was hem veel te groot, maar toch moest hij erom glimlachen.

'Hé,' zei Charlie. 'Wil je wat zien?'

'Goed, maar ik wil ook ontbijten. Ik wil pannenkoeken. Nee, ik wil havermout. Nee, ik wil pannenkoeken.'

'Kijk eens.' Charlie begon een zanddans op zijn blote voeten te doen, een geluidloze schuifelpas op het strand.

'Dat kan ik ook,' zei Marcus.

'O ja?'

'Kijk maar, pap.'

Hij kon het ook.

Samen dansten de man en de jongen over het zand terug naar huis. Ze zongen een woordeloos lied, dat ze onderweg verzonnen en dat nog in de lucht hing toen ze naar binnen waren gegaan om te ontbijten.

WOORD VAN DANK

Allereerst een enorme bos bloemen voor Nalo Hopkinson, die een waakzaam oog op de Caribische dialogen hield en me niet alleen vertelde wat ik eraan moest veranderen, maar ook hoe ik dat moest doen; en ook voor Lenworth Henry, die erbij was op de dag dat ik het allemaal bedacht en wiens stem ik in mijn achterhoofd hoorde toen ik het opschreef (daarom was ik zo blij met het nieuws dat hij het audioboek zou gaan voorlezen).

Evenals bij *American Gods*, mijn vorige volwassenenboek, mocht ik van twee huizen gebruikmaken om rustig te kunnen werken. Ik begon te schrijven in Tori's tweede huis in Ierland en daar rondde ik het boek ook af. Ik waardeer haar grote gastvrijheid. Ergens in het midden heb ik, voor zover de orkanen dat toelieten, in het tweede huis van Jonathan en Jane gewerkt. Het is fijn vrienden te hebben met meer huizen dan ze kunnen bewonen, vooral als ze die graag met je delen. De rest heb ik geschreven in het plaatselijke koffiehuis, waar ik de ene na de andere kop afschuwelijke thee dronk in een tamelijk meelijwekkend vertoon van vergeefse hoop dat die beter zou smaken dan de vorige.

Roger Forsdick en Graeme Baker hebben me een deel van hun kostbare tijd gegeven om mijn vragen te beantwoorden over politieagenten, fraude en uitleveringsverdragen. Roger heeft me ook nog door het cellenblok rondgeleid, me eten gegeven en het uiteindelijke manuscript nagekeken. Ik ben hun zeer dankbaar.

Sharon Stiteler controleerde of het klopte wat ik over vogels schreef en beantwoordde mijn vragen daarover. Pam Noles las als eerste wat ik had geschreven en haar reacties zorgden dat ik bleef doorgaan. Een heleboel anderen hielpen me door stukken te lezen en van commentaar te voorzien, zoals Olga Nunes, Colin Greenland, Giorgia Grilli, Anne Bobby, Peter Straub, John M. Ford, Anne Murphy en Paul Kinkaid, Bill Stiteler, Dan en Michael Johnson. Eventuele fouten in het boek zijn niet van hen, maar van mij.

Mijn dank gaat ook uit naar Ellie Wylie, Thea Gilmore, The Ladies of Lakeside en naar Holly Gaiman die me kwam helpen telkens wanneer ze vond dat ik behoefte had aan een slimme dochter om me heen; naar de twee Petes van Hill House, Publishers; naar Michael Morrison, Lisa Callagher, Jack Womack, Julia Bannon en Dave McKean.

Jennifer Brehl, mijn redactrice bij Morrow, heeft me ervan overtuigd dat het verhaal dat ik haar een keer tijdens de lunch vertelde, beslist stof voor een goede roman was, in een periode waarin ik zelf niet goed wist waarover mijn volgende boek zou moeten gaan. Ook heeft ze geduldig naar me geluisterd toen ik haar een keer 's nachts opbelde en een derde van het boek aan haar voorlas. Alleen al daarvoor verdient ze een heiligverklaring. Jane Morpeth van Headline is het soort redacteur dat elke schrijver hoopt te krijgen als hij goed zijn best doet en zijn bord leegeet. Merrilee Heifetz van Writers House met assistentie van Ginger Clark, en in Groot-Brittannië Dorie Simmonds, zijn mijn literair agenten. Ik ben blij dat ze me terzijde staan en prijs me gelukkig met hun steun.

Jon Levin houdt me op de hoogte van de nieuwste films. Mijn assistente Lorraine heeft geholpen me aan het schrijven te houden en zette tenminste goede thee.

Ik denk niet dat ik over Fat Charlie had kunnen schrijven als ik niet zowel een fantastische, maar gênante vader als geweldige, maar gegeneerde kinderen had gehad. Leve het gezin.

En ten slotte een dankwoord voor wat nog niet bestond toen ik *American Gods* schreef: de lezers van mijn weblog op www.neilgaiman.com, die altijd klaarstonden als ik iets moest weten, en die, voor zover ik kan vaststellen, met elkaar alles weten wat er te weten valt.

Neil Gaiman
juni 2005

www.neilgaiman.com